Dilyn Ffordd Tangnefedd:
Canmlwyddiant Cymdeithas y Cymod
1914-2014

Golygydd: D. Ben Rees

Cyhoeddiadau Modern Cymreig
mewn cyd-weithrediad â
Chymdeithas y Cymod yng Nghymru

Dilyn Ffordd Tangnefedd: Canmlwyddiant Cymdeithas y Cymod 1914-2014

Golygydd: D. Ben Rees

Y mae'r Golygydd a Chymdeithas y Cymod yn diolch yn arbennig i Robin Gwyndaf, Is-lywydd y Gymdeithas, am ei waith mawr ynglŷn â pharatoi'r gyfrol

Cyhoeddiadau Modern Cymreig mewn cyd-weithrediad â Chymdeithas y Cymod yng Nghymru

Argraffiad cyntaf: Awst 2015

Cyhoeddwyd mewn cyd-weithrediad â Chymdeithas y Cymod yng Nghymru

ISBN 978 0 901332 92 9

Dymuna'r Cyhoeddwr gydnabod gymorth adrannau o'r
Cyngor Llyfrau Cymraeg

Argraffwyd gan Wasg Dinefwr a chyhoeddwyd gan Wasg Cyhoeddiadau Modern Cymreig Cyf,
32 Garth Drive, Lerpwl/Liverpool L18 6HW
mewn cydweithrediad â Chymdeithas y Cymod yng Nghymru.

Cyflwynir y gyfrol hon gyda pharch a diolch:

1. Er cof annwyl am:

George M Ll Davies (1880 - 1949)
Gwynfor Evans (1912 - 2005)
a D Arfon Rhys (1941 - 2014)

A phob un a fu'n ffyddlon gynt i Gymdeithas y Cymod yng Nghymru.

2. I Nia Rhosier, Llywydd Anrhydeddus y Gymdeithas.

3. Ac i bawb sy'n parhau heddiw i hyrwyddo heddwch a chymod.

Gair o Ddiolch gan y Golygydd a'r Cyhoeddwr

Cofio arwyr, arweinwyr,arloeswyr a wnawn yn y gyfrol ryfeddol y bum yn ei golygu. Tasg enfawr oedd hi a ddaeth yn anrhydedd. Gofynwyd imi ystyried y maes a chynllunio yr hanes mor gynhwysfawr ac mae'n bosibl. Nid dyma'r tro cyntaf imi gael gofyniad tebyg gan Gymdeithas y Cymod. Gwahoddais bobl amlwg yn y mudiad a haneswyr yn y maes fel Gwyn Griffiths, awdur cyfrol sylweddol yn y ddwy iaith ar Henry Richard, a Hefin Mathias awdur cydnabyddedig. Ysgwyddais ran dda o'r hanes i'r Ail Ryfel Byd ac yn wir y Rhagarweiniad am y cyfnod diweddar. Da oedd cael Dr Robin Gwyndaf wrth law gyda'i ddoniau a'i argyhoeddiad heddychol.Bu ef, Is-Lywydd Cymdeithas y Cymod yn ddolen gyswllt pwysig a hoffwn ddiolch iddo am ei ragair caredig, ei anerchiadau,ei farddoniaeth a'i her i ni heddiw ac am baratoi'r gyfrol i'w gwerthuso gan y Cyngor Llyfrau.Ychwanegwyd yn ddirfawr ar ol derbyn yr adroddiad hwnnw gan inni ddethol o dystiolaeth y gwrthwynebydd cydwybodol, cynnwys cerddi Waldo, Gwenallt a Damien Walford Davies i ymuno gyda cherddi Mererid Hopwood, Robin Gwyndaf, Iorweth Cyfeiliog Peate a John Edward Williams. Euthum ati i gasglu erthyglau pwysig o eiddo Angharad Tomos (gyda chaniatâd yr Herald Cymraeg), a Damien Walford Davies ar Adar Angau (gyda chaniatâd Golygyddion Taliesin). Gwahoddais D.Arfon Rhys i lunio'r hanes o ddiwedd yr Ail Ryfel Byd. Amddifadwyd ni o'i gyfraniad ac ysgwyddodd ei olynydd Jane Harries y cyfrifoldeb i lunio y ddwy bennod werthfawr. Credaf y caiff y darllenydd flas ar yr ail adran a'r cyflwyniadau i rai o'r arweinwyr amlycaf, sef George M. Ll.Davies, Gwynfor Evans, Ifan Wynn Evans, D. R Thomas a Arfon Rhys. Cafwyd ysgrifau gan aelodau o Gymdeithas y Cymod ar yr arwyr hyn: Guto Prys ap Gwynfor, R.Alun Evans, Pryderi Llwyd Jones a minnau, pedwar gweinidog ymneilltuol. Yr oedd hi'n bwysig gael atgofion a chofiais am gyfraniad Ioan W Gruffydd a Nia Rhosier, a llwyddodd y ddau i ailgreu y cyffro wedi'r Ail Ryfel Byd. Cafwyd cyfraniadau gwerthfawr gan John Owen o Ddyffryn Clwyd, Dr Christine James, yr Archdderwydd, llyfryddiaeth lawn a bywgraffiadau byr y tim a baratodd mewn llafur cariad y gyfrol bwysig hon. Credaf yn gryf y dylid cael mynegai gwerthfawr a diolchgar ydwyf i Gwyn Griffitths am ei gamp.

Diolchaf i Pryderi Llwyd Jones am ddarllen y bedwerydd broflen.

Derbyniais luniau oddiwrth unigolion sydd yn gwasanaethu Cymdeithas y Cymod, prynais luniau o'r Llyfyrgell Genedlaethol, ac yr oeddwn yn ffodus fod Gwasg Cyhoeddiadau Modern yn meddu ar gasgliad gwerthfawr. Diolch am y cyfan.

D.Ben Rees, 5 Mehefin, 2015.

Cynnwys

Rhagair

Cyfrol i gofio, diolch ac ysbrydoli yw'r gyfrol hon.

Cofio'r dioddefaint anorfod y mae pob rhyfel erioed wedi'i achosi. Cofio'n arbennig am aberth y miloedd o filwyr ifanc yn ystod y Rhyfel Byd Cyntaf a'r Ail Ryfel Byd, a hiraeth teuluoedd ar ôl eu hanwyliaid.

Ac yn y cofio, diolch. Diolch i bawb drwy'r oesoedd, yng nghanol pob rhyfel a gwrthdaro, a chwifiodd faner tangnefedd. Yn arbennig iawn, diolch i ffyddloniaid Cymdeithas y Cymod a gredodd gyda John Penry Jones o'r Foel, Dyffryn Banw, ym Mhowys, mai

> Taenu trais ar drais yn drwch
> Yw lladd i ennill heddwch.

Cyfrol i gofio a diolch … A chyfrol i'n haddysgu a'n hysbrydoli. Ein gobaith yw y bydd myfyrio ar ei chynnwys yn ysbrydoli pob un ohonom i ddyblu a threblu ein hymroddiad o blaid heddwch. Cyfrol ydyw, fe hyderwn, i'n hargyhoeddi o'r newydd. Wrth inni gofio am gan mlynedd o dystiolaeth Cymdeithas y Cymod, cofio hefyd fod swyddogaeth y Gymdeithas y dyddiau hyn mor bwysig, onid yn bwysicach, nag erioed, fel y gall pob un ohonom ddweud â'n holl galon:

> Am hynny, cydgerddwn ninnau mewn ffydd
> Hyd lwybrau tangnefedd bob awr o'r dydd.
> Cans heddiw mae'r neges yr un mor glir,
> Megis cân aderyn ar y brigyn ir;
> A dweud mae'r gân wrth y cenhedloedd ynghyd
> Mai cariad a chymod sy'n achub y byd.

* * *

Fy ngorchwyl bleserus gyntaf, felly, yw diolch o galon i'r Parchg Ddr D. Ben Rees am dderbyn gwahoddiad y Gymdeithas i olygu'r gyfrol a chyfrannu'n helaeth iddi, gan gynnwys paratoi'r llyfryddiaeth gynhwysfawr. Mawr werthfawrogir ei gymwynas. Yr oedd ef yn ddewis amlwg Bu ganddo ran flaenllaw yn y mudiad heddwch er yn fachgen ifanc yn niwedd pumdegau'r ugeinfed ganrif. Bu'n golygu *Peacelinks,* cylchgrawn FOR

(Fellowship of Reconciliation) Prydain *Reconciliation Quarterly,* ac ef oedd golygydd cyntaf *Cymod,* cylchgrawn Cymdeithas y Cymod yng Nghymru (1979). Y mae hefyd yn awdur a golygydd nifer fawr o lyfrau a llyfrynnau ardderchog iawn ar heddwch a phynciau dyngarol. Ef, er enghraifft, oedd golygydd a chyhoeddwr y gyfres o lyfrau sydd bellach yn drysorau prin, yn cynnwys portreadau o 41 o heddychwyr Cymraeg: *Herio'r Byd* (1980); *Dal i Herio'r* Byd (1983); a *Dal Ati i Herio'r Byd* (1988).

Braint a hyfrydwch arbennig i mi, ar ran aelodau Cymdeithas Y Cymod, fu cael ymwneud â'r gyfrol hon, yn arbennig i gynorthwyo gyda pharatoi'r testun ar gyfer y wasg.

Hyfrydwch neilltuol hefyd yw cael diolch yr un mor ddiffuant i'r holl gyfranwyr a darparwyr y lluniau; i Gwyn Griffiths am baratoi'r mynegai; ac i Eleri Gwyndaf am gyd-ddarllen gyda mi y gyfrol gyfan mewn teipysgrif. Diolch arbennig i'm cyfeillion, Dr Anne a Howard Williams, Clynnog Fawr, Arfon, am eu cymorth amhrisiadwy yn paratoi fersiwn electronig o'r gyfrol ar gyfer y wasg.

Yr un modd, llawer o ddiolch i Cynefin y Werin, a Dydd Gweddi Chwiorydd y Byd am gefnogaeth ariannol i gyllid Cymdeithas Y Cymod.

Yn olaf, canmil diolch i Wasg Cyhoeddiadau Modern Cymreig am gyhoeddi'r gyfrol, mewn cydweithrediad â Chymdeithas y Cymod, ac i Wasg Dinefwr, yr argraffwyr.

Robin Gwyndaf

Rhagarweiniad

Dyma fraint fawr i heddychwr sef cael gwahoddiad gan Gymdeithas y Cymod yng Nghymru i olygu cyfrol i ddathlu canmlwyddiant y Gymdeithas a gychwynnwyd yn niwedd 1914. Cymdeithas a'i phencadlys yn Lloegr oedd Fellowship of Reconciliation (FOR) y pryd hynny ac yr oedd Cymru fel yr Alban ac Iwerddon yn rhan annatod o'r Gymdeithas, ac felly y bu am flynyddoedd. Gan fod Cymry amlwg yn arwain o fewn mudiad FOR ni ddaeth yr alwad i fod ar wahân am 60 mlynedd. Yn wir yr oeddwn ar Bwyllgor Gwaith FOR pan ddaeth yr adeg i Gymru gael ei Chymdeithas ei hun a hynny yn 1976. Yr oeddwn i yr adeg honno yr unig Gymro Cymraeg a berthynai i'r ddwy Gymdeithas, a chefais y cyfle i chwarae rhan allweddol yn FOR Prydain ac yna Lloegr am ddeugain mlynedd, ac yn cynorthwyo Cymdeithas y Cymod yng Nghymru yn ôl y galw. Teimlaf bellach yn unig gan fod fy nghyfoedion i gyd naill yn y cwmwl tystion neu yn gorffwys ar ei rhwyfau a'i atgofion. Dyma gyfle imi gyfrannu un gweithred arall i hyrwyddo heddychiaeth Gymraeg. Fe'm gwahoddwyd gan Gymdeithas y Cymod yng Nghymru yn 1977 i baratoi memorandwm ar raglen cyhoeddi y medrai'r Gymdeithas ymgymryd â hi. Derbyniwyd yr holl raglen waith, a chyhoeddwyd rhifyn cyntaf y cylchgrawn *CYMOD* o dan fy ngolygyddiaeth ar gyfer Eisteddfod Genedlaethol Cymru yng Nghaernarfon yn 1979. Gwerthwyd bob copi o'r rhifyn hwnnw.

Penderfynwyd hefyd fynd ar ôl rhai o'r awgrymiadau ac yn eu plith gyfrolau ar arloeswyr y Gymdeithas ar dir Cymru. Ni ddihysbyddwyd yr hanes ond cyhoeddwyd tair cyfrol sydd bellach yn glasuron, sef *Herio'r Byd* (1980), *Dal i Herio'r Byd* (1983) a *Dal Ati i Herio'r Byd* (1989). Golygai hyn fod gennym ar gof a chadw bortreadau o 41 o dangnefeddwyr Cymraeg o bob enwad. Gwerthwyd allan y tair cyfrol ac ni welir fyth copi ar werth mewn siop ail-law am ei bod mor bwysig i'w gwarchod. Wrth ddarllen y rhagarweiniad i'r ail gyfrol, fe'm perswadiwyd i ail bwysleisio yr hyn sydd yn gyffredin yn y cyfrolau a olygais ddeng mlynedd ar hugain yn ôl a'r gyfrol newydd hon i ddathlu canmlwyddiant Cymdeithas y Cymod. Yn gymdeithasegol a diwinyddol a chymdeithasol y mae nifer o bwyntiau sy'n haeddu ystyriaeth bellach.

Cyfraniad mawr arloeswyr y Gymdeithas yng Nghymru

Nia Rhosier wrth fedd y Cymodwr
yn mynwent Dolwyddelan

Yn y lle cyntaf, y lle allweddol sydd i nifer fechan o unigolion yn ein hanes. Y gŵr sydd yn allweddol i'r holl stori ydyw George M. Ll. Davies, gan ei fod ef yn un o sylfaenwyr *Fellowship of Reconciliation* yn 1914, ac un o'i harweinwyr cynharaf. Ni ellir dianc rhag hud ei bersonoliaeth, ei ddawn fawr i gymodi, a'i allu i ddwyn, er enghraifft, Lloyd George a De Valera at ei gilydd mewn cytundeb bregus. Daliwn i glywed ei eiriau:

> 'Yr unig ffordd i ddiddymu gelyn yw ei wneud yn gyfaill'.

Gwelir ei enw ym mhob man, a'i gyfeillgarwch gyda phobl o bob haen o gymdeithas. Ef oedd trwbadŵr heddychiaeth Gymraeg, ond nid yr unig un.

Cafodd ddisgybl ardderchog yn Gwynfor Evans, gŵr a fu'n hanesydd ein cymdeithas, ac yn arweinydd cenedl. Llefarodd yn gyson ar heddychiaeth, a bu ef a'i fam yng nghyfraith, Elizabeth Dan Thomas, yn swyddogion gweithgar i Undeb Heddychwyr Cymru yn ystod yr Ail Ryfel Byd. Yn y cyfnod wedi'r Ail Ryfel Byd, cawsom ein hysgogi, dro ar ôl tro, gan y Parchedig D. R. Thomas, Merthyr, ac ar ôl hynny Aberystwyth. Cofiaf yn dda awgrymu ei enw ac yn wir enw y Dr R.Tudur Jones cyn hynny mewn Pwyllgor FOR yn Llundain i draddodi Darlith Goffa Alex Wood. Gwnaeth D.R. Thomas hynny yn 1985 o dan y teitl *Newyddion Da i'r Byd*. Y mae gennym ddyled fawr i Nia Rhosier, Anna Jane Evans, Jane Harries a'r diweddar Arfon Rhys fel Ysgrifenyddion y Gymdeithas yn y ddeng mlynedd ar hugain diwethaf. Haedda Nia englyn crefftus Robin Gwyndaf fel teyrnged am iddi ofalu fod y Gymdeithas yn barod i dystio ar faes yr

Eisteddfod Genedlaethol, ar fater Epynt, ac yn ei pherthynas gyda Mudiad Rhyngwladol Cymdeithas y Cymod. Daeth i adnabod, fel finnau, a daeth o dan ddylanwad Jean a Hildegard Goss-Mayr. Cofir i'r Gymdeithas drefnu Cynhadledd arbennig yng Ngholeg Dewi Sant, Llanbedr Pont Steffan, Mawrth 28-30, 1996, pryd y cafwyd anerchiad cofiadwy gan Hildegard Goss-Mayr, Llywydd Anrhydeddus y Gymdeithas Ryngwladol. Daeth yr Americanwr carismatig, Jim Wallis, i Gymru yn 1986, ac yr oedd ganddo yntau neges bendant, dderbyniol i bobl *shalom*.

Gweithgaredd o eiddo Nia Rhosier y dylid ei bwysleisio oedd ei gohebiaeth gyson gydag arweinwyr gwleidyddol y pleidiau ar faterion yn ymwneud â heddwch. Ar Ryfel y Malvinas a Rhyfel y Gwlff, bu yn effeithiol ei datganiadau i'r wasg. Anfonodd i'r wasg ar Medi 12, 1990 ddatganiad clir:

> 'Wrth gondemnio Saddam Hussein, hyderwn na fydd i ni gondemnio gwlad gyfan gydag ef ac anghofio'r modd ysgeler y bu i wledydd y Gorllewin ymelwa trwy werthu arfau i Irac.'

Bu'n llythyru gyda'i Aelod Seneddol, Martyn Jones, pan oedd hi yn byw yn Llangollen. Anfonodd lythyr i Dr Rowan Williams, y diwinydd yn Rhydychen, a chafodd ateb dwyieithog. Diolchodd Dr Rowan Williams iddi yn Saesneg ond ar ddiwedd ei lythyr ychwanegodd y cymal yn Gymraeg, 'ei fod e'n falch' fy mod wedi ' wedi'ch darllen yn *Logos*'. Ond yn fy nhyb i yr ateb gorau a gafodd Nia oedd oddi wrth yr heddychwr solet, y Parchedig J. E. Davies, Rhydaman ar 28 Chwefror 1991:

> 'Da clywed bod y Rhyfel drosodd, ond araf iawn y dysgwn. Canrif enbyd yw'r ugeinfed yma. Rhyfedd bod amynedd ein Tad nefol yn dal, a'r eglwys bob cangen bron, mor sefydliadol eu hosgo'.

Ni fu neb ohonom yn barod i herio'r Sefydliad yn fwy na 'John Gopa' fel y gelwid ef ar lafar gwlad. Rhoddodd ei orau fel Gweinidog i Grist yn arbennig yng Nghapel y Presbyteriaid Gopa, Pontarddulais.

J.E.Davies

Diolchodd Nia i Tam Dalyell am ei areithiau grymus yn y Tŷ Cyffredin, yn cyhuddo Mrs Thatcher ar fater y Belgrano yn Rhyfel y Malvinas a'i ddadleuon ar argyfwng y Dwyrain Canol. Anfonodd Tam Dalyell, AS, lythyr ar 31 Ionawr 1991 gan danlinellu gweinidogaeth Nia:

> 'I found your letter very moving', (yr un a anfonodd hi iddo ef ar 19 Rhagfyr 1990).

Ysgrifennai'r Parchedig Aled Williams, Y Rhyl yn achlysurol ati, ac ar Mai 26, 1991 fe gawn ef yn diolch am y gwasanaeth a gynhaliwyd yn y Coleg Diwinyddol yn Aberystwyth i erfyn am faddeuant oherwydd y gyflafan yn y Gwlff. Trist i Aled oedd darllen am y Frenhines yn America, yn clodfori y penaethiaid milwrol yno am eu gwaith "ardderchog" yn y Gwlff.

Y mae'r frawddeg olaf yn ysgytiol, ond yn nodweddiadol o ymddygiad aelodau'r Teulu Brenhinol, bob un ohonynt, yn ymhyfrydu mewn iwnifform a medalau a rhwysg militaraidd. Gweithredodd Nia Rhosier ymhellach i hybu pererindodau a gwersylloedd ieuenctid Cymru, ac adeiladu ar waith fy nghyfaill y Parchedig Ioan W. Gruffydd, Pwllheli.

Cymdeithas y Cymod a'r Rhyfel Byd Cyntaf

Yn ail, pwysigrwydd y Rhyfel Byd Cyntaf yn hanes ein Cymdeithas ac yn arbennig ym mhererindod yr heddychwyr, efallai mai'r gair cywir yw'r gair tröedigaeth o fyd y milwr i fyd y pasiffist. Y Rhyfel hwnnw a fagodd argyhoeddiad yng nghalon cydwybod a meddwl Tom Nefyn Williams, Ben Owen, J. H. Griffith (Dinbych), Dan Evans (Aberystwyth), Llywelyn Hughes (Porthaethwy), Lewis Valentine, Cynan, J. W. Jones (Conwy), ac E. Lewis Evans i enwi ond ychydig ohonynt. Gŵyr ifainc oedd a'u

Hugh Williams ('Hywel Cernyw')

Evan Lewis Evans

Robert Evans

R.J.Jones (Caerdydd)

llygaid ar alwad yr Arglwydd oedd y rhain i gyd ac a welodd drasiedïau diflas eu dyddiau ac a gafodd eu perswadio gan huodledd Lloyd George a John Williams, Brynsiencyn ac ugeiniau eraill o arweinwyr crefyddol a blediai y 'Rhyfel Sanctaidd', i fentro i Fflanders a Salonica ar alwad y drwm. Yr oedd y rhain a brofodd caledi bywyd caled yn cyhoeddi bellach ym mhulpudau Cymru, ar sail eu profiadau, y ffordd dra ragorol. Y mae holl hanes Cymdeithas y Cymod, Cynghrair y Cenhedloedd, ymgyrch Arglwydd David Davies, Llandinam a Gwilym Davies, Aberystwyth ym mhrofiadau y milwyr a ddychwelodd yn heddychwyr o'r Rhyfel Byd Cyntaf. Ni ddigwyddodd hynny yn yr un modd o gwbl wedi'r Ail Ryfel Byd. Dod adref wedi eu sobreiddio a'u syfrdanu a'u caledi a wnaeth cymaint o filwyr yr Ail Ryfel Byd. Roedd Belsen a Dachau a Hiroshima a Nagasaki a'r miloedd ar filoedd a adawyd i orwedd yn naear Normandi yn ddigon i ysigo ffydd y dewraf o blant dynion. Dyna pam fod gwaith heddychwyr fel T. H. Williams, Llandudno, Llewelyn C. Huws (Wauncaegurwen), R. J. Jones, Caerdydd a David Jones Blaenplwyf, a'r bardd Waldo Williams wedi'r Ail Ryfel Byd yn drychinebus o anodd. Trodd cymaint o'r milwyr eu cefnau ar gapeli eu magwraeth, aelodau ar bapur yn unig oeddynt. Roedd crwydro Cymru i sefydlu celloedd fel y ceisiai J. P. Davies a T. H. Williams a George M. Ll. Davies ei gyflawni yn bechadurus o anodd.

Gweinidogion ac offeiriaid yn heddychwyr

Sylweddolwn yn drydydd wrth groniclo'r stori fod mwy o heddychwyr amlwg nag a feddyliwyd gan ran fwyaf o'n haneswyr. Y gwir yw daeth gweinidogion yr holl enwadau Anghydffurfiol yn lladmeryddion neges a nod Cymdeithas y Cymod. Sefydlodd rhai o'r enwadau fel yr Annibynwyr Cymraeg a'r Bedyddwyr Cymraeg, Cymdeithas Heddwch gyda'r canlyniad ceid cyfarfodydd Heddwch ym mhob Undeb. Y trueni yw bod cymaint o heddychwyr y Bedyddwyr heb gofnod. Meddyliaf yn arbennig am Hugh Williams ('Hywel Cernyw'), Dr E. K. Jones, Cefn-mawr, D. Wyre Lewis, Rhosllannerchrugog a D. J. Michael, Blaenconin. Yr oedd yr Eglwys yng Nghymru â'i heddychwyr. Cadeirydd cyntaf Cymdeithas y Cymod yng Nghymru yn y saith degau oedd y Canon Dewi Thomas. Ef a awgrymodd yr enw *Herio'r Byd* ar y gyntaf o'r tair cyfrol a olygais ar wahoddiad Cymdeithas y Cymod er mai fy ngwasg, Cyhoeddiadau Modern Cymreig Cyf., a ysgwyddodd yr holl gostau cyhoeddi.

Canon Dewi Thomas yn ei wewyr

T.H. Williams

Afrifed lwybrau heddwch

Yn bedwerydd gwêl y cyfarwydd fod yr argyhoeddiadau heddychol sydd yn ein cyflyru ac yn ein gorfodi i ymuno â Chymdeithas y Cymod yn dod ar amrywiol lwybrau. Y mae'r Deyrnas â phyrth lawer iddi ac felly hefyd gydag argyhoeddiadau heddychol. Teulu, amgylchedd, perygl i'r amgylched hwnnw o du Swyddfa Ryfel, dylanwad gweinidog o basiffist, ac athro o gyffelyb bryd yw rhai o'r pyrth. Faint o fechgyn a gafodd eu dylanwadu yng Ngholeg Bala Bangor gan weledigaeth heddychol Thomas Rees, John Morgan Jones, Gwilym Bowyer ac R. Tudur Jones? Yr un fath yng ngholegau Aberhonddu ac Abertawe pan oedd W. T. Pennar Davies a D. Eurig Davies wrth y llyw. Bu Pennar, yr anwylaf o blant dynion, yn ddigon dewr i gymryd rhan mewn gweithredoedd anghyfreithlon di-drais, fel yn erbyn y Swyddfa Ryfel yn Nhrawsfynydd, ac yn erbyn arafwch y Wladwriaeth Brydeinig i roddi dipyn o Gymraeg ar y teledu. Gallwn guro cefn aml i basiffist am herio'r Wladwriaeth. Dyna wnaeth pedwar cyfaill i mi yn 1986, y Parchedigion Pryderi Llwyd Jones, John Tudor, M. Islwyn Lake, a John Owen, Rhuthun. Aethant i faes awyr yr RAF Molesworth i ddweud eu bod yn anghymeradwyo polisïau gorffwyll ein llywodraeth filitaraidd. Dirwywyd hwy i £20 yr un gyda £7 yn ychwanegol o gostau, am ddifrod i'r ffens. Yn helynt y byncer yng Nghaerfyrddin (y tro hwn dylni

Cyngor lleol), cafwyd arweiniad dewr dau Annibynnwr, y Parchedigion Rhodri Thomas ac Aled ap Gwynedd. Profiad y Rhyfeloedd oedd yn gyfrifol am argyhoeddiadau lu o'r heddychwyr o fewn Cymdeithas y Cymod. Adwaith i 'wrthun arferion cwrs disgyblaeth milwr' yn ôl D. E. Williams, Abertawe a orfododd E. Lewis Evans, ein hawdurdod pennaf ar Morgan Llwyd o Wynedd i lwybrau'r weinidogaeth a heddychiaeth, tra mai bwriad y Swyddfa Ryfel i gipio tir y Preselau a wnaeth Joseph James ac R. Parri Roberts yn gymaint o ŵyr y cymod. Perygl i bobl â thir y Benfro Cymraeg a yrrodd y ddau Weinidog, Joseph James ac R. Parri Roberts, yn rebeliaid y Preselau. Gweithred ffôl Corfforaeth Abertawe yn bygwth boddi tir da yn Llangyndeyrn i fod yn argae a wnaeth yr heddychwr W. M. Rees yn gymaint o Gandhi ac yn arwr i'r gyd-blwyfolion. Nid un llwybr sydd yn arwain y ferch a'r mab i Gymdeithas y Cymod. Er hynny y mae un gwrthrych yn eu llwyr gyfareddu, a hwnnw yw Tywysog Tangnefedd.

Y mae'n rhaid pwysleisio, yn bumed, y safbwynt Cristnogol. Fe all person fod yn heddychwr heb fod yn Gristion o argyhoeddiad, ond ni all Cristion fod yn gwbl deg ag ef ei hun heb fod yn coleddu egwyddorion

Joseph James

R. Parri Roberts

Cymdeithas y Cymod. Ceisiais fwy nag unwaith berswadio fy enwad i fod yn eglwys heddwch. Bu bron imi lwyddo, ond roedd ceidwadaeth y blaenoriaid Saesneg eu hiaith yn arbennig a charfan gref o'r gweinidogion efengylaidd yn amharod i gyhoeddi ein bod ni fel Presbyteriaid Cymraeg bellach ar yr un tir â Chymdeithas y Cyfeillion, y Gymdeithas y perthynai Waldo ac Arfon Rhys iddi.

Gwyddom am Gristnogion enwog fel Thomas Charles Williams, Porthaethwy a Dr John Williams,Brynsiencyn a gyfiawnhaodd ryfel a lladd a brwydro ar 'dir y Rhyfel cyfiawn', ond rhaid cydnabod mai gwan iawn yw'r ddadl honno yn erbyn diwinyddiaeth rymus hyrwyddwyr cylchgrawn *Y Deyrnas* a *CYMOD*, fel Puleston Jones, E. Tegla Davies, Thomas Gwynn Jones a'r miniog ei feddwl Thomas Rees, a safodd yn gadarn heb ofni gwg y Prif Weinidog, Lloyd George, na sbeit eu cyd-fforddolion byr eu gweledigaeth ym Mhwllheli, Tregarth, Aberystwyth a Bangor. Yr oedd sbeit golffwyr Bangor gymaint fel y bu'n rhaid esgymuno y Prifathro Thomas Rees o'u plith. Iddo ef a gweddill y tangnefeddwyr ni ellir troi Iesu Grist yn blediwr trais, dinistr a rhyfel. Iesu'r Cymod yw Iesu'r Gwaredwr bob amser.

Ac yn chweched meddiennir ni ar ôl darllen y gyfrol hon gan ymdeimlad o falchder bod cenedl y Cymry o 1914 i 2014 wedi codi gŵyr a gwragedd a fu'n ddigon llydan eu gweledigaeth i weld bod gan Gymry gyfraniad i'r mudiad heddwch, ac i FOR, sef Cymdeithas y Cymod, yn arbennig. Byddai'n dda cael cyfrol ar gyfraniad y merched Cymraeg i'r Mudiad Heddwch a FOR. Soniais am un neu ddwy eisoes, ond dylem roddi gwrogaeth arbennig i'r Fonesig M. Artemus Jones, Annie Jane Hughes -Griffiths (Llundain), Ann E. Humphreys, E.M. Bush, y Parchedig Alma Roberts, Gwladys Price, Tanygrisiau ac i'r rhai a fu wrthi yn y cyfnod diweddar fel Nia Rhosier, Rwth Thomas, Awel Irene a Jane Harries.

Bu pobl y Gymdeithas yn barod i ddangos eu hochr ar dir gwleidyddol yn ogystal. Sosialwyr a chenedlaetholwyr oeddynt o ran cred a bu nifer dda ohonynt yn barod i gadeirio, sefyll fel ymgeiswyr, ac i annerch cynadleddau a chyfarfodydd politicaidd. Roedd hyn yn codi gwrychyn aml i un parchus yn y sêt fawr a'r seiadau - yn wir y mae hynny'n wir hyd yn

Llyfr Gwyn Caerfyrddin

John Edward Williams

Annie Jane Hughes- Griffiths

J.H. Williams 'Canwy'

Oswald Davies

John Morgan Jones

oed yn 2014. Ymhlith y Sosialwyr y mae'n rhaid cyfeirio at y Parchedigion John Morgan Jones, Merthyr Tudfil, J. H. Howard, Bae Colwyn a Lerpwl, Oswald Davies, Garnant, D. R. Thomas a J. H. Williams, Bangor 'Canwy' a gyffrôdd awen R. Williams Parry. I Blaid Cymru y perthyn y mwyafrif helaeth yn arbennig yn y tri degau a'r pedwar degau. Cadwodd carfan dda yn glir o wleidyddiaeth a llwyfannau gan wneud eu gwaith yn dawel ac effeithiol o fewn eu milltir sgwâr. Weithiau yr oedd hi'n haws i ambell un ohonynt i fod yn heddychwyr o ran agwedd a phersonoliaeth. Yr oedd personoliaethau George M. Ll. Davies, Tegla Davies a Howell Harris Hughes (Llandudno) yn bersonoliaethau addfwyn tra oedd Ben Owen a David Jones, E. Lewis Evans, E. R. Lloyd Jones a Meirion Lloyd Davies yn bersonoliaethau mwy Amosaidd. Yn wir galwyd Dr E. Lewis Evans yn 'Amos y Cymry'. Gellir dweud hynny am fwy nag un o Gymdeithas y Cymod, a'r disgrifiad arall ydyw 'y rebel'. Felly yr edrychid o fewn Cymdeithas y Cymod ar Thomas Rees, T. E. Nicholas ('Niclas y Glais'), R. Parri Roberts a J. E. Davies. Er hyn i gyd, nid pobl heb asgwrn cefn oeddynt, heb argyhoeddiad, ac ymroddiad i Grist Iesu,ac i'w cymdogion, ac i'w cenedl ac i'r byd crwn.

Cyflawnodd lawer o'r rhain wyrthiau, fel George M. Ll. Davies, Gwynfor Evans, a Pennar Davies. Gosododd y Dr. J. Gwyn Griffiths ei fys ar bŷls y gwirionedd pan y dywedodd:

> 'Pan gymharaf Cymdeithas yr Iaith Gymraeg â mudiad Baader-Meinhof a rhai tebyg, daw ias o ddiolchgarwch a balchder i'm calon. Pobl fel Pennar Davies a wnaeth hyn yn bosibl.'

Yn wir gellid ychwanegu yn fy nhyb i enwau eraill fel Gwynfor Evans a'i fab, Guto, Emyr Llewelyn, Gareth Meils, Arfon Rhys, Dafydd Iwan, John Owen (Bethesda), Emlyn Richards ac eraill. Hwy oedd cynheiliaid y goleuni mewn dyddiau o dywyllwch yn hanes iaith a chenedl.

Cynnal y fflam...

Edrychaf ar y gyfrol hon fel cyfrol i ysbrydoli cenhedlaeth newydd. Cwyno a wna aml un ohonom ni yr hynafgwyr fod y genhedlaeth ifanc yn cadw draw o'n celloedd a'n gweithgareddau. Mor bell yn ôl â 1 Tachwedd 1990, anfonodd y Parchedig Richard Jones, Llanelwy lythyr i Nia Rosier, dyddiedig 1 Tachwedd 1990, yn cwyno fod nifer o aelodau Cymdeithas y Cymod yn Nyffryn Clwyd a'r Cyffiniau yn gymharol fechan a'r ffyddloniaid yn heneiddio. Hen stori mae arnaf ofn,a daliwn i ailgylchu y shiboleth. Yn ol Richard Jones, yn y dyddiau hynny, Ronwy Roberts oedd yr angor yn nhref Dinbych, a John Tudor yn ardal Rhuthun, a bodlonai Richard Jones ei hun ofalu am fuddiannau pobl y Cymod yn y Rhyl a Rhuddlan. Bron chwarter canrif yn ddiweddarach nid yw hi gymaint â hynny yn wahanol. Nid yw'r dystiolaeth cofiwch, chwaith wedi diflannu. Daw rhai o hyd i roddi help llaw. Lleiafrif mae'n wir. Pan oeddwn i am flynyddoedd yn olygydd cylchgrawn FOR, *Peacelinks*, sylweddolwn mai dyma'r unig bobl o genedl y Cymry, oedd yn ei dderbyn fel Cymry Cymraeg, sef yr ysgolhaig Dr Owen Evans, Llanfair PG, S. Tegfan Griffiths, Treforys, Henry James (Trawsfynydd), Llewelyn Lloyd Jones, Pearce Jones, Nia Rhosier, Philip de la Haye, E. Islwyn Davies, Aled ap Gwynedd a Huw Ethall., pob un ond un yn weinidogion. O'r rhain, dim ond tri ohonom sydd yn dal ein haelodaeth o'r Gymdeithas. Y gweddill yn y Cwmwl tystion, ond daeth eraill i gynnal y cylchgronau a'r llenyddiaeth a'r tystio, a dyna fawredd a pherthnasedd y Gymdeithas hon i fywyd Cymru.

Pennar Davies

Guto ap Gwynfor ac Arfon Rhys

Rhoddir o hyd ddigon o bropaganda o blaid rhyfel boed yn Afghanistan neu yn Irac; bellach y mae'n angenrheidiol rhoddi lle dyladwy i'r rhai o'n plith a gerddodd yn ddewr lwybrau y gwrthwynebydd cydwybodol, a fu yn offerynnau cymod yn eu cymunedau ac a bregethodd ar bob cyfle posibl am ogoniant ffordd y Cymod yng Nghrist Iesu. Credaf fod Nia Rhosier, yn ystod Rhyfel y Gwlff, wedi dweud y gwir wrth Keith Clements, Ysgrifennydd Cyngor Eglwys Prydain ac Iwerddon yr adeg honno (a hynny ar 22 Ebrill 1991), ei bod hi yn 'gofidio fod yr Eglwysi Cristnogol yn anghofio cydweithio gyda Chymdeithas y Cymod'. Dyna'r dasg o'r ddwy ochr dau ddegawd yn ddiweddarach.

D. Ben Rees

George M. Ll. Davies yn y canol.

Plannu coeden yn y Deml Heddwch, Caerdydd, 6 Rhagfyr 1999, i gofio 50 ml marw George M Ll Davies (1880 - 1949) E.H. Griffiths, Nia Rhosier, Awel Irene, Alma Roberts.

A. Y Cefndir

Yr Hen Gapel, Llanbryn-mair a fagodd heddychwyr o ddyddiau 'SR'.

Arloeswyr Hedd - Cymry'r Gymdeithas Heddwch

Gwyn Griffiths

Immanuel Kant ddywedodd fod rhyfel yn ddrwg a'i fod yn creu mwy o ddrygioni nag y mae'n ei ddileu. Dengys hanes hefyd, y gall rhyfel esgor ar fudiadau ac ymgyrchoedd o blaid heddwch. Yr un adeg ag y cychwynnodd cyflafan fawr 1914 y goleuwyd fflam Cymdeithas y Cymod – neu yr *International Fellowship of Reconciliation* neu y *Mouvement International de la Réconciliation.* Ar ddiwedd yr un rhyfel noddwyd Cadair Gwleidyddiaeth Ryngwladol Coleg y Brifysgol, Aberystwyth, y gyntaf o'i bath ym Mhrydain gan David Davies, y Trydydd Barwn Davies, Llandinam. Hynny, a sefydlu'r Deml Heddwch yng Nghaerdydd, oedd ei ymateb ef i'r Rhyfel Byd Cyntaf y cafodd brofiad personol ohono.

Joseph Tregelles Price

Awn yn ôl ganrif ymhellach. Bu blynyddoedd Rhyfeloedd Napoleon, 1792-1815, yn gyfnod o ryfela di-baid rhwng Prydain a Ffrainc. Wedi cyfnod cyhyd o frwydro yr oedd y bobl yn ysu am heddwch a dechreuwyd sefydlu cymdeithasau i ysgogi'r cyhoedd i achub dynoliaeth rhag y pla dinistriol rhyfel. Dyna fan cychwyn y Gymdeithas Heddwch - digwyddiad arall i'w gofio gan heddychwyr a Chymry, oherwydd cyfraniad cynifer o'n cyd-genedl iddi. Gwelir egin cyntaf y Gymdeithas mewn llythyr – Saesneg - a anfonodd Joseph Tregelles Price, Crynwr oedd yn berchen gwaith haearn Abaty Nedd, at ei chwaer Junia, dyddiedig 28ain Mehefin, 1814.

> "Rwyf i eto heb roi sylw i'r peth pwysicaf oll, sef cychwyn y gwaith o sefydlu cymdeithas gyda'r unig ddiben o ledaenu'r math o olau a gwybodaeth fydd yn arwain at gadw heddwch cyffredinol a byd-eang."

Yr wythnos wedyn cyfarfu Tregelles Price ynghyd â rhai cyfeillion yng nghartref y Crynwr, William Allen, i drafod sefydlu'r fath gymdeithas. Ymhen dwy flynedd yr oedd y Gymdeithas i Hyrwyddo Heddwch Parhaol a Byd-eang wedi ei sefydlu yn swyddogol. Yr oedd yn ddigwyddiad chwyldroadol am ei fod yn herio athrawiaeth yr Eglwys Sefydledig fod gwasanaeth mewn rhyfel yn gyson â Christnogaeth a thrwy hynny yn her i awdurdod y wladwriaeth.

Evan Rees, awdur *Sketches of the Horror of War*

Y Cymro allweddol arall yn sefydlu'r gymdeithas oedd Evan Rees, Crynwr ifanc diymhongar, eto o Gastell Nedd, a ddewiswyd yn ysgrifennydd cyntaf. Dywed ei gofiant fod ei dad, o'r un enw, yn enedigol o Esgair-goch, yn y Gogledd. Gwyddom am ddau le o'r enw yna, y ddeule yn y Canolbarth, y naill ger Penffordd-las a'r llall yng nghyffiniau Pennal, a'r ddau'n ganolfannau o bwys yn hanes y Crynwyr yng Nghymru. Daeth Evan Rees y tad i Gastell Nedd gan sefydlu siop nwyddau haearn, busnes digon llewyrchus iddo fedru anfon ei fab i ysgol breswyl yng Ngwlad yr Haf. Yr oedd iechyd Evan Rees y mab yn fregus ac oherwydd hynny treuliodd amser yn Ffrainc mewn hinsawdd mwy llesol. Tra'n fachgen ar ymweliad â Portsmouth, fe'i swynwyd gan gyffro a rhwysg militariaeth ond yn Ffrainc ym 1814 cafodd olwg arall i ryfel. Daeth i ffieiddio creulondeb annynol ac afradlonedd y gwariant ar arfau.

Crisialodd y syniadau a ddeilliodd o'r profiadau hynny yn ei gyfrol *Sketches of the Horrors of War* a seiliwyd yn bennaf ar ddyfyniadau o *Relation Circonstanciee de la Campagne en Russie en 1812* gan Eugénie Labaume.

> "Bu cymeriad a gweithredoedd y milwr erioed yn hoff thema naratif yr hanesydd a chân y bardd. Dioddefiadau'r clwyfedig ddaw olaf yn y disgrifiadau cyffrous o rwysg brwydrau; nid yw dagrau'r weddw a'r amddifad o fawr ddiddordeb mewn datganiadau o ddelfryd a gogoniannau rhyfel. Mae holl rymoedd iaith, a phob addurn arddull, wedi eu pentyrru i anfarwoli enwogrwydd y milwr, i guddio erchylltra rhyfel - i dragwyddoli gweithredoedd dinistr – a dyrchafu dinistriwr dyn i safle'r mwyaf aruchel o'r ddynoliaeth. Portreadir rhyfel fel y maes lle amlygir egni mwyaf aruchel dyn, ond i amgyffred ei wir natur rhaid ei weld yn ei ffieidd-dra, nid drwy'r twyll a ddefnyddir i'w wisgo yng ngwenwyn ysblander hudolus."

Yn niwedd y gyfrol mae'n cyferbynnu'r llofrudd liw nos gyda'r fyddin sy'n llofruddio ar raddfa erchyll a'r modd y dyrchefir gweithredoedd y milwyr.

> "Erys yr arswyd a deimlir gan erchyllterau un llofrudd canol nos yn fyw ym mhob atgof; ceir pryder yn y ddinas, a hwnnw'n lledu i'r deyrnas gyfan. Ond pan ddaw newyddion am farwolaeth annhymig miloedd, mor wahanol yw'r teimlad; goleuadau gwych yn chwalu tywyllwch y nos, a strydoedd yn atseinio i fonllefau dieflig o fuddugoliaeth. Adlewyrchir maint yr archoll a ddioddefir gan y gorchfygedig yn y llawenydd. Os mai yn y miloedd y bu eu colledion, rhaid wrth ddathlu cyffredinol; os bu farw degau o filoedd yn y frwydr, bydd yn ennyn gorfoledd gorffwyll. Ond yn siŵr mae llawenhau yn nhrallodion ein cyd-ddyn yn annynol ac anhaelionus, yn difwyno deall, a chaledi'r galon rhag teimladau gorau dynoliaeth . . .
>
> "Gwarthnodir troseddwr a lofruddiodd un person â chywilydd, a'i gondemnio i wneud iawn am ei drosedd drwy farwolaeth gwaradwyddus, ond ystyrir dwyn ymaith fywydau miloedd mewn rhyfel yn ogoneddus ac anrhydeddus. Ar ba egwyddor o reswm, dynoliaeth, neu grefydd, y gellir cyfiawnhau'r fath wyrdroad geiriau? Mae awduron cenhedloedd sydd mewn gwrth-daro yn disgrifio cyflafan mewn iaith lachar gan hawlio i'w cydwladwyr anrhydeddau gogoneddus, efallai y bydd to Eglwys Gadeiriol yn atseinio i nodau dwys y *Te Deum* a chlodydd y concwerwr; ac o fynychu'r dathliadau buddugoliaethus, hwyrach y dellir y gwyliwr â mawredd dychmygol yr ymladd, ond golygfa mwy priodol i'r coffáu fyddai maes y gâd wedi ei drochi ag afonydd o waed, a cherddoriaeth mwy priodol fyddai griddfan y clwyfedig a galarnadau y cannoedd a'r miloedd . . . a gollasant eu gwŷr, eu tadau, eu meibion a'u brodyr."

Ysgogwyd cymdeithas gan waith Evan Rees ac eraill i drafod ystyriaethau budd a lles gwladwriaeth wrth lunio polisïau tramor; jingostiaeth; y priodoldeb o streicio yn erbyn rhyfel, ac yn y blaen. Lledodd dylanwad y Gymdeithas Heddwch yn gyflym yn Lloegr ond nid yng Nghymru er gwaethaf dylanwad Tregelles Price a Rees. Sefydlwyd cangen Abertawe a Chastell Nedd ym 1817 er mai "Cymdeithas Gynorthwyol Abertawe a Chastell Nedd" oedd hi i drosglwyddo neges ac athroniaeth y pencadlys yn Llundain a bod angen sêl a bendith y pwyllgor yn Llundain i unrhyw weithgaredd neu ddatganiadau. Tebyg bod i deulu Evan Rees hefyd ran yn y datblygiad hwnnw, oherwydd gwelir enwau ei frawd Jonathan Rees a'i chwaer ymysg tansgrifwyr cyntaf y gymdeithas yn Llundain. Bu farw Evan Rees ar Fehefin 1821 yn 31 oed. Cafodd ei annog oherwydd ei iechyd i fynd ar fordaith ac yr oedd ar long yn hwylio i Awstralia pan fu farw. Ei fwriad oedd bod i ffwrdd am oddeutu pymtheg mis a gwnaed trefniadau i rannu gwaith ysgrifennydd y Gymdeithas.

Nun Morgan Harry

Ym 1837 penodwyd Cymro arall, Nun Morgan Harry, yn ysgrifennydd y Gymdeithas Heddwch. Ganwyd Harry yn Llanbedr Efelffre, Sir Benfro, a gwyddom ei fod fel Evan Rees, o bosib, yn Gymro Cymraeg. Dechreuodd bregethu'n 17 oed pan oedd yn aelod o Gapel yr Annibynwyr, Henllan Amgoed. Cafodd nawdd y Fonesig Barham, un o gefnogwyr amlwg y Methodistiaid Calfinaidd a'r Annibynwyr, i fynd i academi Newport Pagnell, Swydd Buckingham, a bu'n weinidog wedyn yn Banbury a New Broad Street yn Llundain. Cyfaill iddo oedd Caleb Morris, un arall o blant Sir Benfro, a fu'n weinidog capel Fetter Lane. Y mudiad heddwch oedd diddordeb pennaf Harry, cyfrannodd i gyhoeddiadau'r gymdeithas ac ef oedd yr ysgrifennydd tan ei farw yn 42 oed yn 1842.

Samuel Roberts (S R)

Cartref Henry Richard yn Nhregaron

Samuel Roberts (SR), Llanbryn-mair

Er hyn i gyd prin oedd diddordeb y Cymry mewn heddychiaeth. Un o'r eithriadau oedd Samuel Roberts (SR), Llanbryn-mair. Gweinidog gyda'r Annibynwyr a thyddynnwr oedd SR a bu'n weithgar yn y mudiad gwrth-gaethwasiaeth a'r Gymdeithas Heddwch. Cafodd addysg yn Athrofa Llanfyllin, athrofa a symudwyd wedyn i'r Drenewydd. Bu hyn yn fodd iddo ddod i adnabod arweinwyr ymneilltuol a radical canolbarth Lloegr. Fe'i cyflwynwyd i egwyddorion y Gymdeithas Heddwch gan ei dad a threuliodd wythnos yn Abaty Nedd yng nghwmni Joseph Tregelles Price. Sefydlodd *Y Cronicl* ym 1843 fel cyfrwng i ledaenu'i syniadau ei hun am amryw o faterion – yn eu plith heddwch. Yr oedd SR yn ŵr blaengar a bu'n dadlau am ddileu'r Deddfau Ŷd ac o blaid Masnach Rydd chwe mlynedd cyn sefydlu'r *Anti-Corn Law League* ym 1838.

Cyfraniad nodedig Henry Richard, 'Yr Apostol Heddwch'

Y digwyddiad mwyaf arwyddocaol yn hanes y Gymdeithas Heddwch oedd penodi Henry Richard yn ysgrifennydd ym 1848. Yr oedd Richard, a adawodd Dregaron yn ddeunaw oed ym 1830 i fynd yn fyfyriwr mewn athrofa gydag enwad yr Annibynwyr yn Highbury, wedi aros yn Llundain a chymryd gofal eglwys Saesneg yn yr Old Kent Road. Daeth i adnabod nifer o arweinwyr y mudiadau radicalaidd yn Llundain a thyfodd ei ddylanwad drwy ei waith gyda'i eglwys a thros addysg. Cadwodd gysylltiad â Chymru ac ysgrifennodd yn amddiffyn, neu o leiaf yn egluro, gwrthryfel Beca yn y *Daily News* ac achub cam ei genedl yn wyneb yr adroddiadau a gofir fel *Brad y Llyfrau Gleision* ym 1847. Cyhoeddodd ei safbwynt fel heddychwr mewn darlith ar "Ryfel Amddiffynnol" a draddododd yn Llundain ym 1845, gan ddadlau fod y defnydd o drais bob amser yn anghyson â Christnogaeth ac y dylsai'r Cristion ddewis llwybr y merthyr, os oedd raid, i gynnal yr athroniaeth di-drais. Er yn gredwr yn yr athroniaeth di-drais, ehangodd Henry Richard aelodaeth y Gymdeithas Heddwch drwy groesawu cefnogwyr heddwch nad oeddynt o reidrwydd yn heddychwyr di-amod a chreu ffrynt unedig o'r ddwy garfan. Daeth hyn â nifer o Aelodau Seneddol, yn arbennig o ogledd Lloegr, i fewn i'r gymdeithas. Daeth yn agos at Richard Cobden, pleidiwr masnach rydd a'r ymgyrchydd yn erbyn y Deddfau Ŷd, oedd yn annog polisïau heddychlon os nad yn heddychwr cant y cant.

Henry Richard

Bwlchgwynt,Tregaron capel tad Henry Richard, sef Ebeneser Richard

Gwelodd y Gymdeithas ei blynyddoedd mwyaf llewyrchus yn dilyn penodi Henry Richard. Cyd-drefnodd gyfres o gynhadleddau heddwch ar y Cyfandir, pryd y cyfeiriwyd ato gyntaf fel yr Apostol Heddwch, a bu ei gysylltiadau personol â Chymry amlwg, yn eu plith Ieuan Gwynedd, golygydd *The Principality*, yn fuddiol. Yr oedd bod Cymro Cymraeg yn ysgrifennydd y gymdeithas yn ennyn diddordeb y Cymry hefyd. Yn ogystal â *Cronicl* SR sefydlodd Gwilym Hiraethog *Yr Amserau* yn Lerpwl ym 1843, eto fel cyfrwng i roi llais i heddychiaeth ac achosion radicalaidd fel Datgysylltu'r Eglwys yng Nghymru. O dipyn i beth daeth David Rees, Capel Als, Llanelli, golygydd *Y Diwygiwr*, i sefyll dros heddwch er i eraill brocio'r tân, yn arbennig Robert Parry, Conwy, mewn cyfres o erthyglau ym 1846, a Hugh Pugh a gyfrannodd erthygl i'r cylchgrawn ar Fasnach Rydd Meddai:

> "Teimlaf gasineb at ryfel nas gallaf ei draethu; gwisgwyd ef â gormod o glod . . . gwell gennyf weled gweithiwr na milwr – mwy parchus yn fy ngolwg ydyw marsiandydd na chadfridog."
>
> Adlais o athroniaeth Richard Cobden. Yn nechrau'r 1850au yr oedd y mudiad heddwch yng Nghymru, aelodau o'r dosbarth canol fel yng ngweddill Prydain, yn denu cefnogaeth er yn methu annog y llywodraeth i gychwyn trafodaethau am gyflafareddu a di-arfogi gyda gwledydd eraill.

Fel y gwelir mor aml, blodeuo mewn cyfnodau o heddwch y mae heddychiaeth. Cyn gynted ag y ceir mymryn o arogl brwmstan ar yr awel buan y gwelir y cyfeillion hindda fwyn yn diflannu. Bu Rhyfel y Crimea (1853-6) yn gyfnod anodd i heddychwyr gyda'r cefnogwyr amodol yn diflannu gan adael Henry Richard a nifer pitw o aelodau gweithgar y Gymdeithas Heddwch i wrthwynebu jingoistiaeth y "rhyfel poblogaidd". Y mae dycnwch a dyfalbarhad Henry Richard yn y cyfnod peryglus hwnnw yn rhyfeddol. Ychydig o'r papurau Cymraeg a gefnogai safiad Richard – papurau gyda chysylltiad agos â'r Annibynwyr, fel *Cronicl* SR, yn unig oedd yn barod i farnu'r rhyfel hwnnw. Yn nes at farn trwch y boblogaeth oedd David Owen (Brutus) yn y papur Eglwysig Dorïaidd *Yr Haul*:

> "Nid ydym dros ryfel . . . ond y mae'r *Haul* dros ei wlad a thros Eglwys ei wlad . . . Yr ydym dros y *Peace Society* ac yr oedd yn ein bryd i ymuno â hi, ond y mae ei hanwladgarwch, ei gelyniaeth at Brydain, ei phleidgarwch i Rwsia, ac i bob gwlad arall a gynigio ddyrchafu llaw yn erbyn Prydain, gwedi ei gwneuthur yn ffiaidd yn ein golwg."

O dipyn i beth trôdd y farn gyhoeddus yn erbyn y rhyfel a phan beidiodd y brwydro cymerodd Henry Richard gam dewr arall. Yr oedd cyngres o'r gwledydd fu'n rhyfela yn cael ei chynnal ym Mharis a threuliodd ef a Joseph Sturge a Charles Hindley o'r Gymdeithas Heddwch rai wythnosau ym Mawrth ac Ebrill 1856 yn annog cynrychiolwyr y gwledydd i gynnwys yn y cytundeb ryw gyfeiriad at gyflafareddu. Yn annisgwyl cawsant lwyddiant gan i'r gyngres gytuno i gynnwys cymal, Protocol 23, yn galw ar wledydd "rhwng y rhai y gall camddealltwriaeth godi, cyn apelio ar arfau milwrol, i wneud defnydd, mor bell ag y bo amgylchiadau yn caniatáu, o wasanaeth caredig ryw Bŵer cyfeillgar". Yr oedd yn fesur o gydnabyddiaeth oddi wrth y cenhedloedd y dylid ceisio cymod drwy gymorth cyfryngwr amhleidiol cyn troi at rym arfau. Gwelodd Gladstone hyn fel "datganiad amodol o anghymeradwyaeth o ryfel oedd yn cyhoeddi goruchafiaeth rheswm, cyfiawnder, dyngarwch a chrefydd". Bu'n gynsail a ddefnyddiwyd deirgwaith cyn diwedd y ganrif, y mwyaf arwyddocaol oedd sefydlu Tribiwnlys yr Hâg ym 1899. Ond ni chafodd effaith mawr yn y byr dymor a chymylwyd y blynyddoedd canlynol gan gyfres o ryfeloedd. Prydain oedd y mwyaf tebygol o anwybyddu a thorri cytundebau. Bron na ddiflannodd yr ymwybyddiaeth o'r Gymdeithas Heddwch yng Nghymru yn ystod ac wedi rhyfel y Crimea. Un rheswm oedd fod SR wedi ymadael â Chymru am yr Unol Daleithiau ym 1857 ac aeth deng mlynedd heibio cyn iddo ddychwelyd. Ni ellir gor-bwysleisio dylanwad y gŵr o Lanbryn-mair.

Er hynny, bu dylanwad digymrodedd Henry Richard yn fodd i sefydlogi'r Gymdeithas. Er gwaethaf anawsterau, fel cyfnod Rhyfel y Crimea, daliodd at egwyddorion heddychiaeth a bu'n feirniadol o Garibaldi, arwr mawr yr Eidalwyr, a frwydrodd am ryddid y wlad o ormes llywodraethau estron Ffrainc ac Awstria, ac yn arbennig, y Fatican. Milwr oedd Garibaldi a ddaeth yn arwr i'r Cymry anghydffurfiol, ac i Richard Cobden a John Bright, ond gan greu problemau i'r rhai hynny fel Henry Richard oedd am ddal at egwyddorion heddychiaeth. Yr un modd bu Rhyfel Cartref America yn anodd i Henry Richard ac i SR. Daliodd Richard – ac SR – i wrthwynebu'r rhyfel ar sail yr egwyddor fod trais yn anfoesol, boed er cynnal undod yr Unol Daleithau neu i ryddhau'r caethweision. Defnyddiai eiriau Abraham Lincoln a ddwedodd mai "unig amcan y Gogledd oedd cadw'r undeb, costied a gostio". Beirniadodd yn ffyrnig ddatganiad Ysgrifennydd Gohebol Cymdeithas Heddwch America, George C. Beckwith, ei bod yn gyfiawn pledio achos un garfan yn erbyn y llall. Bu yr un mor chwyrn ei feirniadaeth o Henry Ward Beecher – brawd Harriett Beecher Stowe, awdures y nofel *Uncle Tom's Cabin* – a ddaeth ar daith ddarlithio i Brydain i geisio ysgogi cefnogaeth i daleithiau'r gogledd. Hen fam-gu i'r ddau, gyda llaw, oedd Mary Roberts o'r Foelallt, Llanddewi brefi, a ymfudodd i'r Unol Daleithiau tua 1775.

Etholwyd Henry Richard i'r Senedd fel aelod dros Ferthyr – oedd yn cynnwys Aberdâr - ym 1868 gyda mwyafrif mawr. Hynny er bod y Gymdeithas Heddwch wedi disgyn i bwynt go isel ym 1866. Ond bu Henry Richard ers rhai blynyddoedd yn atgyfnerthu ei gysylltiadau â gwlad ei febyd, yn arbennig drwy ei waith gyda'r Gymdeithas Rhyddhau Crefydd. Nid gyda'r mudiad heddwch yn unig y cysylltid ei enw. Hefyd llwyddodd i uniaethu'i hun gyda gwerin ei etholaeth fel dyn heb eiddo na chyfoeth â'i gydymdeimlad gyda'r glöwyr a'r gweithwyr haearn.

Bu ei statws fel Aelod Seneddol yn fodd i dynnu mwy o sylw at heddychiaeth a gweithgarwch y Gymdeithas Heddwch o 1868 ymlaen. Taniwyd diddordeb newydd mewn heddwch gyda rhyfel 1870, y rhyfel rhwng Ffrainc a Phrwsia. Methiant fu'r ymdrechion i gadw'r heddwch, ond llwyddwyd y tro hwn i gadw Prydain rhag ymyrryd. Onibai am hynny, tebyg y buasid wedi cael cyflafan debyg i un 1914-8. Yr un adeg sefydlodd W. J. Cremer Gymdeithas Heddwch y Gweithwyr, gyda'r un amcanion fwy neu lai â Chymdeithas Heddwch Henry Richard. Bu hyn yn hwb enfawr i'r mudiad heddwch yng Nghymru ac ym Mhrydain ac ymunodd y ddwy gymdeithas y tu cefn i ymgyrch Henry Richard tuag at gyflafareddu rhyngwladol. Yr oedd SR bellach wedi dychwelyd o'r Unol Daleithiau a bu yntau'n amlwg yn annerch cyfarfodydd ledled Cymru a gwelwyd achos heddwch yn cael sylw mewn papurau – Cymraeg a Saesneg – yn y de a'r gogledd. Nod Richard oedd cael y gwledydd i gytuno i rwymo'u hunain i gytundeb drwy gyflafareddu, i gytuno i sefydlu llys parhaol i ddeddfu ar achosion a gyflwynid iddynt a cheisio ehangu ystod cyfraith ryngwladol.

Cyhoeddodd Henry Richard ei fwriad yn Awst 1871, a dyna ddechrau'r gwaith o gasglu cefnogaeth drwy ddeisebau a chyfarfodydd cyhoeddus. Bu un digwyddiad diddorol yn y cyfamser, sef achos yr *Alabama*. Stemar gyflym, llong ryfel ym mhopeth ond enw, a adeiladwyd ym Mhenbedw ar gais taleithiau'r de adeg Rhyfel Cartref America oedd yr *Alabama*, a aeth rhagddi i greu dinistr mawr i lynges fasnach y Gogledd. Wedi'r rhyfel bu'r Unol Daleithiau'n hawlio iawndal gan Brydain am y difrod, a gyda'r Rhyddfrydwyr mewn llywodraeth cytunodd Gladstone i Dribiwnlys yng Ngenefa ddeddfu ar y mater. Ym Medi 1872 penderfynodd y tribiwnlys o blaid yr Unol Daleithiau a bu raid i Brydain dalu $15.5 miliwn o iawndal. Clwyfwyd balchder John Bull yn ddrwg, ond fel y dywedodd Henry Richard os oedd rhywun yn tybio mai ffordd hawdd a rhad o gael eich ffordd eich hun oedd cyflafareddu, ni fyddai o werth yn y byd. Ysgogodd achos yr *Alabama* ddiddordeb mawr mewn cyflafareddu rhyngwladol a sefydlwyd Cymdeithas Gyflafareddu Gorllewin Lloegr a De Cymru yn Ionawr 1873. Cafodd y gymdeithas, a oedd yn rhan o'r Gymdeithas Heddwch, gefnogaeth gweinidogion yr holl enwadau, gwŷr busnes, addysgwyr ac undebau llafur a bu'n weithgar yn cefnogi cynnig Henry Richard. Rhoddodd Richard ei gynnig gerbron Tŷ'r Cyffredin ar yr wythfed o Orffennaf, 1873, ac er syndod enillodd y ddadl. Yr oedd yn fuddugoliaeth i waith caled, areithio grymus a chyfrwystra gwleidyddol.

Bu llwyddiant Richard yn fodd i ennyn diddordeb mawr ar gyfandir Ewrop ac yn yr Unol Daleithiau ac ym mis Medi aeth ef a'i wraig ar daith drwy Ewrop a barhaodd bron hyd y Nadolig. Cyfarfu ag aelodau o lywodraethau nifer fawr o wledydd, a dilynwyd ei arweiniad gyda chynigion tebyg yn cael eu cyflwyno a'u derbyn gan amryw o seneddau. Cyfrannodd, hefyd, mewn cyngres ym Mrwsel ar sut i wella cyfraith ryngwladol, a bu ganddo ran yn sefydlu'r gymdeithas a enwyd wedi hynny y Gymdeithas Cyfraith Ryngwladol. Yr oedd bellach fel ymgyrchydd a dadleuwr o blaid heddwch yn berson o bwys Ewropeaidd. Bu George Osborne Morgan, a etholwyd i Dŷ'r Cyffredin yr un pryd a Henry Richard, hefyd yn aelod o'r Gymdeithas Cyfraith Ryngwladol, felly medrwn ymfalchïo y bu dau Gymro'n arloesi gyda'r gwaith o gryfhau cyfraith ryngwladol.

Yn y cyfnod hwn gwelwyd cynnydd mawr yn niddordeb y dosbarth gweithiol yn y mudiad heddwch, diolch yn arbennig i gefnogaeth Cymdeithas Heddwch y Gweithwyr, a dywedodd W. R. Cremer fod mantell Richard Cobden wedi syrthio'n haeddiannol ar ysgwyddau Henry Richard. Bu Richard yn amlwg ei gondemniad o driniaeth Ymerodraeth Twrci o Fwlgaria a'r gwledydd eraill oedd dan ei sawdl o ganol hyd ddiwedd yr 1870au. Tebyg i'w ddatganiadau o blaid hawliau cenhedloedd bychain fod yn ysgogiad i genedlaetholdeb Cymreig, er na fu Richard, er cymaint ei frwdfrydedd dros iaith ac achosion eraill ei wlad enedigol, yn lladmerydd annibyniaeth Cymru. Bu'n gyson ei safbwynt yn erbyn mynd i ryfel yn Afghanistan, Yr Aifft a Swdan. Ym 1884, yr oedd David Morgan, cynrychiolydd dylanwadol y glöwyr yn nodi mewn llythyr i Henry Richard bod 40,000 o weithwyr glofeydd y de yn cefnogi'r Gymdeithas Heddwch.

Ar 19 Mawrth, 1886, cyflwynodd Henry Richard ei gynnig i Dŷ'r Cyffredin "... nad yw'n gyfiawn na buddiol i gychwyn rhyfel, gwneud ymrwymiadau sy'n gosod cyfrifoldebau mawr ar y Genedl, nac ychwanegu tiriogaethau at yr Ymerodraeth heb hysbysu na sicrhau caniatâd y Senedd." Yr oedd hwn yn gynnig beiddgar oedd yn herio hawl y Cabinet i fynd i ryfel heb ganiatâd y Tŷ. Collodd y dydd o chwe phleidlais wedi i amryw Aelodau oedd heb glywed y ddadl frysio i fewn i'r siambr. Y gred yw pe bai wedi ennill y diwrnod hwnnw y buasai hanes y deng-mlynedd-ar-hugain ganlynol wedi bod yn wahanol iawn i'r hyn a fu.

Bu farw Henry Richard ym 1888. Teg dweud iddo ef drwy'r Gymdeithas Heddwch ac fel Aelod Seneddol greu cydwybod Gristnogol ar fater heddwch a rhyfel a chyflwyno syniadau newydd a gosod y rhai hynny oedd yn awchu am ryfel mewn sefyllfa amddiffynnol.

William Jones, awdur *Quaker Campaigns in Peace and War*

Olynydd Henry Richard fel Ysgrifennydd y Gymdeithas Heddwch oedd William Jones, Crynwr a Chymro, â gysylltir gyda Sunderland. Yr oedd yn gyfaill mawr i John Bright a bu'n bennaeth y comisiwn i ymgeleddu trigolion Yr Almaen a Dwyrain Ffrainc a ddioddefodd adeg Rhyfel 1870. Yn anad neb yr oedd William Jones yn un a welodd effeithiau rhyfel trosto'i hun. Mae ei gyfrol *Quaker Campaigns in Peace and War* yn cynnwys disgrifiadau difyr ac annwyl o ardal a chymeriadau bro ei febyd, sef Rhuthun a Dyffryn Clwyd. Teithiodd i'r Unol Daleithiau, Awstralia, Seland Newydd, Japan a China yn darlithio ar bwnc heddwch a chyflafareddu a chyfarfod llywodraethwyr a gwladweinwyr. Pan aeth i'r Unol Daleithiau ym 1887 cyfarfu â'r Arlywydd Grover Cleveland. Bu'n trafod cyflafareddu hefyd gyda Rhaglaw Zhili, sef Li Hongzhang (neu Li Hung Chang), gwleidydd mwyaf dylanwadol a phwerus China ag eithrio'r Ymherawdr. Yn Japan cyfarfu â Ōkuma Shigenobu a ddaeth wedi hynny yn brif-weinidog y wlad. Ymddeolodd William Jones o fod yn Ysgrifennydd y Gymdeithas Heddwch ym 1889, wedi cyfnod byr yn y swydd, ac aeth i fyw i Awstralia.

Dr W. Evans Darby

Fe'i holynwyd gan Gymro arall, Annibynnwr o'r enw Dr W. Evans Darby, oedd yn enedigol o Saundersfoot, Sir Benfro. Yr oedd Darby yn bresennol yng Nghyngres Heddwch Fyd-eang Paris, 1889, lle traddododd ddarlith ar "Y Modd y Gall Cyflafareddu Hybu Diarfogi". Cyfeiriwyd at enw Henry Richard droeon yn y gyngres honno yn arbennig yn nghyswllt ei lwyddiant yn perswadio cynrychiolwyr y gwledydd i gynnwys Protocol 23 yng Nghytundeb Paris 1856. Trafodwyd, hefyd, y mater o sefydlu cofeb i Richard. Yn y Gyngres honno amlygodd Evans Darby ei hun fel un o'r heddychwyr di-amod. Bu hefyd yn allweddol yn dwyn y mudiad heddwch ar ddwy ochr Môr Iwerydd at ei gilydd drwy Gynghrair Cyflafareddu'r Eglwysi Eingl-Americanaidd. Ef fu'n bennaf gyfrifol, hefyd am sefydlu Pwyllgor Eglwysi Prydain ar Gyflafareddu ym

1891, gan uno wedyn gyda'r Crynwyr i ffurfio Cynghrair Cyflafareddu Prydain ac Iwerddon. Gwrthwynebwyd Rhyfel y Boer, ond wedi i'r rhyfel gychwyn ni welwyd y gwrthwynebiad digymrodedd a nodweddai gyfnod Henry Richard. Beirniadodd Evans Darby y llywodraeth am fynd â Phrydain i ryfel, ond ni ymunodd yn yr ymgyrch i'w hatal. Cymerodd Darby'r safbwynt a gymerodd Richard Cobden – yn groes i Henry Richard a'r Gymdeithas Heddwch – adeg Rhyfel y Crimea, sef nad oedd unrhyw werth gwrthwynebu rhyfel wedi iddo gychwyn. Arweiniodd Darby y gwrthwynebiad radical i ddiplomyddiaeth pŵer y cyfnod cyn 1914. Ymysg y rhai a wrthwynebai'r rhyfel yng Nghymru ac a etholwyd i Dŷ'r Cyffredin oedd Keir Hardie o'r Blaid Lafur Annibynnol a D. Alfred Thomas o'r Blaid Ryddfrydol, y ddau'n cynrychioli etholaeth Merthyr gyda'r ddau yn cydnabod – yng ngeiriau Hardie ei hun – "y casineb tuag at imperialaeth a rhyfel yn yr etholaeth fu unwaith yn eiddo Henry Richard". Yn wir, yr oedd Hardie yn cydnabod ei ddyled am gael ei ethol yn Aelod Seneddol i ddylanwad parhaol Richard.

Y Parchg (Syr) Herbert Dunnico

Ymddiswyddodd Darby ym 1915, yn dilyn rhaniadau o fewn y Gymdeithas Heddwch, a phenodwyd y Parch (wedyn Syr) Herbert Dunnico, gweinidog gyda'r Bedyddwyr yn ei le. Mae cefndir cynnar Dunnico yn dipyn o ddirgelwch. Ymysg yr ychydig sy'n wybyddys amdano yw iddo gael ei eni yng Nghymru ym 1875 ac iddo fynd i weithio mewn ffatri pan oedd yn ddeg oed. Astudiodd gyda'r nos ac aeth, maes o law, i Brifysgol Nottingham a'i ordeinio'n weinidog. Rhwng 1902 a 1916 bu'n weinidog yn Warrington a chapel Kensington, Lerpwl, ac wedi hynny'n Ysgrifennydd y Gymdeithas Heddwch. Er i'r gymdeithas gefnu ar ei safbwynt draddodiadol o heddychiaeth, brwydrodd Dunnico yn erbyn consgripsiwn ac ym 1916 sefydlodd y Pwyllgor Trafod Heddwch a alwai ar Brydain i arwain trafodaethau gyda'r Almaen gan y byddai parhau'r gwrthdaro yn gorffen mewn cosbedigaeth fyddai'n hau hadau rhyfel arall. O edrych yn ôl diddorol sylwi mor gyson gywir fu'r lleiafrif a wrthwynebai bolisïau tramor Prydain. Wedi'r rhyfel cafodd Dunnico ei ethol yn Aelod Seneddol Llafur Consett yn Swydd Durham ac fe'i cofir am iddo, ym 1924, wrthryfela yn erbyn Llywodraeth Lafur Ramsay Macdonald na fu mewn grym ond ers naw diwrnod. Gwrthwynebai benderfyniad y llywodraeth i adeiladu llongau rhyfel heb ymgynghori â'r

Senedd am y byddai hynny'n cyflymu'r ras i ail-arfogi. Gellir hawlio mai fe oedd aelod cyntaf yr "awkward squad"! Yr oedd yn greadur lliwgar, yn aelod amlwg o'r Seiri Rhyddion a gafodd yrfa seneddol lwyddiannus ac o 1929 hyd 1931 bu'n Ddirprwy Lefarydd Tŷ'r Cyffredin. Wedi hynny aeth i Genefa.

Diwedd oes y Gymdeithas Heddwch, ond cofiwn am ei llwyddiannau

Dihoeni fu hanes y Gymdeithas Heddwch wedi'r Rhyfel Byd Cyntaf, gan uno â'r Gymdeithas Heddwch Gristnogol Ryngwladol, cyn diflannu yn y 1930au. Daeth mudiadau heddwch eraill i gymryd ei lle, megis Cymdeithas y Cymod. Eto, er iddi i raddau fynd yn ysglyfaeth i raib y Rhyfel Byd Cyntaf, mae'n werth cofio amdani a chyfraniad nodedig cynifer o Gymry i'r frwydr barhaus dros heddwch. Roedd, erbyn canol y bedwaredd ganrif ar bymtheg, wedi sicrhau mesur o gefnogaeth gyhoeddus i'r syniad o ddi-arfogi a chyflafareddu rhyngwladol. Llwyddodd Henry Richard ym 1873 i greu hinsawdd a symudodd wladweinwyr tuag at sefydlu Tribiwnlys yr Hâg ym 1899. Yn nhraddodiad ei heddychiaeth ef ac SR y tyfodd Cymdeithas y Cymod. Buasent yn llawenhau ym modolaeth Sefydliad y Cenhedloedd Unedig a mudiadau ymgyrchu fel CND a chyfraniad aelodau o'u cenedl i'r gwaith hwnnw. Ac os bu'r rhyfeloedd a'r gwrthdaro di-ddiwedd yn dyst i'w methiannau, dangosodd hanes ac amser mai nhw, yn ddieithriad, oedd yn iawn. Ni ellir anwybyddu pwysigrwydd ei gwaith yn arwain a dylanwadu ar y farn gyhoeddus oleuedig.

B. Hanes Cymdeithas y Cymod

Cymdeithas y Cymod: *Ei Sylfeini*

(Y fersiwn Gymraeg o lyfryn, heb ddyddiad arno, a gyhoeddwyd gan y Gymdeithas y Cymod – Fellowship of Reconciliation (FOR), Prydain.)

'Y mae Duw yng Nghrist yn cymodi'r byd ag Ef ei Hun.' (2 Cor. 5:19)

'Rhoddodd inni Weinidogaeth y Cymod.' (2 Cor. 5:18)

Pobl a unir gan yr argyhoeddiad cyffredin mai yn Iesu Grist y mae'r ateb i holl broblemau cymhleth gwareiddiad y dydd, yw aelodau Cymdeithas y Cymod. Heb ddymuno eu rhwymo eu hunain i ffurf fanwl ar eiriau, datganant eu cytundeb cyffredinol yn y termau a ganlyn:

1. Bod Cariad, fel y'i datguddiwyd ac y'i dehonglwyd ym mywyd a marwolaeth Iesu Grist, yn cynnwys mwy nag a welwyd eto; mai'r Cariad hwn yw'r unig rym all orchfygu drygioni a'r unig sylfaen ddigonol i gymdeithas ddynol.

2. Er mwyn sefydlu trefn fyd-eang wedi ei sylfaenu ar Gariad, y mae'n hanfodol i'r rhai sy'n credu yn yr egwyddor hon ei derbyn yn gyflawn yn eu bywydau eu hunain ac yn eu perthynas ag eraill, ac i wynebu'r canlyniadau a olyga gweithredu'r egwyddor hon mewn byd nad yw, hyd yn hyn, yn ei derbyn.

3. Gan hynny, fel Cristnogion, gwaherddir i ni ryfela, a gelwir arnom gan ein teyrngarwch i'n gwlad, i ddynoliaeth, i'r Eglwys ac i Iesu Grist ein Harglwydd a'n Meistr, i'n cysegru'n hunain i orseddu Cariad yn ein bywyd personol, cymdeithasol, masnachol a chenedlaethol.

4. Bod Gallu, Doethineb a Chariad Duw yn ymestyn ymhell y tu hwnt i ffiniau'r profiad presennol, a'i fod Ef beunydd yn chwilio am y cyfle i dorri i mewn i'n bywyd mewn ffyrdd newydd a helaethach.

5. Gan mai drwy ddynion a merched y mae Duw'n ei amlygu ei Hun yn y byd, ein bod yn ein cyflwyno'n hunain iddo Ef i'w bwrpas achubol, i'n defnyddio ym mha ffordd bynnag a ddatguddia Ef inni.

Tra bod yr egwyddorion hyn yn mynegi yn weddol ddi-amwys y delfrydau a ysgogodd sylfaenwyr y Gymdeithas, pwysleisir na fwriadwyd iddynt fod yn fynegiant cyflawn a therfynol; pwysleisir hefyd nad yn unig y sawl sy'n derbyn pob gair a all ymuno â'r Gymdeithas. Nid derbyn credo gyffredin sy'n bwysig, eithr meithrin un ysbryd, Ysbryd Crist, a'r ysbryd hwnnw'n cymodi dyn â Duw a dynion â'i gilydd.

Amcan y Gymdeithas yw mynegi, mewn ffordd glir ac adeiladol, neges y cymod, ac ni wastraffa ei holl ynni ar brotestio yn unig. Ni ellir gwella ein doluriau cymdeithasol na dileu rhyfel yn unig drwy ddamcaniaethau pasiffistaidd neu drwy wahardd defnyddio grym, nac, yn wir, drwy unrhyw beth negyddol; gorchfygir drygioni yn unig drwy ddaioni. Yr angen sylfaenol ydyw ail-ddarganfod Duw, dychwelyd drachefn at ffynnon y bywyd, ac ymbaratoi i fod yn gyfryngau byw i'w allu Ef. Cred aelodau'r Gymdeithas na ddylid derbyn y drefn bresennol fel peth na ellir ei gwella, eithr eu bod wedi eu galw i chwilio'n ddyfal beth yw ewyllys Duw yn y sefyllfa gyfoes. Ni ddeallant eto bopeth a olygir gan 'weinidogaeth y cymod', ond credant bod gorfod arnynt i weithio'n ddi-ildio i gymhwyso egwyddor chwyldroadol cariad Crist at angen y byd, pa mor anymarferol bynnag yr ymddengys o dan yr amodau presennol. Teimlant yr angen, felly, am uno mewn cymdeithas ysbrydol â phawb ym mhob gwlad sy'n credu bod yn rhaid iddynt, fel canlynwyr Crist, ymgyrraedd at y ffordd o fyw a gymhellir arnynt yn llwyr gan Gariad, a'u bod wedi eu galw i ymchwil gyffredin am fath ar gymdeithas a fydd yn unol â meddwl Crist.

Gwelant ym mywyd a marwolaeth Iesu Grist ddatguddiad o agwedd Duw at bechod, ynghyd â'i ffordd o ymwared; a chredant y gelwir dynion i weithredu fel plant i'w Tad Nefol yn eu hymwneud â'i gilydd yn y bywyd personol a chymdeithasol. Nid oes, er hynny, unrhyw raglen neu gynllun o ad-drefnu cymdeithas y rhwymir pawb wrtho. Bwriedir i aelodau'r Gymdeithas weithio allan, yn eu ffyrdd eu hunain, yr hyn sy'n oblygedig yn eu haelodaeth. I'r diben hwn y mae angen doethineb na ellir ei gael heb weddïo cyson a bywyd wedi'i gysegru i ddilyn Crist yn ffyddlon.

Dymuna aelodau'r Gymdeithas fynegi eu hargyeddiadau'n ostyngedig ac mewn ysbryd cariad, gan ochel perygl y dulliau gwrth-ddadleuol, a gwyddant mai ychydig ydynt, yn y wlad hon ac mewn gwledydd eraill, ymhlith y llaweroedd sy'n ceisio'n onest wneuthur ewyllys Duw. Dymunant ddal ar bob cyfle i weithio drwy'r sefydliadau crefyddol sy'n bod eisoes, gan gydnabod mai i'r Eglwys yn arbennig y perthyn y cyfrifoldeb cysegredig o amlygu'r bywyd yng Nghrist na chydnebydd ragor rhwng 'Iddew a Groegwr, caeth a rhydd, gwryw a benyw'.

Gwahoddir pawb a gymer ddiddordeb yn nelfrydau'r Gymdeithas i ddarllen ei llenyddiaeth yn fyfyrgar a gofalus, i wynebu o'r newydd neges fyw yr Efengylau; ac i dreiddio i ddyfnderoedd y bywyd yng Nghrist. Nid oes ar gael nifer luosog o aelodau y dibynna dyfodol y Gymdeithas, dibynnu yn hytrach ar i'r aelodau fod yn barod i roi amser, yn unigol ac mewn grwpiau, i ystyried beth sy'n oblygedig yn yr egwyddorion, ac ymdrechu, doed a ddelo, i'w cyfieithu i fywyd beunyddiol y cyfnod.

Wrth wynebu hyn yn ddidwyll, fe deimlir yn annigonol ar gyfer y gwaith. Ni ddylai'r ymdeimlad hwn, serch hynny, lesteirio neb sy'n cyfranogi o ysbryd a diben y Gymdeithas rhag gwneud ei ran yn yr ymchwil gyffredin. Nid yw ymuno â'r Gymdeithas yn golygu ein bod 'wedi cael gafael'; golyga, yn hytrach, ein bod yn gwneud ymdrech deg i'n cysegru ein hunain mewn ufudd-dod i Grist.

Ariannol

Bydd aelodau yn barod i gyfrannu i gronfa gyffredinol y Gymdeithas yn ôl eu hadnoddau.

Galluogir y Gymdeithas, drwy gyfraniadau ei haelodau, i gael gwasanaeth amser-llawn staff o ysgrifenyddion a gweithwyr swyddfa; i arloesi ymhlith ieuenctid; i gynhyrchu a dosbarthu llenyddiaeth a chylchgrawn misol, *Reconciliation*; i gychwyn ac arwain grwpiau Cymdeithas y Cymod drwy Brydain Fawr, ac i gefnogi a symbylu gwaith yr adran gydwladol o'r Gymdeithas. Ymddiriedwyd inni waith y mae gwir angen amdano.

Gwahoddir chwi i benderfynu ar eich cyfraniad yng ngoleuni'r ymrwymiadau hyn. Dibynna parhâd a lledaeniad ein gwaith ar y rhoddion a dderbynnir. Ni phennir tanysgrifiad pendant.

Sut y Dechreuodd

Mewn un ystyr, dechreuodd y cwbl bron i ddwy fil o flynyddoedd yn ôl, pan anwyd yr Iesu ym Mhalesteina, a phan ymddiriedodd i'w Eglwys Weinidogaeth y Cymod.

Mewn ystyr fwy cyfyng, dechreuodd Cymdeithas y Cymod yn ystod mis Gorffennaf 1914 yn yr Yswisdir, yn ystod Cynhadledd Gristnogol Gyd-wladol yn Lake Constance. Yn ystod y gynhadledd, dechreuodd cymylau rhyfel ffurfio dros Ewrop, fel storm sydyn yn duo wybren yr haf. Daeth yn amlwg fel yr âi'r dyddiau heibio bod yr hyn y daethai'r byd gwareiddiedig i'w ystyried yn amhosib ar fin digwydd, sef rhyfel rhwng y Pwerau Mawr. Roedd rhai o Ffrancwyr ac Almaenwyr y Gynhadledd, felly, yn elynion i'w gilydd. Daeth y Gynhadledd i ben yn sydyn ynghanol braw ac edliw. Teimlai rhai o'r aelodau i'r byw, fodd bynnag, yr anghysondeb rhwng yr undod yng Nghrist y buont yn ei fwynhau yn y Gynhadledd â dieithrio â casineb a ddeuai yn sgîl rhyfel. Dau aelod a deimlai felly oedd y Dr. Henry Hodgkin, Crynwr o Sais, a Dr. Siegmund–Schultze, Protestant o'r Almaen. Ar y trên arbennig a ganiatawyd gan yr awdurdodau i gludo'r aelodau i'w cartrefi, trafododd y ddau eu hargyhoeddiad a llunio datganiad yn condemnio rhyfel fel peth croes i gymundeb Cristionogol a mynegi bod ffyddlondeb i Grist yn deyrngarwch uwch i Gristion na'r ddyletswydd i ufuddhau i wasanaeth milwrol cenedlaethol. Cytunodd y ddau i wneud y datganiad hwn yn hysbys yn eu gwledydd eu hunain. Wrth wahanu ar orsaf Cologne, ysgwydodd y naill law y llall, ac meddai Henry Hodgkin, 'Beth bynnag a ddigwydd, fyddwn ni byth yn elynion'. Y foment honno, ganwyd ysbryd Cymdeithas y Cymod.

Ar yr un pryd yr oedd yn Lloegr nifer o aelodau unigol gwahanol enwadau yn meddwl ar hyd yr un llinellau. Datganodd cynhadledd o Grynwyr a gyfarfu yn Llandudno yn ystod dyddiau cyntaf y rhyfel, bod rhyfel a Christionogaeth yn gwbl anghyson â'i gilydd.

Cyfnewidiodd aelodau o gyrff crefyddol, fel Cymdeithas yr Eglwysi Rhyddion, yr Undebau Cymdeithasol Cristionogol, Mudiad Cristionogol y Myfrywyr ac eraill, syniadau cyffelyb. Wedi cyrraedd Lloegr, adroddodd Dr. Hodgkin ei brofiad a dechreuodd drafod gydag eraill sut y gellid mynegi gwrthwynebiad i'r rhyfel. Drwy fath o atyniad digymell, daeth dynion a merched a goleddai'r argyhoeddiadau hyn i gyffyrddiad â'i gilydd, ac o dan arweiniad Miss Lucy Gardner, Ysgrifennydd yr Ysgolion Haf Unedig yn Swanwick, cynhaliwyd trafodaethau yn Llundain, ac awgrymwyd sefydlu cymdeithas i ganolbwyntio ar hyrwyddo y gwrthwynebiad Cristionogol i ryfel.

Canlyniad y cwbl oedd penderfynu cynnal cynhadledd gyffredinol yng Nghaergrawnt i ystyried ffurfio'r gyfryw gymdeithas. Rhoddodd Is-Ganghellor y Brifysgol ganiatâd i ddefnyddio'r Theatr Ddarlithio yn yr Ysgol Gelfyddyd i'r pwrpas, ac yno, fel yr oedd 1914 yn dirwyn i ben, cyfarfu rhyw 150 o bobl ac ar ddiwedd rhai dyddiau o drafod, penderfynwyd ffurfio cymdeithas barhaol a'i galw yn Gymdeithas y Cymod.

Trefniadaeth a Gweithgarwch

Presennol

Ceir grwpiau lleol o Gymdeithas y Cymod ar hyd a lled yr Ynysoedd Prydeinig, a chysylltir hwy â'i gilydd yn eu gwaith a'u tystiolaeth yn lleol mewn rhanbarthau cyfleus, ac arolygir y cwbl yn y swyddfa ganolog yn Llundain.

Rhan yw Cymdeithas y Cymod ym Mhrydain o fudiad byd-eang, ac y mae iddi aelodaeth fawr yn y Taleithiau Unedig a grwpiau llai mewn gwledydd eraill. Cysylltir hi drwy gyngor ei hadran gyd-wladol, ei phwyllgorau a'i hysgrifenyddion â gwaith heddychiaeth Gristionogol byd-eang, a hefyd gydag Eirene (Gwasanaeth Cyd-wladol Cristionogol dros Heddwch).

Cais y Gymdeithas, yn enw Crist, dorri i lawr y ffiniau rhwng dosbarth, enwad, hil a chenedl, a phrysuro'r dydd pan fydd dynoliaeth yn gallu cyd-fyw yn yr undeb brawdgarol hwnnw, yr unig gyflwr a all fod yn deilwng o deulu Duw.

I Gristionogion y mae ei hapêl bennaf, y gallont sylweddoli'n llawn oblygiadau cymdeithasol, economaidd, gwleidyddol a chyd-wladol eu ffydd, ac y galluogir hwy i roddi arweiniad moesol eofn yn y cylchoedd hyn.

Cais ddwyn tystiolaeth i'w hegwyddorion fel cyfan-gorff, ond, yn ogystal, cais eu lledaenu drwy gysylltiadau bob dydd ei haelodau unigol; drwy wrthod cymryd rhan mewn rhyfel a thrwy gyhoeddi, mewn gair a gweithred, egwyddorion cymod.

Darperir, drwy grwpiau'r Gymdeithas, awyrgylch o ddefosiwn a chymundeb a alluoga yr aelodau i astudio'r problemau sy'n blino

Cyfarfod EUFOR yng Nghaerdydd yn 2013

Cyfarfod EUFOR yn Brwsels Mai 2014

cymdeithas a cheisio ffordd i'w datrys, ac anogir hwy i gymryd rhan ym mhob ffurf o wasanaeth cymdeithasol, mewn gwaith o gynorthwyo ac ail-sefydlu rhai sydd mewn cyni.

Drwy gyhoeddi llenyddiaeth a chynnal cyfarfodydd cyhoeddus, cais y Gymdeithas adeiladu barn gyhoeddus Gristionogol a alltudia ryfel ac achosi rhoddi mewn gweithrediad yr egwyddorion hynny sy'n hanfodol i heddwch parhaol, a thra'n cadw at ei thystiolaeth arbennig ei hun, cyd-weithreda'n glòs â mudiadau heddwch eraill.

Araith Myrddin Tomos (Gwenallt)
o flaen y Tribiwnlys

Paratoesai Myrddin Tomos araith, a dysgasai hi ar gof.

''Foneddigion,

'Rwy'n cydnabod bod eich barn chwi am y Rhyfel yr un mor ddidwyll a'm barn innau .Yn wir, wrth ymdroi ymhlith y milwyr yn y gwersyll hwn a gweled llawer o garedigrwydd ar un llaw, teimlwn lawer gwaith y carwn ymuno a'r Fyddin, ond yr oedd rhywbeth oddi mewn i mi yn f'atal bob cynnig. Gelwch hwnnw yn gydwybod,os mynnwch.

"Amcan Prydain Fawr wrth fynd i'r Rhyfel hwn oedd amddiffyn Belgium." 'Ymladd dros genhedloedd bychain'. Y mae Iwerddon yn genedl fechan,ond nid oes gan Loegr gariad ati hi. Bu'r Saeson drwy'r canrifoedd yn anrheithio Iwerddon, yn lladd ei meibion, yn llosgi ei threfi ac yn lladrata ei thiroedd. Gofynnodd Y Gwyddelod, dro ar ol tro, i Senedd Prydain Fawr am fesur o ymreolaeth,ond nis cawsant. A llynedd pan geisiodd y Gwirfoddolwyr Gwyddelig ymarfogi i ymladd dros ryddid eu gwlad, gwrthwynebwyd hwy gan filwyr Lloegr a saethwyd eu harweinwyr yn Nulyn. Unig gamwedd Padrig Pearse a James Connolly ac eraill oedd iddynt geisio amddiffyn eu gwlad. Y mae'r hyn a oedd ynddynt hwy yn gamwedd, yn rhinwedd ynnoch chwi. Gellid son am ymddygiad yr Ymerodraeth Brydeinig tuag at wledydd bychain eraill Nid edrychir arni yn Ewrob ac yn y Dwyrain fel cyfaill cenhedloedd bychain, ond fel bwli'r byd.

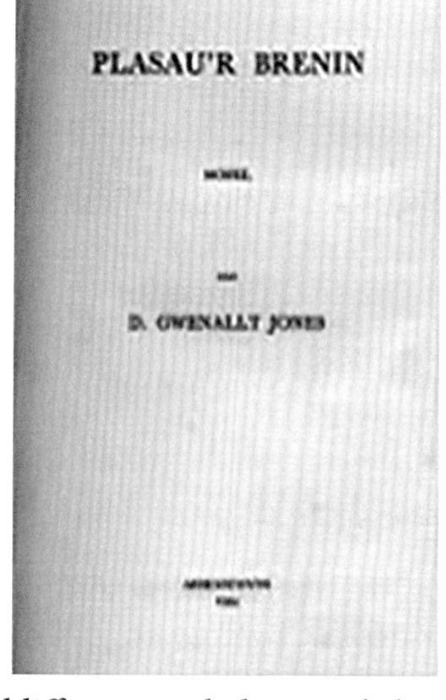
PLASAU'R BRENIN

"Amcan arall gan Cynghreiriaid yn y Rhyfel hwn yw rhoi terfyn ar ryfel." 'Rhyfel i roi terfyn ar ryfel'. Cred y rhyfelwyr a'r milwriaethwyr fod rhyfel yn rhan o gwrs datblygiad, a bod dyn wrth reddf, yn greadur ymladdgar, ac y bydd rhyfeloedd tra fo dynoliaeth. Bydd gweinidogion yr Efengyl yn dyfynnu'r geiriau hynny o eiddo yr Arglwydd Iesu Grist, 'Bydd rhyfeloedd a son am ryfeloedd'. Felly, os bydd rhyfel yn bod tra fod dynion ar y ddaear, pa les yw ymladd yn y Rhyfel hwn i roi terfyn ar ryfel? Ni ellir rhoi terfyn ar beth nad oes terfyn iddo.

Yn ol damcaniaethau ysgol o athronwyr a elwir yn Rhesymolwyr gellid meddwl mai'r rheswm yw'r gyneddf sydd mewn dyn; bod dyn yn fod hollol resymol. Ei fod yn barnu ac yn gwnethur pob dim yn ol ei reswm. Ond ar ol Darwin cododd to o athronwyr a meddylwyr yn ymdrin a dyn fel bod greddfol, gan ddangos a phwysleisio'r tebygrwydd rhyngddo a'r anifail.Soniant fyth a hefyd am reddfau a nwydau.Gellid tybio mai bwndel o reddfau yw dyn.Y mae heddiw, ym mhob cylch o feddwl, wrthwynebiad yn erbyn son am ewyllys a deall dyn. Y mae'r ddwy ysgol yn iawn.Hanner gwirionedd sydd gan y nail a'r llall. Y mae gan ddyn reddfau, ond y mae ganddo hefyd reswm yn rheol arnynt: y mae gan ddyn nwydau, ond y mae ganddo hefyd ewyllys i'w disgyblu. Gall dyn roi'r ffrwyn ar y ffrwd. Un o'r greddfau mewn dyn yw greddf ymladd. Y reddf honno sydd yn tra-arglwyddiaethu ar genhedloedd Ewrob heddiw.Pan gaffo un reddf feistrolaeth ar holl natur dyn, syrth yn ol i radd yr anifail. Unwaith y caiff dyn flas ar waed, nid oes modd ei atal rhag lladd, mwy na chi defaid. Dylid rhoddi deddf a chyfraith ar y reddf ymladd fel pob nwyd a greddf arall. Dygir ymrafaelion a chwerylon dynion i'r llysoedd cyfraith, a bernir yno eu camweddau.Dylid hefyd ddwyn cwerylon y cenhedloedd ac ymrafaelion y gwledydd i lys cydenwadol, a dadrys eu problemau yn deg a chyfiawn gerbron y byd.

"Y mae'r gred hon, yn eich golwg chwi, foneddigion, yn anymarferol a delfrydol.Dylid ystyried, meddwch, y byd fel y mae ac nid fel y dylai fod,ac edrych ar y natur ddynol fel y mae hi yn yr ugeinfed ganrif ac nid fel y bydd hi yn y Milblynyddoedd. Cytunaf a chwi.

Tra fo ymerodraethau, bydd rhyfeloedd. Ymerodraethau milwriaethus yw gwraidd rhyfeloedd. Cyn y gellir diddymu rhyfeloedd, rhaid diddymu ymerodraethau. Dyna un o'n hamcanion ni, y Sosialwyr .Dywedwch mai gwallgofrwydd yw i ychydig o freuddwydwyr di-arfau geisioi gwrthwynebu holl nerthoedd ymerodraeth arfog, ond gall dyrnaid o bobl a chanddynt ysbryd hunan-aberth, gweledigaeth ac egni moesol wnethur pethau anhygoel.Dangosodd Iwerddon y ffordd i ni. Rhoes hi yr hoelion cyntaf yn estyll arch yr Ymerodraeth Brydeinig".

George M.Ll. Davies fel Gwrthwynebydd Cydwybodol

Gwynfor Evans

Troes o'r gwaith gyda'r troseddwyr i fugeilio defaid, a dynion, yng ngwlad Llŷn ar gyflog o wyth swllt yr wythnos. Bu Llŷn ac Enlli yn agos iawn at ei galon byth oddi ar wyliau ei blentyndod a'i lencyndod yno, ac am wyth mis bu ef a'i deulu yn byw yn hapus iawn gyda chyfeillion. Cafodd fod bywyd bugail, er ei galeted, yn foddion gras. Erbyn hyn cawsai fod yn rhydd rhag gwasanaeth milwrol ar yr amod ei fod yn ymochel rhag pregethu heddwch yn gyhoeddus. Eithr clywodd yr alwad i wneud yr union waith hynny. Trefnodd ef a Puleston Jones iddo sefyll ar Faes Pwllheli yn ystod y ffair yno ac annerch y dorf. Enillodd wrandawiad a chryn gydymdeimlad. Gofynnwyd iddo ai crefyddol ynteu gwleidyddol oedd ei genadwri. Atebodd, crefyddol ond bod iddo ganlyniadau gwleidyddol anochel. Wedyn, aeth ar genhadaeth hedd trwy bentrefi Llŷn, yr un modd, ar ôl pregethu yng nghapel yr Annibynwyr, Groeslon, ar y Sul, clywodd

George M.Ll.Davies

J.Puleston Jones

gymhelliad i gyhoeddi ei neges ar y Maes yng Nghaernarfon ddydd Llun. Mae'n drueni nad oes dim cenhadu ac annerch yn yr awyr agored mwy. Mae'n ffordd o ddangos bod cennad yn cymryd ei genadwri crefyddol neu wleidyddol o ddifri mawr, a gellir cyrraedd pobl na ddon nhw byth i gwrdd dan do. Mae'n gwestiwn a droesai Pantycelyn yn Fethodist pe na chlywsai Howell Harris ym mynwent Talgarth.

Daeth hanes ei genhadu i glyw'r uchel awdurdodau, a phan ddychwelodd i'r ffarm o'i daith trwy Lŷn disgwyliai llythyr amdano oddi wrth yr Arglwydd Salisbury yn gofyn iddo ddod i Lundain i egluro ei benderfyniad i bregethu heddwch yn groes i amodau ei rhyddhad. Ar ei ffordd i Lundain galwodd mewn cynhadledd heddychwyr yn Llandrindod ond rhwystrwyd ef a Puleston Jones rhag dweud dim yno gan floeddiadau'r gynulleidfa barchus a lanwai'r capel. Gan yr Arglwydd Salisbury fodd bynnag, Tori rhonc, cafodd gwrteisi tyner ac ymgom hir. Arhosodd y ddau yn gyfeillion trwy'r blynyddoedd wedyn. Trosglwyddwyd ef i'r llys lle y bu yn esbonio ei safbwynt am ddwy awr. Gan ystyried ei achos fel un arbennig fe'i trafodwyd yn y Cyfrin Gyngor, yn y *War Cabinet,* lle yr oedd yr Arglwydd Milner drosto a Lloyd George yn ei erbyn ; ac yn Nhŷ'r Arglwyddi.

Felly y daeth ei ryddid i ben. Gwysiwyd ef i'r llys ym Mangor, lle y gwrthododd y Barnwr Bryn Roberts, tad-yng-nghyfraith ei frawd Stanley Davies, a gwrando ar yr achos. Offeiriad a'i traddododd i'r fyddin. Y sawl a'i restiodd oedd y Capten Dan Thomas, ei glerc yn y banc a berswadiwyd ganddo i ymuno â'r fyddin. Arhosodd George Davies gydag ef y noson cyn ei roi yn y 'guard-room'. Treuliodd y rhan fwyaf o'r ddwy flynedd nesaf mewn carcharau, yn Wormwood Scrubs, Dartmoor, Knutsford a Birmingham.

Dau filwr caredig a'i cymerai i Wormwood Scrubs, lle y derbyniwyd ef gan geidwad a chanddo res o allweddi wrth ei wregys. 'It's a big place', meddai George. 'Shut your mouth', meddai'r ceidwad a'i gloi mewn cell wag. Dadwisgwyd ef wedyn gan roi dillad confict amdano gyda'r saeth lydan. Estyll moel oedd ei wely ; a chwarter awr wedi ei ddeffro gan glychau yn y bore agorwyd cil drws ei gell gan geidwad, a gyfarthodd arno yn fygythiol, 'Ewch ar eich gliniau ; sgwriwch y llawr'. Clywodd George y gwaed yn curo yn ei ben, ond cofiodd gyngor Stanley i geisio dod o hyd i'r dyn ym mhob swyddog. Pan ddaeth y ceidwad y tro nesaf dywedodd wrtho, 'Os mynnwch imi wneud rhywbeth, eglurwch hynny; cewch fwy allan o ddynion trwy gwrteisi a charedigrwydd na thrwy fygythion fel hyn'. Edrychodd y ceidwad yn hurt, ond dywedodd yn ddigon sifil, 'Os na chaiff pethau eu gwneud yn iawn caf fi fy meio gan y Prif Geidwad'. Felly, cyn ymadael, aeth George at y Llywodraethwr i drafod y sefyllfa.

Danfonwyd ef i weithio ar y ffordd wedyn rhwng Llanwrda a Phumsaint, ae etholwyd ef yn llywydd gwersyll y gweithwyr. Cawsai brofiad o dorri cerrig cyn hynny ar Dartmoor, ac yno cafodd gyngor da gan Wyddel o gonfict a ddywedodd, 'No. No. No. That's not the way sonny at all. All you 'ave to do is to bring the bloody 'ammer up and the Lord God will bring it down'. Yr oedd ganddo stor o straeon Gwyddelig ymhlith eraill, a dynwaredai'r acen Wyddelig yn wych.

Bu'n myfyrio a gweddïo llawer wedi i un o'r 'navies' ddannod iddo ei fod yn gaeth i'r gyfundrefn, a'i danfonai yn ôl i garchar pe gwrthodai weithio. Unwaith eto aeth ar genhadaeth hedd, ac unwaith eto carcharwyd ef, yn Birmingham y tro hwn. Ni ddeuai yn rhydd cyn Mehefin 1919, saith mis wedi diwedd y rhyfel.

Yn Birmingham fe'i blinwyd gan y llygriad ofnadwy o'r hyn a elwid yn 'wasanaeth crefyddol'. Penderfynodd wneud gwrthdystiad. Aeth ei nerfusrwydd yn drech nag ef yn y bore, ond yn y prynhawn, yn y distawrwydd llethol o dan lygaid y ceidwaid, a eisteddai ar stolau uchel yn wynebu'r carcharorion, clywyd ef yn dweud, 'Cofiwch frodyr fod Crist yn gofyn inni faddau a thosturio wrth ein gilydd, ac nid i gosbi a charcharu ein gilydd'. Dygwyd ef gerbron y Llywodraethwr a'i ddedfrydu i'r gell gosb, ae i'w gadw rhag mynd i'r capel nac ymarfer yn yr iard. Cafodd ei roi yn y gell gosb lawer gwaith, lle tywyll ac oer, bara a dŵr yr unig fwyd, pigo 'oakum' yr unig waith.

Blinwyd ef hefyd gan y rheol annynol ynglŷn a distawrwydd. Cafodd weld y Llywodraethwr, a dywedodd wrtho na allai geisio cuddio ymddiddan â chydgarcharor mwy, a'i fod yn bwriadu ymddwyn yn agored a naturiol, heb amarch iddo ef na'r swyddogion, ond er mwyn achub ei ddynoliaeth. 'Chi gymerweh y canlyniadau', meddai'r rheolwr yn sarrug. Drannoeth, pan oedd y ceidwaid yn ceisio dal rhai yn sibrwd wrth ei gilydd, siaradodd yn agored â'i gyd-garcharor. Rhoddwyd ef yn y gell gosb unwaith eto. Digwyddodd hyn droeon. Un nos Sadwrn oer cyn y Nadolig daeth Ynad

Heddwch i mewn, wedi clywed ei fod dan gosb. Mewn ychydig cafodd ei ddwyn gerbron mainc yr Ynadon, a feddai'r gallu i'w draddodi i'w fflangellu. Eglurodd pam y troseddai. Diddymwyd y rheol ymhen sbel wedyn, ac Ynadon Birmingham oedd yr arloeswyr wrth ddwyn y mater gerbron y Swyddfa Gartref,

Ar ôl ei ryddhau aeth i fyw i heddwch Nant Ffrancon, ond yn fuan yr oedd yng nghanol ymrafaelion unwaith yn rhagor. Credai mai dyna le'r heddychwr. Yr oedd yn ddrwg ar y pryd rhwng chwarelwyr a'r meistri. Gweithredodd fel cymodwr. Aeth i chwareli Penrhyn, Trefor a Phenmon, lle y gofynnwyd iddo ddyddio mewn streic y flwyddyn ganlynol. Siaradodd yn yr awyr agored mewn sawl man, ac mewn nifer o gapeli. Daeth i gyffyrddiad a'r meistri, gan deithio i Lundain a Glasgow i'w gweld.

Yr un modd bu'n cymodi rhwng gweision fferm Môn a Llŷn a'r ffermwyr. Cyfarfu â phwyllgor gwaith Undeb y gweithwyr a chafodd gennad ganddyn nhw i ymweld a changhennau'r Undeb ym Môn. Wedi siarad a'r ffermwyr ym marchnad Llangefni llwyddodd i gael y ddwy ochr i ddanfon cynrychiolwyr i'r Cwrdd Misol. Yn Llŷn hefyd anfonwyd cais i'r Cwrdd Misol i drafod y mater ar ôl iddo annerch y gweision yn Rhoshirwaun, a'r ffermwyr yn Ffair y Sarn.

Tua'r un pryd bu'n siarad unwaith eto ar Faes Caernarfon, gan fynd oddi yno i annerch y Cwrdd Misol yng Ngharmel, ac wedyn yr un diwrnod i weld Lloyd George yng Nghricieth. Pwysai dau fater mawr yn arbennig o drwm arno y dyddiau hyn ac am flynyddoedd wedyn, sef y sefyllfa Wyddelig a'r dioddefaint mawr yn yr Almaen; ae yn y ddau faes hyn gwnaeth gyfraniadau pwysig. Yr oedd a wnelo Lloyd George â'r ddau. Dyna paham yr aeth i'w weld.

Dyma gyfnod y *Black and Tans* yn Iwerddon, lle y bu'r ddwy ochr yn euog o greulonderau mawr, er mai ymladd dros eu rhyddid cenedlaethol a wnai'r Gwyddelod tra roedd y Prydeinwyr yn ymladd dros eu hymerodraeth. Bu yn arbennig o hoff o'r Gwyddelod ers blynyddoedd. Pan aeth i Iwerddon yn Awst 1920 cafodd weld rhai o arweinwyr Sinn Fein, gan gynnwys Arthur Griffith, a gyfarfu yn ei guddfan-dyna oedd mesur ymddiriedaeth y Gwyddelod ynddo-a Desmond Fitzgerald, yntau ar ffo, a fu wedyn yn Weinidog Tramor y Llywodraeth Wyddelig. Trwyddyn nhw dysgodd beth oedd telerau heddwch eu plaid. Ceisiodd wedyn gael yr Eglwysi i weithredu. Aeth gyntaf i Gymanfa Gyffredinol Presbyteraidd yr Alban yng Nghaeredin, ac wedyn i'r Sasiwn ym Mhorthmadog lle yr oedd Lloyd George yn Ŵr gwadd. Rhoes wybod i Lloyd George am ymddiddan cyfrinachol a fu rhyngddo a De Valera a oedd hefyd ar ffo. Siaradodd mewn cynhadledd ar y mater yn Westminster, a chafodd ei ddewis yn un o ddau i ddwyn neges i Lloyd George yn Downing Street. Gwelodd Archesgob Caergaint a'i berswadio i ddanfon llythyr i'r *Times.* Perswadiodd yr Arglwydd Salisbury i dynnu yn ôl gynnig o gerydd ar y Llywodraeth a oedd ganddo yn Nhŷ'r Arglwyddi. Ar gais Dr Tom Jones, ysgrifennydd y Cabinet erbyn hynny, aeth eto i Ddulyn i gwrdd a De Valera ac arweinwyr eraill. Ffrwyth hyn oll oedd y cyfarfyddiad cyntaf a fu rhwng De Valera a Lloyd George. Dywedodd y Canon Raven ym 1950 ei fod yn hysbys mai ei ymdrechion ef a chwalodd y gwahanfur a rwystrasai drafodaethau hyd hynny.

Gan gydweithredu'n agos a'r Crynwyr, y meddyliai'r byd ohonyn nhw, bu'n egniol iawn ynghych sefyllfa druenus yr Almaen. Yno yr oedd newyn dychrynllyd, fel yn Rwsia a gwledydd eraill yn Ewrop. Y Crynwyr a arweiniai'r gwaith dyngarol o geisio eu bwydo. Roedd sefyllfa economaidd yr Almaen yn arswyd o ganlyniad i ddial ciaidd ei gelynion, a Ffrainc yn arbennig. Bu George Davies yn yr Almaen yn gweld y sefyllfa drosto'i hun. Arhosodd gyda Dr. Sigmunde Schultze, heddychwr a fu'n gaplan i'r Kaiser. Yr unig luniaeth a gawsant ar noson oer, aeafol oedd dysgliad o de, heb siwgr na llaeth, a darn bach o fara sych.

Astudiodd y sefyllfa yn fanwl nes medru traethu gydag awdurdod arni. Cyhoedodd bamffled gwybodus ar *Reparations and Industrial Ruin* a broffwydodd yn gywir y cai'r gosb ar yr Almaen ganlyniadau brawychus yn y Gymru ddiwydiannol, ac y gallai arwain at ryfel arall. Beirniadodd yr eglwysi yn llym am eu llonyddwch bodlon. Nid oedd ddim pietistiaeth arall-fydol yn perthyn iddo ef. Wrth feddwl am ei waith ymenyddol caled y mae dyn yn gweld eisiau emosiwn heddwch heddiw i'r Annibynwyr, neu well byth i'r holl enwadau Cymreig, a ddygai'r meddyliau gorau ynghyd i lunio polisi heddwch clir a chadarn y gallem fel Cymry genhadu drosto. Gwna argyfwng enbyd y byd hyn yn fwy angenrheidiol heddiw nag oedd hyd yn oed yn amser George Davies.

Carcharu y Gwrthwynebydd Cydwybodol: Ithel Davies

Daeth y prawf a dedfrydwyd fi i bedwar mis o garchar gyda llafur caled. Cyn i'r ddedfryd gael ei gweithredu ac imi gael fy anfon i garchar, newidiwyd hi i fis o garchar mewn carchar milwrol. Ynad Cynghorol (*Judge Advocate*) y lluoedd arfog a wnaeth hynny yn ôl a ddywedwyd wrthyf.

Yn y cyfwng hwnnw mi gefais fy nghymell yn daer i wadu fy ngwrthwynebiad a chynigiwyd fy ngwneud yn swyddog oherwydd fy ymroddiad, meddai hen uwch-ringyll a oedd yn dipyn o ormesgi. Bygythiai hwn, hefyd, mai fy ngyrru i Ffrainc a wneid ac yno, os parhawn i wrthod gwasanaethu, cawn fy saethu. Mynnai'r gŵr hwn fod ar y fyddin eisiau gŵyr fel fi yn swyddogion, dynion dewr, di-ofn, chwedl yntau. Ond nid oedd na bygythion na chymhellion yn mennu dim arnaf.

Yna i garchar milwrol yr Wyddgrug yr aethpwyd â fi yng ngofal dau filwr. Clymwyd yr ysgrepan ar fy nghefn a gwrthodais gymryd y gwn a oedd yn rhan o'm harfogaeth filwrol! Dyna brofiad oedd glanio yng ngorsaf yr Wyddgrug a meddwl am yr hen Ddaniel Owen. Ac, yn wir, ar y llawr gyferbyn â'r llawr y disgynnem ni arno, yr oedd gŵr mewn tipyn o oed, a barf yn gymwys fel barf Daniel Owen ganddo. Ai ynteu rhith ydoedd yn codi o ddychymyg byw crwt o'r wlad a oedd wedi ymhyfrydu yn stori *Rhys Lewis*? Wn i ddim. Teimlad rhyfedd oedd pan gaeodd hen ddrysau mawr y carchar arnaf ar ôl i mi fynd i fewn a chau'r byd rhydd oddi wrthyf er garwed byd ydoedd yn ei waed a'i strellwch. Cael fy rhoi mewn cell a

Ithel Davies

rhyw hen flocyn mawr o wely ynddi a ddaeth yn gryn hwylustod i mi trannoeth. Canys trannoeth aethpwyd â fi i weithio, neu hynny oedd y bwriad. Mynd i ryw ysgubor o le a llu o fechgyn yn gweithio yno yn gwnïo sachau naill i ddal tywod fel rhan o ddarpar rhyfel neu sachau llythyrau i'r post. Gwrthodais gymryd gafael yn y sach liain a daflwyd ataf a gwrthod cymryd y nodwydd. Ond dyma swyddog cynddeiriog wrth fy ystyfnigrwydd yn bygwth brathu'r nodwydd i fy nghorff, a nodwydd fawr oedd honno. Cymerais y nodwydd o'i law ond ni ddefnyddiais hi i wnïo dim. Bwriwyd fi â dyrnau gan un o'r swyddogion, rhingyll, os cofiaf yn iawn. Yna aethpwyd â fi oddi yno ac yn ôl i'r gell a'm clymu mewn gwasgod rwym (*straight jacket*). Yr oedd hyn yn benyd arbennig iawn, a'r syniad ynglŷn â hi oedd na ellid plygu na symud dim ond sefyll fel polyn. Ond mi lwyddais i'm taflu fy hun ar y blocyn gwely a threulio oriau hir yn weddol esmwyth. Ni chefais bryd o fwyd canol dydd, a rhywle tua phump o'r gloch neu well dyma sŵn yr allwedd yn nrws y gell. Codais innau'n sydyn ac, yn wir, yn weddol rwydd oddi ar y gwely caled hwnnw a bod ar fy sefyll pan ddaeth dau swyddog i fewn â bwyd imi a'm rhyddhau o'r wasgod rwym. Mawr oedd y rhyddhad hwnnw. Gyda llaw, fel y darganfûm wedyn, dim ond am ddwy awr yr oedd neb i gael ei gaethiwo yn y wasgod honno ar unrhyw un amser. Yr oeddwn i wedi bod ynddi tua chwe awr! Nid oeddwn ddim gwaeth o'r driniaeth a theimlwn yn iawn.

Uffern o le oedd y lle hwnnw, a dweud y gwir. Bore trannoeth wedyn, aethpwyd â fi o'r gell i weithio ym muarth y carchar lle'r oedd nifer o garcharorion yn ceibio a rhofio mewn twll mawr yr oeddynt wedi ei wneud yng nghornel y buarth. Dyma'r rhingyll a oedd gyda mi yn cynnig caib i minnau i fynd i lawr i'r twll. Gwrthodais hi. Gorchmynnodd i mi fynd i lawr i'r twll. Gwrthodais innau . Yna bwriodd fi i lawr a thaflodd y gaib ar fy ôl. A mi'n sefyll yno a dim osgo gweithio arnaf, dyma'r rhingyll yn neidio i lawr i'r twll ar fy ôl ac aeth ati â'i ddyrnau gan fy mwrw yn fy nghorff a fy wyneb a thorri asgwrn fy nhrwyn. Yr oeddwn yn gwaedu fel mochyn; yna cydiodd yn y gaib ac yng ngwar fy nghot a bwrw pen y gaib ar fy nhraed. Yr oeddwn yn llwyddo i osgoi hynny'n o-lew, yna dechreuodd fwrw pen y gaib yn erbyn crimog fy nghoesau. Yr oedd yn llwyddo'n well yn yr ymgais honno ond ildio a wnaeth y brawd dicllon yn y man a neidiodd yn ôl i'r buarth a'm galw innau i fyny ar ei ôl. Ond nid oedd y driniaeth ar ben o bell ffordd. Gwnaeth ryw arwyddion na ddeallwn i ar swyddog, rhingyll arall a oedd yng ngofal ymarferiadau corfforol, dyn ifanc heini, tal. Galwodd hwnnw arnaf. Ar ymyl y buarth, yr oedd llwybr yn arwain o amgylch gardd fawr helaeth. Rhoes wthiad imi a gweiddi '*Double up*'. Gwyddwn ystyr hynny ond ni symudais i ddim. Daeth yntau tu ôl imi a fy nyrnu yn fy arennau ac yn fy meingefn. Aeth hyn ymlaen hanner ffordd o amgylch yr ardd. Yna syrthiais yn erbyn wal uchel oedd yn amgylchynu'r ardd ac yn cau'r sefydliad hwnnw oddi wrth y byd mawr rhydd y tu allan. Cydiodd y swyddog hwn yng ngholer fy nghot a fy nghodi i fyny yn erbyn y mur a dechrau fy nyrnu yn erbyn y mur. Yr oeddwn yn crio erbyn hyn oherwydd yr oedd yn fy mrifo'n enbyd. Pan oedd hyn yn mynd ymlaen, dywedais wrtho, yn Saesneg, wrth gwrs, 'Mae'n debyg fod gennych chwithau fam.' Wn i ddim eto pam y dywedais i hynny wrtho. Troes yntau i ffwrdd ac aeth i lawr i ben y llwybr canol a oedd yn arwain i lawr yr ardd i'r buarth. Gwnaeth yno ryw arwyddion ar rywun i lawr ar y buarth ymarfer. Galwodd fi ato a dywedodd ei fod yn fy edmygu am fy nghadernid ac ychwanegodd, 'Bu un ar ddeg o rai tebyg i chwi yn gwrthwynebu yma o'ch blaen ac ymostyngasant i gyd.' Hynny'n sicr a'i gwnaeth yntau mor benderfynol y gallai fy narostwng innau hefyd. Aethpwyd â fi ar fy union i fewn i'r carchar ac i'r ystafell ymolchi a golchais fy wyneb o'r gwaed a oedd arno. Daeth un o'r swyddogion ataf yn ymddangos yn llawn cydymdeimlad â mi oherwydd y driniaeth a gefais. Gwelodd yntau fod asgwrn fy nhrwyn wedi ei dorri a dywedais wrtho sut y bu.

O'r dydd hwnnw, cefais lonydd a chael pob caredigrwydd a gofal byd oni ryddhawyd fi i fynd yn ôl i'r gwersyll yn Park Hall yng ngofal dau filwr a ddaeth yno i'm cyrchu. Pan ymddangosais o flaen llywiawdwr y carchar cyn gadael, gofynnodd hwnnw imi a oedd gennyf unrhyw gwynion! Swniai hynny'n rhyfedd i mi. Atebais innau nad oedd gennyf ddim i'w ddatgan yno ond y byddwn yn dweud yr hanes ar ôl mynd allan. Ar ôl dychwelyd i'r gwersyll, mi ysgrifennais yr holl hanes at fy nhad a'm mam ac at hen weinidog Dinas Mawddwy, y Parchedig R. E. Davies, a oedd y pryd hwnnw yn Llanllechid. Rhoddwyd y mater i ofal Llywelyn Williams fel seneddwr. Cododd yntau'r mater yn y senedd mewn holiadau llym i'r Gweinidog Rhyfel.

Yr oedd yr holl hanes, fodd bynnag, wedi mynd yn ôl i'r gwersyll o fy mlaen i ac mi gefais gydymdeimlad parod a chyfan gan y milwyr. Ond y peth pwysicaf a ddigwyddodd yn y cyfwng hwnnw oedd i is-gapten y gatrawd, Peter Angell, Cymro o Gaernarfon, ddod i'm gweld. Bu ef o'r amser hwnnw ymlaen yn gyfaill cywir imi a'i nawddogaeth drosof yn gyson. Er imi gael dedfrydon cyson wedi hynny o garchar gyda llafur caled, gofalodd fy nghadw yn y gwersyll am y pythefnos yr oedd y llafur caled yn cael ei weithredu yn y carchar. Ystyr llafur caled oedd fod carcharor am y pythefnos cyntaf o'i ddedfryd yn gorfod cysgu ar ei wely coed heb ddim matras. Deuai Peter Angell i'm gweld yn gyson unwaith neu ddwy neu fwy yr wythnos tra byddwn yn y gwersyll cyn ac wedi'r llys milwrol. Ef oedd y cyntaf bob amser i'm croesawu'n ôl i'r gwersyll ac ef hefyd oedd yr olaf i ymweld â mi cyn dychwelyd ohonof yn ôl i garchar wedyn. Angel o ddyn oedd Peter Angell. Gŵr addfwyn oedd ef. Nid oedd yn cytuno â mi ond nid oedd geiriau rhy gryf ganddo i gondemnio'r driniaeth a gefais yn yr Wyddgrug ac yr oedd yn falch fod fy achos wedi ei godi yn y senedd. A geiriau parod y milwyr yn ddieithriad imi oedd, '*Stick it Davies*', hyd yn oed yr hen ringyll Hannan, er caleted a chased gŵr ydoedd, a sarrug, hefyd, a fu mor dyner ohonof ar bob adeg pan oeddwn yn y gwersyll yn aros prawf pellach o flaen y llys milwrol. Yr oedd fy hanes wedi mynd fel tân trwy Gymru gyfan. Deellais wedyn ddarfod i holl swyddogion y carchar yn yr Wyddgrug gael eu diswyddo, mawr a mân, ar ôl codi'r achos yn y senedd.

Yn y cyfnod hwn, digwyddodd dau beth pwysig, un yn ymwneud â'r gwrthwynebwyr yn gyffredinol, y llall yn fwy personol i mi. Gyrrwyd deg o wrthwynebwyr i Ffrainc a'u dedfrydu yno i farwolaeth. Yna cododd Philip Snowden, a oedd ei hun yn heddychwr, yn y senedd a rhybuddio'r llywodraeth, os saethid un o'r bechgyn hyn, y wynebai'r llywodraeth fwy o helynt yn y wlad hon nag oedd yn ei hwynebu ar y cyfandir. Edifarhaodd y llywodraeth, diddymwyd y ddedfryd a'u dwyn yn ôl i Brydain i wynebu penyd wasanaeth, sef carchar am eu hoes a'u gyrru i Garchar Maidstone yn swydd Caint. Ni chafodd neb ychwaith ar ôl hynny ei anfon i garchar milwrol. Carcharau'r wlad oedd i fod i ni wedi hyn.

Y peth arall a ddigwyddodd i mi yn bersonol, pan oeddwn i yn y gwersyll yn aros fy mhrawf, oedd dyfod gweinidog o Lanfyllin, a oedd yn gaplan gyda'r fyddin yn Ffrainc ac ym maes y gad, i fy ngweld gyda neges oddi wrth y bechgyn yn y ffosydd. Y neges honno oedd am i mi ddal yn gadarn, fod eu dulliau hwy yn fethiant a gobeithio y llwyddai fy nulliau i. Mr. Morris oedd y gŵr parchedig hwnnw ac yn weinidog gyda'r Wesleaid os cofiaf yn iawn. Ni welais i mohono wedyn . Ond yr oedd yna fachgen ifanc o Lanfyllin, yntau'n wrthwynebydd a dreuliodd ei ddedfrydon yng Ngharchar Walton yn Lerpwl. Ni chyfarfûm ag ef tan wedi'r rhyfel. Ond yr oedd chwaer iddo yn dod yn weddol gyson i'm gweld pan oeddwn yn y gwersyll yn aros fy mhrawf.

Yr oedd dau weinidog, E. K. Jones, Cefn-mawr, a Wyre Lewis, y Rhos, a ddeuai'n aml i fy ngweld yn y gwersyll a, hefyd, J. Ellis Jones, yntau o'r Gogledd, a fu fwy nag unwaith gyda mi yn y gwersyll. Dau Fedyddiwr ac un Methodist. Yr oedd E. K. Jones yn ddwys grefyddol a byddai'n cynnal cyfarfod gweddi bach yn y gell bob tro. Mewn cell yr oeddwn i yn y gwersyll gyda'r gwahaniaeth, oherwydd hynawsedd pawb, nad oedd hi byth ar glo. Yr oedd yr ymweliadau hynny'n dderbyniol iawn i mi ac yn fy nghadw mewn cysylltiad â phethau, ond mi gredaf y gallaf ddweud yn gwbl ddiargyhoedd imi dderbyn mwy o nerth i ddal oddi wrth agwedd y milwyr ac, yn wir, gan un neu ddau o swyddogion y fyddin. Wrth edrych yn ôl dros ysgwydd y blynyddoedd, rhaid gofyn faint o gymorth a nerth a fu'r gweddïau hynny yn y gell gul honno yn y gwersyll. Y ffaith yw bod popeth yn yr adeg honno'n cyfrannu, y profiadau cysurlon a'r rhai chwerw. Ond yr oedd gennyf i y pryd hwnnw, a chyn hynny, amheuon dwfn am grefydd ac am gynnwys traddodiadol Cristnogaeth. Yr un peth yr oeddwn i'n ei gwbl gredu oedd gwirionedd prydferth y Bregeth ar y Mynydd neu rai rhannau ohoni. Teimlwn yr un fath â Bertrand Russell pan ddywedodd ef, ac yntau'n anffyddiwr, ei fod ef yn credu'n llawer llwyrach yn y Bregeth ar y Mynydd nag oedd Archesgob Caergaint! Yr oedd popeth a oedd yn cyfrannu at ddyfnhau'r gred honno yn naturiol yn gyfnerthiad ysbryd i mi. Er gwaethaf anghrediniaeth crefyddol y Cristnogion a'r sefydliadau crefyddol o bob gradd, yr oedd eneidiau prin fel E. K. Jones a Wyre Lewis yn disgleirio fel ambell seren mewn ffurfafen gymylog ddu. Derbyniol iawn oedd pob cyfathrach ac ymateb a chyfathrachu ag eneidiau cydnaws, ac ymateb iddynt yn atgyfnerthiad. Felly y treuliwn i'r amser yn yr ysbeidiau a'r cyfnodau pan fyddwn i'n aros yn y gwersyll ar ôl dychwelyd o'r carchar a chyn dychwelyd iddo'n ôl. Pedwar cyfnod felly a fu yn ystod y caethiwed hwnnw.

Traddodiad Heddychol Cymdeithas y Cymod (1914-1945)

D.Ben Rees

Dyddiau'r Gwewyr

Cynnyrch y Rhyfel Byd Cyntaf yw heddychiaeth fodern. Y mae gwahaniaeth dybryd rhwng heddychiaeth fel credo personol a heddgarwch. I basiffist y mae rhyfel yn gwbl anfoesol ac ni ddylid ar unrhyw gyfrif gymryd rhan mewn rhyfel. I heddgarwr dylid gwneud pob ymdrech i osgoi rhyfel, ond os mai unben fel Hitler sydd yn rheoli'r wlad ac yn eich bygwth, yna gellid cyfiawnhau rhyfela yn ei erbyn. Ac felly datblygiad a darddodd allan o fodolaeth Cymdeithas y Cymod, yn bennaf, y *No Conscription Fellowship,* a safiad y Blaid Lafur Annibynnol yn y Rhyfel Byd Cyntaf yw heddychiaeth yr ugeinfed ganrif. Gwrthwynebwyd y rhyfel yn bennaf gan Gristnogion o argyhoeddiad a sosialwyr y chwith, a rhaid cofio mai lleiafrif bychan oeddynt. Ac y mae pob un ohonynt yn haeddu eu cofio yn deilwng am eu bod yn bobl o ddifrif, o argyhoeddiadau, ac yn nyddiau'r gwewyr yn barod i herio Llywodraeth y Wladwriaeth, y farn gyhoeddus a'r sefydliad, yn ei rym a'i bropaganda. I John Morris-Jones, y bardd a'r ysgolhaig a llawer un tebyg iddo, rhyfel sanctaidd oedd y Rhyfel Byd Cyntaf. Dyma'i eiriau ar ddechrau'r rhyfel wrth drafod yr Almaen:

> 'Y mae rhyfel yn erbyn y gallu hwn heddyw yn rhyfel sanctaidd, yn rhyfel i amddiffyn rhyddid, yn rhyfel o blaid heddwch. Nid yw yr Almaen, fel y mae, yn "addas" i fyw yn y byd. Rhaid diwreiddio'r drwg o'i chalon. Fel y dywedodd un o bapurau Rwsia "rhaid serio'r cancr Prwsiaidd hwn o Ewrop â haearn poeth". Ac fe wneir. Fel arwr ei phrif gerdd, fe werthodd yr Almaen ei henaid i'r Un Drwg. Nid hir y ceidw'r Diawl ei was.'

Richard Roberts

A dau Gymro Cymraeg a fu bennaf gyfrifol am fodolaeth Cymdeithas y Cymod, o greu mudiad o blaid heddwch, a dyna sut y sefydlwyd *Fellowship of Reconciliation* yn Llundain. Yr arloeswr mawr, ymhlith eraill, oedd y Parchedig Richard Roberts. Ganwyd ef ym Mlaenau Ffestiniog yn 1874 yn fab i David Roberts, y Rhiw, gweinidog gyda'r Presbyteriaid Cymraeg. Ar ôl ei gwrs coleg, aeth i wasanaethu ym mhentref Treharris, o dan nawdd y Symudiad Ymosodol, lle daeth yn ffrindiau â Keir Hardie, a sefydlu cangen o'r Blaid Lafur Annibynnol (ILP). Oddi yno derbyniodd alwad i gapel Cymraeg Willesden Green, Llundain a symud i gapel Saesneg Crouch End, lle y croesawodd Almaenwyr a Saeson a chenhedloedd eraill i addoli. Pan dorrodd y Rhyfel allan cadwodd yr Almaenwyr ifanc draw o'r oedfaon a sylweddolodd Richard Roberts, yn ei wewyr, fod yn rhaid iddo weithredu. Ymddiswyddodd o'i eglwys a daeth yn Ysgrifennydd llawn amser i Gymdeithas y Cymod a derbyn cymorth gan George M. Ll. Davies, yn enedigol o Lerpwl fel Is-ysgrifennydd iddo. Yr oedd George M. Ll. Davies yn ŵr busnes gwych, ac ef a ddaeth o hyd i swyddfa ar gyfer y mudiad yn Red Lion Square.

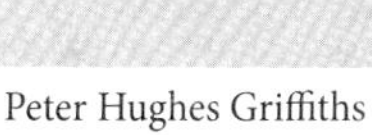

Peter Hughes Griffiths

Richard Roberts

Richard Roberts ynghyd â gweinidog capel Cymraeg Charing Cross, Llundain, Peter Hughes Griffiths a Llywelyn Williams, gweinidog Presbyteraidd arall a weithredai yn y Barri, a benderfynodd blannu hadau Cymdeithas y Cymod yng Nghymru. Teithiodd y tri i Fangor i sefydlu dosbarthiad o frawdoliaeth y Cymod ar gyfer rhan orllewinol gogledd Cymru gyda'r canghennau hyn: Bangor a Bethesda, Caernarfon

David Francis Roberts

Thomas Rees

a Phenygroes, Pwllheli a Blaenau Ffestiniog. Un a ddaeth yn amlwg a gweithgar gyda'r Gymdeithas yn Blaenau oedd y Parchedig David Francis Roberts (1882-1945), gweinidog Capel Maenofferen.

Roedd gweinidogion yr enwadau Ymneilltuol yn amlwg iawn o fewn y canghennau hyn. Ni allwn feddwl am gangen Bangor a Bethesda heb gofio am y ddau ddiwinydd o Goleg Bala-Bangor, yr Athro John Morgan Jones a'r Athro Thomas Rees a chyfraniad gweinidog y Tabernacl, y Parchedig Howell Harries Hughes, tad y cenhadwr Dr R. Arthur Hughes, ac ni ellir meddwl am gangen Pwllheli heb ystyried tystiolaeth y Parchedig John Puleston Jones, gweinidog Capel y Presbyteriaid Penmount. Os bu 'gwneuthurwr heddwch' erioed Puleston oedd hwnnw. Ond nid oedd hi'n hawdd i'r un ohonynt i dystiolaethu dros gymod a heddwch rhwng cenhedloedd gan fod yr awyrgylch mor elyniaethus ym mhob cylch o fywyd, ac yn arbennig yn y canolfannau crefyddol.

Awyrgylch y Capeli o 1914 i 1918

Y mae angen mwy o ymchwil ar hyn ond mae haneswyr y mudiad heddwch fel y Parchedig Ddr Dewi Eirug Davies o'r farn fod awyrgylch digon jingoistaidd yn y capeli Cymraeg o bob enwad. Wedi'r cyfan eilun y genedl David Lloyd George oedd Seren lachar gwleidyddiaeth Prydain ac erbyn 1916 ef oedd y Prif Weinidog. Addolid ef gan y mwyafrif o aelodau'r capeli. Roedd ganddo hefyd ddigon o weinidogion a wahoddid i aros gydag ef yn Llundain a thrwy ei berthynas a chapeli Gymraeg Llundain a Gwynedd nid oedd perygl i'w awydd pendant i gael pawb o'i blaid yn mynd i fethu.

Roedd gan Lloyd George gefnogwyr brwd fel yr athronydd Syr Henry Jones, y pregethwr dawnus, Dr John Williams, Brynsiencyn a John Morris-Jones, Llanfairpwll. Yn wir y patrwm recriwtio yn 1914 oedd cael offeiriad y plwyf, gweinidog ymneilltuol, a'r ysgolfeistr i eistedd ar lwyfan y cyfarfod recriwtio. Yr oedd pob gweinidog, blaenor neu ddiacon a oedd yn gwrthod cydsynio â'r drefn hon yn cael ei ddirmygu gan ei gymdogion a'i gyd-aelodau. Wedi'r cyfan roedd cyfartaledd uchel o'r aelodau yn y capeli yn arbennig yn y Gymru Gymraeg yn deyrngar i'r Blaid Ryddfrydol fel y gwelwyd ym muddugoliaeth ysgubol Etholiad 1906. Teimlai Puleston, er enghraifft, na ddylai Eglwys Iesu Grist gefnogi rhyfel o dan unrhyw amgylchiad, mwy nag y dylai gefnogi unrhyw un o'r pleidiau gwleidyddol er bod llawer un o'r heddychwyr adeg y Rhyfel Byd Cyntaf yn arloeswyr y Blaid Lafur Annibynnol, fel y gwyddom o gyfraniad T E Nicholas, 'Niclas y Glais', a David Thomas, awdur *Y Werin a'i Theyrnas*, ac aelod gweithgar yn yr Eglwys Fethodistaidd. Mynegodd Puleston Jones ei brofiad personal yn y frawddeg: 'Pobl ffyrnig a ryfelgar sydd o'm cwmpas i ym Mhwllheli yma.' A chofio hynny, gallwn ddeall fel y denwyd llawer o fechgyn ieuainc y tri enwad i'r drin er iddynt edifarhau lawer gwaith yn ddiweddarach. Cymerer dwy enghraifft o filltir sgwâr Puleston. Un yn Fedyddiwr a'r llall yn Bresbyteriad. Y Bedyddiwr yw'r bardd telynegol, Cynan. Daeth yn ôl o'r gyflafan gan ddewis gweinidogaethu gyda'r Presbyteriaid am ei fod yn gwrthwynebu cymundeb caeth y Bedyddwyr.

Cynan yn ymateb i alwad David Lloyd George

Gellir deall pam i Cynan ateb yr alwad. Un o edmygwyr mawr ei Aelod Seneddol, Lloyd George ydoedd. Nid oedd y Bedyddwyr ym Mhwllheli, na'i rieni na'i ffrindiau, am gael eu cyfrif yn fradwyr i Brydain yn nyddiau'r argyfwng. Cofiwn ei gerdd i Lloyd George ar orffen ohono deugain mlynedd yn Aelod Seneddol dros fwrdeistrefi Arfon, ac yn arbennig yr ail bennill:

Beth os bu Lloeger wedi'r tro
Yn galw d'enw uwch y gwin
Gan dyngu nad ai byth o'i cho
Dy lafur mawr yn nydd y drin?
Byr iawn yw diolch estron ŵyr,
Mae calon Arfon eto'n bur.

David Lloyd George

Ac ar ein tafod leferydd y mae cymaint o gerddi Cynan o'r Rhyfel Byd Cyntaf fel *Anfon y Nico* (a anfonwyd) o Facedonia:

Dywad wrth 'y nghefndar hefyd
Y rhowch i'r byd am hanner awr
O bysgota yn y Traffwll,
Draw o sŵn y gynna' mawr.
Dywad wrtho 'mod i'n cofio
Rhwyfo'r llyn â'r sêr uwchben,
Megan hefo mi, a fonta
Efo'r ferch o'r Allwadd Wen
Wedi 'nabod Wil a Megan
'Dei di byth i ffwr', dwi'n siŵr:
Pwy ddoi'n ôl i Facedonia
Wedi gwelad gardd Glan Dŵr?

Tom Nefyn Williams

Tom Nefyn Williams – Gwirfoddolwr arall

Enghraifft arall o un o fechgyn gwlad Llŷn yn ymateb i'r Rhyfel Byd Cyntaf oedd Tom Nefyn Williams. Cofiwn iddo ef ymuno a'r fyddin Brydeinig yn wirfoddol yn 1914 ac yntau yn fab i amaethwr oedd hefyd yn pregethu yn gyson ar y Sul, John Thomas Williams, y Pistyll, pentref rhwng Llithfaen a Nefyn. Llefarodd Tom Nefyn y gwir:

'Aelod ifanc o'r Eglwys oeddwn innau pan euthum i'r fyddin. Y crwsâd hwnnw oedd achub gwlad fechan Belg o afaelion militariaeth Prwsia ac i sicrhau i'r holl fyd ddyfodol democrataidd a heb ryfel.'

Ond dylanwadwyd arno ef ac eraill gan lawer o bropaganda'r *National Service League* a phwysau llawer o arweinwyr yr enwadau i gefnogi'r ymdrech.

Newid Cymdeithas

Gallwn ddweud na fu cenedl y Cymry'r un fath ar ôl y Rhyfel Byd Cyntaf, ac i'r rhyfel roddi ergyd farwol i'r cymunedau Cristnogol. Methodd y capeli ag ymryddhau o afael y wladwriaeth. Er bod Calfiniaeth fel diwinyddiaeth yn dal yn bwysig i rai gweinidogion, ni fedrodd yr arweinwyr gyfuno agwedd di-droi'n-ôl y ddiwinyddiaeth honno gyda bywyd mewnol ysbrydol y capeli. Daeth y rhyfela yn rhan o'r addoliad. Ar weddi bob Sul coffheid yn naturiol am y milwyr gan fod ambell i gapel wedi cyflwyno hanner cant, cant, dau gant o bobl ieuainc i'r Lluoedd Arfog. Roedd y Rhyfel Byd Cyntaf yn taflu ei gysgodion dros bopeth a gyflawnid ac ymunodd 31 o ieuenctid, er enghraifft, o Gapel (MC) Webster Road, Lerpwl, â'r Lluoedd Arfog. Y cyntaf ohonynt i'w golli yn yr angau oedd gwerinwr gostyngedig o galon John David Jones, Bective Street a berthynai i fataliwn y *Royal Welch Fusiliers*. Lladdwyd ef ym Mrwydr Mons ym Medi 1914. A da y dywed bugail yr eglwys, y Parchedig William Owen:

> 'Gelwir ar yr eglwysi i weini ar y dioddefus, ac i gysuro'r galarus: gofaled fod yn ddigon ysgafn ei llaw a thyner ei chalon i gyflawni eu ddyletswyddau pwysig.'

Nid oedd modd i'r capeli ddianc, yn arbennig yn y dinasoedd a'r trefi, rhag gofynion gofal a charedigrwydd. Dyna pam y cynhelid yn yr Ysgoldai Ddosbarthiadau Ambiwlans er mwyn hyfforddi'r ifanc â sgiliau i drin y clwyfedigion. Teimlai gweinidogion gyfrifoldeb i fugeilio'r bechgyn a'r merched oedd wedi ymrestru. Gofidiant am y praidd ifanc, a rhoddodd aml un, fel yr heddychwr y Parchedig William Owen, Lerpwl, arweiniad pendant i'r aelodau ofalu am y bywydau gwerthfawr oedd mewn perygl ar faes y gad ac meddai wrth ei eglwys:

> 'Gofaler fod llythyrau yn cael eu hanfon yn gyson atynt. Mae anfon llythyr i sirioli ysbryd bachgen o filwr yn y ffosydd yn Ffrainc pa le bynnag y bo, yn gymaint o wasanaeth i Grist a dim a ddichon Archesgob ei wneyd.'

Gwelir cyfeiriadau mynych ym mhregethau'r cyfnod (1914-18) at y Rhyfel, ac mewn aml i gapel yng Nghymru cenid yr Anthem Genedlaethol, sy'n mawrygu'r milwr yn ogystal ag adduned i amddiffyn yr iaith i'r dyfodol, a hynny ar derfyn y gwasanaeth. Yn gyson hefyd llenwid y pulpudau gan bregethwyr a gyhoeddai'r newyddion da mewn gwisg filwrol. Nid Dr John Williams, Brynsiencyn oedd yr unig un i wneud hynny, er mai ef, a gaiff y bai gan bobl, na fu'n ymchwilio i'r hanes!

Sefydlwyd gwersylloedd milwrol ar hyd a lled y wlad. Gwelid gwersylloedd yn y de a'r gogledd fel Bae Cinmel yn ymyl y Rhyl ac Aber-porth yn y gorllewin a Litherland yn Lerpwl lle bu Hedd Wyn yn cynganeddu cyn gadael am Fflandrys. Roedd hi'n bwysig cadw golwg ar y porthladdoedd fel Caerdydd, Abertawe, a'r rhai llai fel Caergybi a Phort Talbot.

Yn weddol fuan gwelwyd newid mawr yn addoliad y capeli, llai o lawer o addolwyr yn cyrchu i Seion a'r Tabernacl a Chalfaria. Y bwlch pennaf oedd gweld llai o ddynion ifanc yn y seddau. Teimlai rhai gweinidogion sensitif anhawster i weddïo'n gyhoeddus. Gwelwyd cynnydd aruthrol yng ngwerthiant papurau Sul ym mhentrefi cefn gwlad. Daeth y *News of the World* yn boblogaidd i lawer cartref o Gymry Cymraeg dosbarth gweithiol. Ond y prif reswm am archebu'r papurau Sul oedd cael mwy o newyddion o faes y gad. Pan gynhelid arwyl milwr a laddwyd yn Ffrainc ac a ddygwyd adref i'r fro Gymraeg dychrynid y trigolion pan saethid bwled uwchben yr arch a'r bedd. Roedd y weithred filitaraidd hon, sy'n dal mewn bri, yn gwbl farbaraidd i bobl y capeli ond nid oedd awydd na hawl ganddynt i wrthwynebu. Ond o 1915 penderfynwyd peidio dod â'r milwyr yn ôl i'w teuluoedd, ond eu claddu yn yr estron dir, gweithred gwbl ansensitif. Cafwyd mewn llysoedd eglwysig ddadlau o blaid ymrestru ac ym mhob achos cytunid â'r alwad. Ar Ynys Môn nid oedd gobaith gan neb o fewn y Cyfarfod Misol y Methodistiaid Calfinaidd i ennill y ddadl gan fod Dr

John Williams mor benderfynol. Yn wir, iddo ef, dyletswydd gyntaf yr eglwysi oedd cymell pob bachgen ifanc i ymrestru yn y Lluoedd Arfog er nad aeth ei fab ei hun i'r gyflafan. Felly hefyd y cefnogai'r Annibynwyr Cymraeg ym Môn gan fod y Cadfridog Syr Owen Thomas, Annibynnwr o gylch Cemaes yn un o filwyr pwysicaf ei oes yng ngolwg Lloyd George a John Williams. Trefnwyd i gatrawd o'r fyddin a wersyllai yn Llandudno ddod ar daith trwy Sir Fôn er mwyn ennill cefnogaeth dda i gynlluniau'r militarwyr Cristnogol. Croesawyd hwy yn gynnes i ysgoldai'r capeli a'u cofleidio fel arwyr y ffydd.

Lluniodd y Parchedig John Williams ac eraill ddogfen Maniffesto Rhyfel ac fe'i cyhoeddwyd ar 9 Medi 1914 yn y *South Wales Daily News*. Ymatebodd nifer o weinidogion (o leiaf ddeg ohonynt) fel caplaniaid i'r milwyr o blith enwad John Williams. O'r enwad hwnnw y daeth y mwyafrif ohonynt fel y Parchedigion D. Cynddelw Williams, Penygroes, Dyffryn Nantlle, J. J. Evans, Niwbwrch, yr Athro David Williams, D. Morris-Jones a W. Llewelyn Lloyd, Llangaffo, dynion cwbl arbennig ac ar dân dros yr efengyl. Ond fe safodd eraill yn gadarn yn erbyn rhyfel. Ar 30 Medi 1914 cyhoeddwyd llythyr y Prifathro Thomas Rees, Coleg Bala-Bangor yn y *Tyst* yn condemnio'r Rhyfel ac agweddau rhai o'i gyd-Gymry Gristnogol. Nid oedd Thomas Rees o gwbl am i'r eglwysi droi'n 'asiantaeth recriwtio' i'r fyddin. Rhybuddiodd ei gyd-Gristnogion o bob traddodiad:

'Peidiwn â cheisio taflu cochl crefydd dros y rhyfel'.

Ond ni wrandawyd arno. Canai'r beirdd i gyfeiliant rhethreg y pregethwyr huawdl fel englyn gwerinwr o Dre-lech, S. O. Thomas:

Y Recriwt

Ar y wŷs! Pob mwynder ad - o'i wirfodd,
Cwyd arfau dros famwlad:
Gwron wna 'ngwers ei gariad
Ran y glew dros deyrn a gwlad.

I Lloyd George a'i gefnogwyr fel S. O. Thomas yr oedd y Cymry ifanc fel fy nhad, John Rees o Landdewibrefi yn dilyn yn ôl traed Owain Glyndŵr. Erbyn Eisteddfod Genedlaethol Bangor (a gynhelid yn ei etholaeth haf 1915), ymffrostiai Lloyd George bod cyfran fwy o boblogaeth Cymru wedi ymrestru'n filwyr na'r un rhan arall o'r Deyrnas Unedig. Erbyn Medi 1915 yr oedd gan y fyddin Gymreig 45,000 o filwyr.

Nid oedd pardwn chwaith i'r cannoedd o fyfyrwyr oedd yn paratoi ar gyfer y weinidogaeth Gristnogol rhag ymrestru ar gyfer maes y gad. Aeth nifer myfyrwyr Coleg Bala-Bangor lle y ceid dau o'r heddychwyr pennaf wrth y llyw, lawr i ddeg o fechgyn, a phob un ohonynt heb fod yn ddigon iach i ymuno â'r fyddin. Fe safodd rhai bechgyn ieuanc didwyll crefyddol fel David James Jones, Alltwen, a ddaeth yn fardd toreithiog o dan yr enw Gwenallt, yn wrthwynebydd cydwybodol. Bu'n rhaid iddo wynebu yr hyn a alwodd yn 'blasau'r brenin'. Un arall a fu ym mhedwar o 'blasau'r brenin', sef Wormood Scrubs, Knutsfod, Dartmoor a Smethwick oedd yr anwylaf o'r heddychwyr absoliwt, George M. Ll. Davies. Byddai Puleston Jones yn ei ddallineb a George M. Ll. Davies yn ei anwyldeb yn annerch y dorf fawr yn enw Tywysog tangnefedd ar faes Pwllheli yn ystod y ffair flynyddol. Clywodd Lloyd George am y gweithredu afreolaidd hyn, yn un o drefi ei etholaeth, a threfnodd fod ei weision sifil yn galw George M. Ll. Davies i Lundain i egluro ei weithredu dros ben llestri a hynny yn groes i amodau ei ryddid fel gwrthwynebydd cydwybodol.. Ar ei ffordd i Lundain galwodd Davies mewn cynhadledd heddychwyr yn Llandrindod ond rhwystrwyd ef a Puleston Jones rhag ynganu un gair gan floeddiadau gwyllt cefnogwyr Lloyd George a lanwai'r capel. Ond yn Llundain cafodd 'llysgennad answyddogol' Cymdeithas y Cymod pob chwarae teg gan Arglwydd Salisbury. Trafodwyd ei achos yng Nghabinet Rhyfel y llywodraeth lle yr oedd yr Arlywydd Milner yn bendant drosto ond Lloyd George yn ei erbyn. Daeth ei ryddid i ben a dedfrydwyd i garchar a dioddefodd fel disgybl da i Dywysog Dangnefedd fel y gwnaeth Ithel Davies a Gwenallt ac aml un arall. Ond yr oedd ganddynt ychydig bach o arweinwyr yn yr eglwysi oedd yn gwbl gefnogol iddynt fel y rhai a enwyd eisoes, a dylid ar bob cyfrif, ychwanegu enwau Y Parchedigion R.Silyn Roberts, Cernyw Williams, Corwen a J. H. Howard, Bae Colwyn atynt. Yr oedd Howard yn siaradwr da a byddai'n crwydro 'r wlad yn enw Cymdeithas y Cymod. Canlyniad ei anerchiadau meddylgar oedd anfon cenadwri i'r Prif Weinidog yn tystiolaethu fod 'Rhyfel yn wrthun i Ysbryd Cristnogol' a bu ef yn fwy na neb yn ddraenen yn ystlys ei enwad mewn aml i Gymanfa Gyffredinol. Yn nhalaith De Cymru ceid sosialydd o basiffist tebyg i J. H. Howard, sef y Parchedig John Morgan Jones, bugail Capel Saesneg yr Hen Gorff, Hope, Merthyr Tudfil, am 35 mlynedd.

Ystyrid ef yn ŵr peryglus gan yr awdurdodau. Rhoddwyd ditectif i wylio ei symudiadau, a'i fai pennaf oedd annog bachgen i beidio ystyried ar unrhyw gyfrif ymrestru yn ddifeddwl o dan y dôn jingoistaidd y Lluoedd Arfog.

J.H.Howard

'Deled dy *Deyrnas*'

Gweithred bwysig iawn yn hanes Cymdeithas y Cymod oedd y penderfyniad a wnaed mewn cynhadledd a gynhelid yn Bermo i gyhoeddi cylchgrawn o dan y teitl *Y Deyrnas*. Daeth y rhifyn gyntaf allan ym mis Hydref 1916, ar gyfer aelodau o Gymdeithas y Cymod yn yr eglwysi ac o dan olygyddiaeth y Prifathro Thomas Rees.

Rhyfel a'i Dylwyth

Dyma ddarn a welwyd ar dudalen flaen *Y Deyrnas*: 'Rhyfel yw'r ffurf amlycaf yn awr ar elyniaeth y byd yn erbyn Teyrnas Dduw. Yr unig enw sydd gan y milwyr a fu yn y rhyfel presennol arno yw "uffern", a daw Teyrnas Dduw ' i ddileu uffern.' Teimlai arweinwyr cylchgrawn *Y Deyrnas* fod rhai o'r enwadau a'r eglwysi ledled Cymru wedi bradychu'r dystiolaeth greiddiol sydd yn y Testament Newydd.

Brad yr Eglwys Anglicanaidd a'r Eglwysi Ymneilltuol

Teimlai'r heddychwyr gywilydd mawr o'r mudiad ieuenctid o fewn yr Eglwys Anglicanaidd, sef *Church Lad's Brigade*. Iddynt hwy, erfyn dros filitariaeth oedd y mudiad. Beirniadaeth arall oedd bod yr eglwys yn cofleidio militariaeth, yn buddsoddi gyda chwmnïau o wneuthurwyr arfau, ac yn clodfori'r cledd ar bob amgylchiad. Gofidient hefyd fod gymaint o gyfoethogion yr Eglwys yn dianc rhag anfon eu meibion a oedd adref ar y ffermydd neu yn y siopau ac yn clodfori'r cledd ar bob amgylchiad ac yn gadael i'r llafurwyr a'r gweision fynd yn eu lle.

Yn ôl yr Athro Thomas Rees, Bangor (un o blant ardal y Preselau) pe bae'r Eglwys Gristnogol yn unol, yr Anglicaniaid a'r Ymneilltuwyr, yn gytûn deuai'r rhyfel i ben dros nos. Dywed:

> 'Ond fe allai Eglwys Crist, pe dewisa, alw am derfyn i'r rhyfel hwn a phob rhyfel arall, a'i gael ymhen ychydig wythnosau. Ac arni hi y gorffwys y cyfrifoldeb. Iddi hi y rhoddwyd newyddion da i'w gyhoeddi i'r holl genhedloedd. Ond pa newyddion da a gyhoedda eglwysi Germani i Brydain, nac eglwysi Prydain i Germani heddiw.'

Roedd ganddo ddadl dda. Mewn undeb mae nerth. Gwendid yr eglwysi yn yr Almaen a Phrydain oedd un o resymau'r gyflafan. Cytunai Mr Evan Edwards, lleygwr yn Nhroed-y-rhiw ger Merthyr, gydag ef, yn wir dywed ef fod yr enwadau 'yn rhy ranedig, llygredig, ac anffyddlon'. Roedd yr Annibynwyr Cymraeg yn yr Undeb ym Mrynaman yn 1916 wedi gwyro ymhell o'r safbwynt a gymerwyd yn 1913 yn Abertawe. Diffyg cysondeb amlwg. Yn 1916 cafwyd penderfyniad gorffwyll yn 'dymuno rhoddi datganiad clir a diamwys unwaith eto o'n hargyhoeddiad o iawnder y safle a gymerir gan ein gwlad a'n teyrnas yn y rhyfel presennol.' Dengys hyn sut y llwyddodd yr ysbryd jingoistaidd ddylanwadu ar enwad Cymraeg a fagodd 'S. R.' Roberts, Llanbryn-mair ac a basiodd yn 1913 yn unfrydol benderfyniad yn erbyn rhyfel 'am fod pob rhyfel yn groes i ysbryd Crist a buddiannau gwerin y gwledydd.' Ni ellir defnyddio ond un gair, Anghysondeb yr Annibynwyr! Ac eto rhaid cofio am yr optimistiaid yn yr enwad fel T. E. Nicholas, gweinidog Llangybi a Llanddewibrefi a fu'n canu yn delynegol felys yr un adeg, a'r Parchedig William Rees, Llechryd a yfodd yn drwm o ddysgeidiaeth Swedenborg a'i nai William John Rees, Allt-wen. Dywed ei nai yntau J. Derfel Rees am Rees, Allt-wen fel yr adwaenid ef gan Gwenallt a phawb arall:

> 'Dywedai ambell weinidog a swyddog eglwysig jingoistaidd na châi Rees Allt-wen byth esgyn i'w pulpudau hwy, tra byddai ganddynt lais yn y mater. O'r Allt-wen yr aeth i gynhadledd, pwyllgor a chyngor lle byddai ei air yn gadarn a'i gyngor yn ddoeth, ac nis arbedodd ei hun yn enwedig yn ystod y ddau Ryfel Byd'.

Dangosodd eraill fel y Bedyddiwr, Parchedig E. K. Jones, Cefn-mawr, sefyllfa enbydus y gwrthwynebwyr cydwybodol. Soniodd un gwrthwynebydd a ddygwyd i Swydd Mayo wrtho:

'Y mae yma 27 ohonom yn cael ein caethiwo; nid oes yma unrhyw gyfleusterau i ymolchi a thrwsio. Rhodder inni ddau fwcedaid o ddŵr yn y bore, a rhaid inni ymolchi gore y gallom. Dychmygwch beth raid bod y dŵr os digwydd i chwi fod yn olaf.'

I bobl fel T. E. Nicholas ac E. K. Jones roedd yn rhaid i Brotestaniaid ddysgu protestio o ddifrif, a dyna fyrdwn Niclas mewn cyfarfod yn Aberteifi. Heriodd T. E. Nicholas yr Ymneilltuwyr i brotestio

> 'A feiddiwn ni alw ein hunain yn Brotestaniaid a ninnau wedi cydymffurfio yn y modd mwyaf ffyddlon â holl gynllwynion ein llywodraethwyr? Dilyn llywodraethwyr gwlad, bendithio uffernau brenhinoedd, a dal i fyny breichiau erlidwyr cydwybod – dyna fu ein hanes.'

Ar y cyfan, roedd cnewyllyn Cymdeithas y Cymod yn ysgwyd y seiliau ac yn galw sylw at wendidau eu cyd-Gymry fel gweithred pobl ar Ynys Môn yn cael gwared a meddyg ysgol o'r enw Dr John Calvin. A dyma ddywed *Y Deyrnas* (Cyf II Rhif 11 Awst 1918), t3 am hyn:

> 'Ei drosedd yw bod yn dramorwr. Gwnaeth Duw o un gwaed bob cenedl, ond fel arall y barna urddasolion Sir Fôn. Ceisiodd yr arweinwyr Ymneilltuol achub Calvin druan, ond wedi gollwng ysbrydion drwg ar led, peth anodd yw eu rheoli. Ysbryd drwg yw ysbryd rhyfel sydd bob amser yn cario'i gefnogwyr ymhellach nag y bwriadent fynd.'

Tra yr oedd T. E. Nicholas yn dal i goleddu ei freuddwydion am fyd gwell wedi'r Rhyfel, fel arall y teimlai ei gyd-Annibynnwr y Parchedig J. D. Vernon Lewis. Yr oedd y Rhyfel Byd Cyntaf iddo ef 'wedi ffrwydro'r breuddwydion' i gyd. Dywedodd ef yn Undeb Brynaman pan oedd y mwyafrif o'i gyd-Annibynwyr yn llawenhau fod cynifer o Annibynwyr wedi ymrestru yn y fyddin ac yn falch o arweiniad Lloyd George a'r Cadfridog o Annibynnwr, Owen Thomas, y geiriau hyn o sobrwydd: 'Yr ydym heddyw yn byw ar derfyn rhyw oes sydd yn prysur ddirwyn i ben.'

Ymateb y beirdd

T.H.Parry-Williams

Ymunodd rhai o'r beirdd mwyaf dawnus fel T. Gwynn Jones a T. H. Parry-Williams â'r Gymdeithas. Dywedodd T. Gwynn Jones:

> 'Fe all dyn dwyllo ei hun, ond ni thwyllir Duw. A boed y byd cyn ddryced ag y bo, ni ddihengir rhag y farn anesgor "A hon yw y ddamnedigaeth, ddyfod goleuni i'r byd a charu o ddynion y tywyllwch yn fwy na'r goleuni".'

Yr oedd y beirdd eisteddfodol fel Dyfed a Cadfan yn filitaraidd, ac yn ôl Thomas Rees, hyd yn oed yr Eisteddfod Genedlaethol ei hun. Ef a ddywedodd am Eisteddfod Aberystwyth a gynhaliwyd yn 1916:

'Molwch yr Arglwydd a lleddwch y Germans yw arwyddair newydd yr Eisteddfod Genedlaethol. Gwnaed elw o £430 o'r Gymanfa Ganu yn Aberystwyth, a rhennir yr arian rhwng gwahanol gronfeydd rhyfel.'

Ac yn yr Eisteddfod Genedlaethol y flwyddyn ganlynol ym Mhenbedw enillwyd y Gadair gan filwr o Drawsfynydd. Ymateb Golygydd *Y Deyrnas* oedd mynegi siom aruthrol:

"Drych o dristwch oedd Cadair Ddu Eisteddfod Birkenhead. Gwag oedd y gadair am fod Ellis Evans (y bugail awengar a moethau ei athrylith yng nghwmni y defaid a'r adar a'r nefoedd) a'i henillasai yn gorwedd yn fud mewn estron dir."

Yr oedd Lloyd George yn eisteddfodwr ac yn gosod arweinwyr y mudiad eisteddfodol ar gledr ei law. Beirdd go daeogaidd oedd beirdd Cymru yn y Rhyfel Byd Cyntaf, a Lloyd George a'i deulu yn erlid gwrthwynebwyr cydwybodol a thangnefeddwyr.

Erlid y Cymodwyr

Daliai Lloyd George i gredu fod y rhyfel yn cael ei ymladd er mwyn cenhedloedd bychain, ac ni fi llurgunio mwy ar lif hanes na hyn. Aeth ei frawd, William George, y cyfreithiwr, mor bell a galw y gwrthwynebwyr cydwybodol yn 1918 yn 'objectionable cowards'. Yr oedd pum mil ohonynt wedi eu carcharu, cyfartaledd uchel yn aelodau o Gymdeithasau Heddwch fel Cymdeithas y Cymod, neu enwadau fel y Crynwyr, neu bleidiau gwleidyddol fel I.L.P. Bu farw ugain o'r protestwyr pasiffistaidd o dan y driniaeth giaidd a chwerw. Yn wir y gair a ddefnyddiodd Thomas Rees yn *Y Deyrnas* (Chwefror 1918) oedd 'fe'i llofruddiwyd'. Pwy ydwyf fel hanesydd i anghytuno â llygad dyst?

Cenhadaeth yr Heddychwyr

Nid mewn tŵr ifori y ceid efengylwyr Cymdeithas y Cymod ond yn y cymunedau yn dadlau nes bod y chwys yn llifo ar eu gruddiau.

Howell Harries Hughes a'i briod Myfanwy.

Bu Howel Harries Hughes, y sant o Fangor, yn annerch ym mis Mawrth 1918 yn Llansawel a Trecynon, Aberdâr. Nid ef oedd yr unig un yn y gynhadledd honno. Clywyd yn Nhrecynon lais Thomas Rees, D. Bassett, E. Aeron Davies a dau o'r I.L.P., Mrs Rose Davies a Edmund Stonelake. Un arall a grwydrai Cymru i hau had heddychiaeth oedd Puleston Jones, a gwelwyd rhai o'r jingoistiaid yn cael tröedigaeth, fel y Parchedig D. G. Jones (gweinidog Gwenallt a fu'n ddigon ffiaidd tuag ato), Pontardawe, a'r Parchedig W. Francis Phillips. Dadrithiwyd ef yn gyfangwbl fel y gwelir yn ei ysgrif, 'Methiant yr Eglwys', *Y Deyrnas* (Gorffennaf 1919).

Beirniadu y'r Prif Weinidog

Dedfryd Cymdeithas y Cymod trwy enau Thomas Rees am arwr mawr gwleidyddol y Cymry oedd yn syml:

> 'Ofnwn fod Mr Lloyd George a'i lywodraeth yn anobeithiol. Rhyfelgar, gwastraffus, a phartïol i'r cyfoethog yn erbyn y tlawd.'

Sosialydd oedd Thomas Rees ond ni chafodd ei lwyr gyfareddu gan ei blaid ei hun:

> 'Y mae gennym fwy o obaith am y Blaid Lafur na'r un o'r lleill, ond rhaid ei hail-eni hithau cyn y daw'n gyfrwng iachawdwriaeth i'r wlad.'

A phan ddaeth y rhyfel i ben gwireddwyd holl ofnau bobl ddewr Cymdeithas y Cymod a'r cylchgrawn *Y Deyrnas*. Gwelwyd mai gwragedd a phlant, y gwan a'r diniwed oedd wedi cael y fargen salaf, sef newyn enbyd a dioddefaint diddiwedd. Cyfrifid fod y newyn wedi lladd mwy na'r Rhyfel ar dir yr Almaen. Gwelwn greulondeb ar bob llaw – creulondeb y Twrc yn Armenia, creulondeb y Bolshefiaid, y Spartaciaid yn Rwsia, creulondeb byddinoedd Lloyd George a'r Almaenwyr, y cyfan yn rhan o ryfel waedlyd. Roedd hyd yn oed y Parchedig W. F. Phillips, (un o ddadleuwyr pennaf dros y Rhyfel) erbyn 1918 yn cyfaddef 'fod cenhedloedd Cristnogol Cyfandir Ewrop' wedi mynd ati i 'ryfela â'i gilydd' yn hytrach na chyd-fyw â'i gilydd. Honiad digon teg oddi wrth un oedd yn gefnogydd brwd i'r Sefydliad cyn iddo glywed llais y proffwydi fel J. H. Howard a John Morgan Jones o Gymdeithas y Cymod.

Canlyniadau y Rhyfel

Beth oedd canlyniadau y Rhyfel Byd Cyntaf? Gellir mentro dweud tri pheth. Yn gyntaf gwnaeth y rhyfel arwr mawr o'r Cymro David Lloyd George dros dro. Prif fyrdwn Etholiad Cyffredinol 1918 oedd ei orchestion fel 'Cymro mwya'r canrifoedd'. Enillwyd 25 o seddau yng Nghymru gan ymgeiswyr y Blaid Ryddfrydol oedd yn cefnogi Lloyd George. Haydn Jones oedd yr eithriad ym Meirionnydd, ef oedd un o gefnogwyr brwd H. H. Asquith. Ni chafodd beirniaid y Prif Weinidog fel yr heddgarwyr E. T. John a W. Llewelyn Williams eu dewis yn ymgeiswyr. Cynyddodd parch i'r Blaid Lafur ond nid digon i niweidio Lloyd George a'r Rhyddfrydwyr yn 1918. Bu'n rhaid aros pedair blynedd arall am hynny. Yn ail daeth dau gant a hanner o fyfyrwyr diwinyddol a ymunodd â chwmni arbennig y Corfflu Meddygol yn 1916 yn ôl yn gwbl ymroddedig. Gwasanaethodd y rhain yn Salonica a Macedonia. Daeth nifer fawr o'r bechgyn yn enwau adnabyddus yn hanes crefydd yng Nghymru, a gwnaeth profiadau enbyd y gyflafan fwy na hanner ohonynt yn heddychwyr digymrodedd, fel Lewis Valentine, John H.. Griffith, Capel Mawr, Dinbych, a J. Llywelyn Hughes, Porthaethwy. Cafwyd profiadau rhai ohonynt yn y pamffledi a'r atgofion a gyhoeddwyd mewn blynyddoedd diweddarach. Soniodd y Parchedig J. D. Jones, Llangaffo, am y cymhlethdod meddyliol a 'gynhyrchwyd yn ein bywydau a'r baganiaeth fwyaf digywilydd.' Aeth y Parchedig J. W. Jones, Conwy mor bell â dweud:

Lewis Valentine

'Cawsom brofiad o bethau na allwn eu hadrodd mewn geiriau na'u gwisgo mewn iaith; ofer yw ceisio disgrifio bywyd ar faes y gwaed; a daw atgof amdanynt fel iasau i'm cnawd.'

Yn drydydd daeth heddychiaeth fodern i'w theyrnas ymysg arweinwyr y capeli ac ymhlith y dosbarth canol yn fwyaf arbennig. Ond yn yr ardaloedd Cymraeg eu hiaith cafodd y dystiolaeth heddychol ddyfnder daear ymhlith y dosbarth gweithiol, darllengar. Sefydlwyd y mudiad *Urdd Y Deyrnas* ar ddiwedd y Rhyfel Byd Cyntaf gyda'r bwriad o feithrin heddychiaeth ymhlith yr ifanc a'r myfyrwyr ac i hybu egwyddorion Cristnogol. Ymddangosodd cylchgrawn hynod o ddiddorol o dan nawdd Urdd *Y Deyrnas* gyda'r teitl, *Yr Efrydydd*.

George M. Ll. Davies fel arweinydd unigryw

Daeth George M. Ll. Davies yn symbol o ymroddiad yr heddychwyr Cymreig. O'r holl heddychwyr Cymraeg, ef o bell ffordd oedd y mwyaf nodedig ohonynt i gyd. Y mae dweud hynny yn ddweud mawr pan gofiwn pwy oedd cyfoeswyr George M. Ll. Davies yng Nghymdeithas y Cymod. Yn y Gogledd cawn Thomas Rees, John Morgan Jones (Bangor), Puleston Jones, D. Francis Roberts (ar fin symud i Lerpwl), Gwynfryn Jones, Fflint, E. K. Jones, Cernyw oedd yn barod i ddweud y drefn am Lloyd George, J. H. Howard a H. Harries Hughes, yntau yn symud yn 1921 o Fangor i Lerpwl. Yn y De ceid Dewi Morgan (tad y Barnwr Elystan Morgan), Emrys Hughes, J. Morgan Jones, Hen-Dy-Gwyn-ar-Daf, D. J. Bassett, Trecynon, H. D. Phillips, Llandrindod, O. H. Jones, Llanilar, John Morgan Jones, Merthyr, D. Lewis Jones, Aberaeron, T. Gwynn Jones a T. H. Parry-Williams, Mrs Rose Davies a Mrs D. Pritchard, y ddwy o Aberdâr. Y gwahaniaeth mawr oedd ansawdd a gyrfa bywyd ŵyr y seraff-bregethwyr John Jones, Tal-y-sarn. O foethusrwydd cartref dosbarth canol Lerpwl i garchar Dartmoor, yna cyfnod yn torri cerrig ar y ffordd rhwng Llanwrda a Phumsaint, yna Aelod Seneddol yn enw Heddychwyr Cristnogol yr Etholiad 1923 dros Brifysgol Cymru, a chyfnod wedyn yn weinidog anghonfensiynol gyda'r Hen Gorff yn ardal Tywyn yn Sir Feirionnydd.

Emrys Hughes, Abercynon

Ei saga ef yw hanes Cymdeithas y Cymod rhwng y ddwy Ryfel Byd. Yr oedd yn adnabyddus i'r mwyafrif yng Nghymdeithas y Cymod (nid oedd Cymru yr adeg honno yn annibynnol fel Cymdeithas). Byr fu cyfnod George M. Ll. Davies fel Aelod Seneddol, a chollodd yr Etholiad o fewn blwyddyn i fargyfreithiwr o Aberystwyth. Daeth yn adnabyddus o fewn Cymdeithas y Crynwyr, ac yn y ddau ddegau, crwydrodd Cymru gyfan i gyflwyno athroniaeth Cymdeithas y Cymod. Llwyddodd i fod yn gyfrwng cymod ar fater annibyniaeth yr Ynys Werdd rhwng Lloyd George a De Valera, a bu yn gyson yn cymodi y cyfalafwyr a'r Undebwyr. Daeth â'r Arglwydd Buckland a'r Undebwr, Noah Ablett at ei gilydd yn Streic Fawr 1926. Y mae cofiant E. H. Griffiths yn rhoddi enghraifft ar ôl enghraifft o fedr y cymodwr, ei gyfeillgarwch, ei allu am lygad i bontio'r gagendor a'i gyfraniad anfesuradwy. Yn ail gyfrol, *Seraff yr Efengyl Seml* (Caernarfon, 1968) cawn ein tywys drwy ddau ddegawd o weithgarwch pwysig George M. Ll. Davies. Dylid darllen hefyd ei hunangofiant ef, *Pererindod Heddwch*. Fel pregethwr ei thema ganolog bob amser oedd y Cymod yng Nghrist. Dotai y gynulleidfa yn ddeallus at ei bregethu gan ei fod yn hoff o chwarae ar eiriau, ar groeseiriau a chynghanedd (gan gofio mae ei frawd hynaf oedd y bardd J. Glyn Davies) gan adael y gwrandäwr a digon o ddeunydd i gnoi cil. Yr oedd Saesneg yn rhwyddach ganddo er ei fod yn Gymro twymgalon. Ond nid ef oedd y plentyn hynaf fel y cydnebydd Glyn Davies:

> 'You are handicapped at the start, Welsh to you is an acquired language. I can use Welsh because I never lost it entirely as you and Stan did to all purposes...'

Dyna sy'n digwydd yn gyson yn hanes Cymry Lerpwl, cymuned a drefnodd ŵyl i gofio ef a'i frawd yn 2003.

Cynrychiolodd George M. Ll. Davies Cymru ar Bwyllgor Gwaith yr F.O.R. a gyfarfyddai yn Llundain neu Fanceinion fel arfer a gwelodd hefyd werth y mudiad Urdd Gobaith Cymru. Yr oedd priod Ifan ab Owen Edwards yn gynnyrch yr un capel, Princes Road, yn Lerpwl a'r heddychwr. Naturiol oedd George M. Ll. Davies roddi ei ysgwydd o dan faich mudiad yr Urdd, a'i arwyddair godidog.

Cenhadaeth Gwilym Davies

Croesawodd hefyd sefydlu Neges Ewyllys Da Plant Cymru, a ddaeth i rym ar 28 Mehefin 1923, o dan arweiniad y Parchedig Gwilym Davies, Bedlinog. Yn 1924 cafodd y neges ei darllen dros y radio, ac, o hynny ymlaen bu llwyddiant ar y weithred. Erbyn 1930 yr oedd yr Almaen, yr Eidal a Siapan wedi ymuno â'r cynllun, a llawenydd i'r heddychwyr oedd clywed fod yr Undeb Sofietaidd yn 1934 yn rhoddi sêl ei bendith ar y genadwri. Daeth yr Urdd yn gyfrifol am y neges, ac erbyn y tridegau daeth hi'n arferiad cynnal Gwasanaeth Heddwch ar y radio o gapel arbennig. Cynhaliwyd yr un cyntaf ar 14 Mai 1933 yng Nghapel Seilo, Aberystwyth, lle y gweinidogaethai yr heddychwr, Parchedig Dan Evans.

Plediodd yr heddychwyr o gwmwd i gwmwd gefnogaeth i Gyngor Cenedlaethol Cymru o Undeb Cynghrair y Cenhedloedd a ddaeth i fodolaeth yn bennaf trwy arweiniad David Davies, Llandinam. Penodwyd y Parchedig Gwilym Davies, sylfaenydd Neges Ewyllys Da Plant Cymru yn Gyfarwyddwr er Anrhydedd ar Adran Gymreig y Mudiad. Ymddeolodd o weinidogaeth y Bedyddwyr yn 1922 i hyrwyddo heddwch rhyngwladol a sefydlu canolfan yn Aberystwyth. Trefnodd cynadleddau blynyddol (1922-39) yng Ngregynog ar addysg ryngwladol hyd nes i Gynghrair y Cenhedloedd ddirywio o dan ergydion Ffasgaeth yr Almaen a'r Eidal a'u cefnogwyr yn Sbaen a Siapan.

Y mae Gwilym Davies (1879-1955) yn haeddu clod mawr am ei genhadaeth. Roedd yn bropagandydd effeithiol iawn, ac yn llawn syniadau sut y gellid hyrwyddo heddwch. Dyna pam iddo ddefnyddio y wasg, yn arbennig *Yr Efrydydd, a'r Welsh Outlook*, a chasglwyd rhai ohonynt ynghyd yn *Yn y Byd Ddoe a Heddiw* (1938). Teithiodd yn gyson i Genefa. Yn wir mynychodd bob un o Gymanfaoedd Cyffredinol Cynghrair y Cenhedloedd rhwng 1923 a 1938. Ysgrifennodd yn helaeth yn Saesneg ac anrhydeddwyd ef gan y Wladwriaeth a Phrifysgol Cymru, rhywbeth eithriadol ym maes heddychwyr Cymraeg. Ni chafodd Gwilym Davies wrogaeth llawr gwlad fel y cafodd ei gyfoeswr a'i gyfaill, George M. Ll. Davies. Nid oedd y ddau yn gwbl hapus gyda gweithred tri o arweinwyr Plaid Cymru ar safle ffermdy Penyberth, ger Penrhos yn Llŷn ar 8 Medi 1936. Yr oedd y tri wedi dinistrio rhan o eiddo y Llu Awyr, sef safle i hyfforddi peilotiaid. O'r tri, Saunders Lewis, D. J. Williams a Lewis Valentine, roedd y ddau olaf yn heddychwyr o argyhoeddiad. Cefnogodd George M. Ll. Davies y weithred anghyfreithlon ond di-drais ond aeth Gwilym Davies yn feirniadol iawn o Blaid Cymru, plaid oedd meddu ar nifer helaeth o heddychwyr Cymraeg, ac yn *Y Traethodydd* yn 1942 aeth ati i bardduo y blaid wleidyddol oedd y tu ôl i weithred Penyberth.

Rhyfel Gartref Sbaen

Yr un flwyddyn, 1936 cychwynnodd brwydro yn Sbaen yn erbyn lluoedd y ffasgydd, Cadfridog Franco, ac aeth 177 Gymry i'r Brigadau Rhyngwladol. Collwyd 33 ohonynt. Glöwyr o'r De a'r Gogledd oedd y mwyafrif helaeth, a sefydlwyd pwyllgorau cymorth i Sbaen mewn aml i dref a phentref glofaol i gasglu bwyd ac arian. Ymunodd heddychwyr gyda'r pwyllgorau hyn, a threfnwyd aml i gyngerdd i godi pres. Ymddangosodd cylchgrawn *Heddiw* (1936-1942) a chafodd Rhyfel Gartref Sbaen le amlwg yn y tudalennau. Yn rhifyn Mai 1937, cyhoeddwyd cerdd yr heddychwr ifanc Pennar Davies, *Sbaen i Ddewrion Madrid*, aelod o Gylch Cadwgan yn y Rhondda Fawr. Yr oedd y cylch barddol yn cynnwys beirdd fel Rhydwen Williams, Gwyn Griffiths a'i frawd D. R. Griffiths, Pennar Davies a Gareth Alban Davies a'r llenor Kate Bosse Griffiths (Iddewes o'r Almaen), ac yn gyfystyr â chell o Gymdeithas y Cymod. Yn ystod yr Ail Ryfel Byd yr oedd *Heddiw* yn un o lwyfannau prin yr heddychwyr gan fod y papurau Cymraeg, fel y rhai Saesneg, naill ai yn condemnio y gwrthwynebwyr cydwybodol neu yn eistedd ar y ffens.Ceid rhai eithriadiau fel newyddiadurwyr a gellir nodi ennillydd Cadair Eisteddfod Genedlaethol Caerdydd (1938) Gwilym R.Jones yn un o'r rhain, yn arbennig pan y symudodd o Lerpwl i Ddinbych.

Gwilym R. Jones

Fel yn y Rhyfel Byd Cyntaf dangosodd teulu Llandinam haelioni tuag at ddioddefaint gwerin Sbaen. Rhoddodd yr heddwchgarwr, yr Arglwydd David Davies £1,000 i gychwyn Cronfa Cymru i Blant y Basgiaid a chyfrannodd y ddwy chwaer yn Gregynog y swm o £500.

Cymdeithas Heddychwyr Cymru

Yn yr Eisteddfod Genedlaethol a gynhaliwyd yng Nghaerdydd yn 1938, sefydlwyd Cymdeithas Heddychwyr Cymru yn fudiad Cymraeg o dan lywyddiaeth George M. Ll. Davies gyda gŵr ifanc o'r Barri, Gwynfor Evans yn Ysgrifennydd. Cyn diwedd y flwyddyn cyhoeddwyd llyfryn cyntaf y gymdeithas o dan y teitl *Ymwrthodwn â Rhyfel*. Dyma ddechrau cyfres Pamffledi Heddychwyr Cymru a chyhoeddwyd gwaith rai o ŵyr amlycaf Cymdeithas y Cymod, fel T. Gwynn Jones, Iorwerth Cyfeiliog Peate a'r mwyaf prysur ohonynt i gyd, George M. Ll. Davies. Agorwyd yr un flwyddyn *Y Deml Heddwch* ym Mharc Cathays, symbol o fyd cymodlawn y Cymry. Ond yr oedd Cymdeithas yr Heddychwyr yn frwdfrydig, a gwelwyd olynydd teilwng i George M. Ll. Davies yn Gwynfor Evans. Yr oedd y gweithgarwch yn anhygoel. Sefydlwyd canghennau newydd o Fryn-mawr, lle bu George M. Ll. Davies yn y tri degau yn arwain a chefnogi y di-waith, i ardal Crymych, bro mebyd Thomas Rees, D. J. Davies (Llanelli), T. E. Nicholas ac aml i heddychwr arall. Uchelgais Gwynfor Evans yn ôl ei gofiannydd Rhys Evans, oedd 'uno cenedlaetholdeb a heddychiaeth' a bu'n dra llwyddiannus.

Colli Mynydd Epynt

James Griffiths

Un o ergydion pennaf i selogion Cymdeithas y Cymod oedd cyhoeddiad y Swyddfa Ryfel ei bod am lyncu mynydd Epynt i fod yn rhan o dir ymarfer gwersyll y fyddin ym Mhontsenni. Clywodd Cymru yn Chwefror 1940 fod 60,000 o erwau, 79 o ffermydd a chapel y Babell yn cael eu llyncu gan y lefiathan rhyfelgar. Ymatebodd Pwyllgor Diogelu Diwylliant Cymru, o dan arweiniad yr ysgrifennydd T. I. Ellis, mab yr eicon Rhyddfrydol o Feirionnydd, Tom Ellis.

Galwodd ef am gymorth gwleidyddion amlwg, yn arbennig Aelodau Seneddol fel James Griffiths (heddychwr ar hyd ei oes, hyd 1939 pan newidiodd ei safbwynt), Clement Davies a Robert Richards, a Will John y Rhondda, Bedyddiwr o argyhoeddiad dwfn. Ond ofer fu'r cyfan gan i'r ffermwyr gael eu hargyhoeddi gan eu harweinwyr amaethyddol, yn arbennig William Williams, i dderbyn iawndal y fyddin. Diwedd y gân yw'r geiniog ac felly y bu ar fryniau Epynt, a rhaid cydnabod nad oedd cenedl y Cymry yn frwd iawn i frwydro a hwythau yn ofni yn feunyddiol y byddai milwyr yr Almaen yn troedio tir Cymru.

Ail Ryfel Byd

Gyda'r Almaenwyr yn gweld Ffrainc ar y gorwel, gosododd Llywodraeth Prydain rwystrau ar bawb oedd yn radicalaidd ac yn pregethu cymod a heddwch. Diswyddwyd gweithwyr gan y cynghorau, athrawon yn arbennig, am eu cred mewn heddwch Cristnogol. Dioddefodd un o heddychwyr gostyngedig y Presbyteriaid yn Eifionydd, y Parchedig J. P. Davies, Tabernacl, Porthmadog. Paentiwyd mewn llythrennau bras ar fur y Tabernacl y geiriau: 'Cowards, Traitors... You Ought to Face a Firing Squad'.

J.P.Davies

Norah Isaac

Gwyliwyd yr heddychwyr hyn, J. P. Davies a George M. Ll. Davies a Gwynfor Evans a channoedd o rai eraill, gan yr awdurdodau. Dylifodd plant o Loegr i'r Gymru wledig, symudwyd 50,000 o blant o Loegr i'r Rhondda yn unig. Daeth cannoedd o blant Lerpwl i Lŷn ac Eifionydd ac i Feirionnydd a Cheredigion, llawer ohonynt o gartrefi digon tlodaidd. Un canlyniad i'r ymfudo hwn oedd agor Ysgol Gymraeg yn Aberystwyth yn 1939 a gofynnwyd i aelod o Gymdeithas y Cymod, Norah Isaac i fod yng ngofal y plant bach oedd yn derbyn nawdd sylfaenydd a mudiad yr Urdd. Erbyn diwedd 1940, yr oedd 17 o ddisgyblion ac o'r cychwyn bach hwn y tyfodd un o symudiadau pwysicaf y ganrif, yr Ysgolion Gymraeg. Cododd James Griffiths, Aelod Seneddol Llanelli, gwestiwn pwysig yn y Senedd am y trefniadau a ddylid eu cyflawni ar gyfer gwrthwynebwyr cydwybodol Cymraeg eu hiaith wrth wynebu tribiwnlysoedd. Llwyddodd yr heddwchgarwr o Sosialydd i berswadio y Llywodraeth a'r Gweinidog Llafur a Gwasanaeth Cenedlaethol y byddai aelodau Tribiwnlys Gogledd Cymru yn Gymry Gymraeg bob tro, a châi achosion o Dde Cymru eu trosglwyddo i Dribiwnlys y Gogledd os dymunai y gwrthwynebydd cydwybodol fynegi ei hun yn y Gymraeg. Yr oedd buddugoliaeth i'r heddychwyr a chafodd James Griffiths ei ganmol ganddynt am roddi lle dyladwy i'r iaith Gymraeg. Cofnodwyd 2,920 o weithredwyr cydwybodol yng Nghymru, y mwyafrif helaeth yn arddel credo Cymdeithas y Cymod. Ni charcharwyd yr un ohonynt. Yr oedd hi mor wahanol yn y Rhyfel Byd Cyntaf. Yr elfen newydd yn 1939-1945 oedd gwrthwynebwyr a safai ar dir cenedlaetholdeb ac yr oeddynt hwy yn cythruddo un o gadeiryddion y Tribiwnlys, Syr Thomas Artemus Jones. Iddo ef a'i gyd aelodau yr oedd gwrthwynebiad ar sail credoau gwleidyddol, boed genedlaethol neu sosialaeth, yn golygu carchar, neu waith mewn ffatri, neu ar fferm.

Bu'n rhaid ildio mynydd Epynt erbyn 1940 a chollwyd cymuned Gymraeg gyfan. Gwasgarwyd y teuluoedd i bellafoedd Lloegr ac i aml ardal yng Nghymru. Seisnigeiddiwyd bro Gymraeg gan filwyr o Loegr, ac nid yw Cymdeithas y Cymod byth wedi anghofio, anfadwaith a gyflawnwyd gan y Swyddfa Rhyfel a Llywodraeth San Steffan. Yn 1941 cafodd Abertawe ei hysgwyd i'w sail, a gwastatawyd 41 erw o ganol y dref gan awyrennau bomio yr Almaen. Lladdodd bomiau y *Lwftwaffe* 230 o bobl mewn tair noson, 19 i 21 o Chwefror. Bu Abertawe yn darged yr Almaen, a bu farw 387 o'r trigolion yn ystod yr Ail Ryfel Byd, ychydig mwy nag a laddwyd yng Nghaerdydd. Yno bu farw 355 o'r trigolion yn ddiangen. Ond yr roedd ffatrïoedd creu arfau ar hyd a lled Cymru, yn Hirwaun, Pen-bre a Glasgoed ger Pont-y-pŵl a Phen-y-bont ar Ogwr lle cyflogid 37,000 o bobl, y rhan fwyaf yn wragedd. Ceid ffatri ym Marchwiail a ffatri cynhyrchu awyrennau rhyfel ym Mrychdyn, ar y ffin â Chaer.

Cymdeithas Heddwch yr Annibynwyr

Trwy gydol y Rhyfel cadwyd fflam Cymdeithas y Cymod yn fyw. Un o'r cymdeithasau a wnaeth hynny oedd Cymdeithas Heddwch yr Annibynwyr a ffurfiwyd yn fuan wedi'r Rhyfel Byd Cyntaf. Yn y flwyddyn 1943, y Prifathro John Morgan Jones, Bala-Bangor, oedd Llywydd y Gymdeithas, a'r Parchedig S. B. Jones, Peniel ger Caerfyrddin yn Gadeirydd. Penderfynwyd y flwyddyn honno cyhoeddi cyfrol gyntaf o dystiolaeth ffydd yr heddychwyr, a daeth y gwaith allan cyn y Nadolig. Golygwyd y gwaith gan Simon B. Jones a gweinidog ysgolheigaidd Capel Hope, Pontarddulais, y Dr E.. Lewis Evans, awdurdod ar Morgan Llwyd o Wynedd. Teitl y gyfrol oedd *Ffordd Tangnefedd* a chafwyd cyfraniadau y ddau olygydd, ac ysgrifau y Bedyddiwr, Dr E. K. Jones, Brymbo, E.

E, Tegla Davies

Simon B. Jones ac un o fois y Cilie

Tegla Davies, y Wesle o Goed-poeth; a H. Harris Hughes, Llandudno, pob un yn olrhain heddychiaeth o fewn enwadau y Bedyddwyr, yr Eglwys Fethodistaidd a'r Presbyteriaid yng Nghymru.

Flwyddyn yn ddiweddarach cyn Nadolig 1944, ymddangosodd yr ail gyfrol, *Sylfeini Heddwch* a chafwyd amrywiaeth mewn pregethau, gweddïau a barddoniaeth, a dyfyniadau o eiddo heddgarwyr a heddychwyr. Yr oedd George M. Ll. Davies wedi cyfrannu pregeth o'i eiddo, a bu'n annerch Cymdeithas Heddwch yr Annibynwyr, cryn anrhydedd y dyddiau hynny i ofyn i berson o enwad arall. Eithriad o beth, ac eto, trist na chaiff heddychwyr o un enwad groeso i gyfarch heddychwyr enwad arall. Dyna angen cymod ymarferol. Ni fu Cymdeithas y Cymod mor effeithiol yn yr Ail Ryfel Byd ac a welwyd yn y Rhyfel Byd Cyntaf. Ymddiswyddodd 129 o aelodau F.O.R yn 1939, ond erbyn 1945 cafwyd dros 1,000 o aelodau newydd. Nid oedd cymaint o genhadon hedd yng Nghymru yr Ail Ryfel Byd, ond nid oedd hi heb ei chenhadon chwaith. Yn y Gogledd cyflawnodd Tom Nefyn Williams a J. P. Davies waith anhepgorol yn Llŷn ac Eifionydd, yn gwarchod a chefnogi y celloedd heddwch a sefydlwyd cyn dechrau y Rhyfel. Yr oedd y De a'i chenhadon fel y Parchedigion D. R. Thomas, Gwynfor Evans, a George M. Ll. Davies.

Cyfraniad Coleg Bala-Bangor

Yr oedd Coleg Bala-Bangor y tri degau yn goleg oedd yn cynhyrchu heddychwyr. Yn y coleg hwn o 1926 hyd 1938 cafodd clwstwr o fechgyn disglair iawn eu haddysgu, ac ymysg y rhain oedd Gwilym Bowyer, Glynmor John, R. Ifor Parry, Trebor Lloyd Evans, John Baker, D. J. Roberts, Iorwerth Jones, Idwal Jones, Oswald R. Davies, a D. J. James. Dyma dystiolaeth heddychwr arall, D. E. Williams (Pontyberem):

> 'Yr oedd traddodiad Coleg Bala-Bangor yn gadarnach ei basiffistiaeth na'r Coleg Coffa, hynny am fod y Prifathro Thomas Rees wedi sefyll mor bendant ar y mater yn ystod y Rhyfel Byd Cyntaf. Rhaid dweud fod to ar ôl to o fyfyrwyr yn heddychwyr sicr wedi dod allan i'r weinidogaeth drwy byrth Bala-Bangor, a'u dylanwad yn ddigon cryf i droi gweinidogaeth yr Annibynwyr mor heddychol ar fater Rhyfel nes parhau am flynyddoedd i basio penderfyniadau i'r perwyl yng Nghynadleddau Blynyddol eu Hundeb.'

Gwir y dywedodd.

Gwilym Bowyer

Llywelyn Caradog Hughes

Gweithgarwch yr Heddychwyr

Anrhydeddodd Eisteddfod Genedlaethol Llandybie 1944 yr heddychwr George M. Ll. Davies yn Llywydd y Dydd. Cafodd groeso tywysogaidd yn wir fyddarol ac yn ei anerchiad canmolodd Morgan Llwyd fel un o'r heddwchgarwyr cynnar ynghanol y Rhyfel Cartref. Yn niwedd y mis hwnnw cynhaliwyd Ysgol Haf gyntaf Heddychwyr Cymru yng Ngholeg y Normal, Bangor o dan ei lywyddiaeth a chyfrannwyd gan y Parchedig T. H. Williams, trefnydd Cymdeithas y Cymod yng Nghymru, y Parchedigion R. J. Jones, Caerdydd, Prifathro John Morgan Jones, J. P. Davies, H. Harris Hughes, Tom Nefyn Williams, D. E. Williams ac un o ŵyr dylanwadol F.O.R., y gwyddonydd o Gaergrawnt, Dr Alex Wood. Cyfrannwyd hefyd gan nifer o leygwyr fel Norah Isaac, Meinir Davies a Gwynfor Evans. Yr oedd cyfraniad y Parchedig D. R. Thomas, Merthyr yn ogoneddus fel y medrai ar lawer amgylchiad. Ond dros y cyfan yr oedd ysbryd llariaidd y Llywydd, G. M. Ll. Davies ffrind mawr i Dick Sheppard, David Lloyd George, Dan Thomas, Syr Basil H. Liddell-Hart, Iorwerth C. Peate a ddioddefodd waradwydd o gael ei ddiswyddo gan Amgueddfa Cymru am ei basiffistiaeth. Ond mynnodd Aneurin Bevan, James Griffiths, D. O. Evans a saith gwleidydd arall y dylid ei ail-apwyntio. Dyna a fu.

Diwedd yr Ail Ryfel Byd

Iorwerth Cyfeiliog Peate

Pan ddaeth y Rhyfel i ben yn Ewrop ar Mai 7, 1945, nid oedd neb balchach nag aelodau Cymdeithas y Cymod yng Nghymru. Ymddiswyddodd Gwynfor Evans fel Ysgrifennydd Cymdeithas Heddychwyr Cymru am fod D.P.U. yn Lloegr yn tueddu i fod yn 'wrth Gymreig' gan adael George M. Ll. Davies fel pererin wrtho'i hun. Bu gollwng bomiau atomig ar Hiroshima ar Awst 6, 1945 ac ar Nagasaki ar Awst 9 yn boen meddwl i'r heddychwyr, a hyd heddiw cofir am yr anfadwaith a'r golled a'r creulondeb yn ystod yr Eisteddfod Genedlaethol gan Gymdeithas y Cymod.

Yn y cyfnod o 1914 i 1945 bu Cymru yn hynod o ddyledus i Gymdeithas y Cymod ac yn arbennig i'r genhedlaeth o weinidogion a lleygwyr a safodd yn y bwlch yn y Rhyfel Byd Cyntaf, ac yna y rhai a ddaeth yn ôl o'r gyflafan i roddi eu bywyd a'u galluoedd at wasanaeth heddwch.

Crisialwyd hyn mewn paragraff o eiddo gwraig i weinidog Presbyteraidd, Grace Wynne Griffith yn ei nofel *Creigiau Milgwyn* (Bala, 1935). Soniai am gymeriad o'r enw Hugh Edwards yn derbyn yr alwad i ofalu ar ôl praidd Duw yn y byd:

'Aethai i'r weinidogaeth ar ôl dyfod o'r Rhyfel, am y gwelai gyfle i sylweddoli'r delfryd o 'dangnefedd ar y ddaear ac i ddynion ewyllys da'. Iddo ef, profai'r ffaith i'r Eglwys i raddau gymeradwyo'r Rhyfel diwethaf, fod angen dynion i'w harwain a fyddai'n gryf o blaid brawdgarwch a heddwch.'

A dyna a gafwyd yng Nghymru o 1918 i 1945.

Yr Arglwydd David Davies o Landinam

Hefin Mathias

Un o brif ganlyniadau rhyfel 1914-1918 oedd yr effaith a gafodd ar agweddau at ryfel ei hun. Yn ogystal â'r galaru am y bechgyn a gollwyd, a'r ymdrechion a wnaed i'w hanrhydeddu, esgorodd y rhyfel ar bryder mawr am ddyfodol y ddynoliaeth. A oedd dyfodol i wareiddiad, gan gofio bod y rhyfel wedi dangos pa mor abl oedd dynion i harneisio grym gwyddoniaeth i ddinistrio ei gilydd? Daeth yr heddwch yn Nhachwedd 1918; ond pa sicrwydd oedd y byddai arweinwyr y byd yn gofalu na fyddai'r un rhyfel arall yn dechrau, o gofio fod y rhyfel wedi arwain at y defnydd o arfau newydd, mwy dychrynllyd fyth megis awyrennau bomio, tanciau, cychod tanfor ac arfau cemegol?

Y cwestiynau hyn y ceisiodd David Davies Llandinam, fel hyrwyddwr heddwch rhyngwladol, eu hateb. Dyma pam y mae'n ffigur hanesyddol pwysig, a pham mai ef yn anad neb a fynnodd roi llwyfan byd-eang i Gymru yn y mudiad heddwch rhyngwladol, a hynny adeg cyfnod pan nad oedd gan Gymru'r mymryn lleiaf o ddylanwad gwleidyddol. Roedd dau rym diwinyddol a syniadaethol yn ganolog i'w fywyd, sef Methodistiaeth Calfinaidd a Rhyddfrydiaeth, dwy gred a gerddai law yn llaw â'i gilydd yn yr ystod cwrs y Bedwaredd Ganrif ar Bymtheg. Plentyn y ganrif honno oedd David Davies. Glynodd wrth y daliadau hyn ar hyd ei oes, ac yn wahanol i brofiad cymaint o ddynion eraill a fu ar faes y gad, bu rhyfel 1914-1918 yn fodd o atgyfnerthu'r daliadau hynny.

David Davies
a beintiwyd gan Augustus John (1936)

Etifeddiaeth deuluol

Ganed David Davies yn Llandinam, pentref gwledig yn Sir Drefaldwyn, ym Mai 1880, a'i addysgu yn ysgol fonedd Merchiston Castle yng Nghaeredin ac yng Ngholeg y Brenin Caergrawnt, lle y graddiodd mewn Hanes yn 1903. Yn ystod ei gyfnod yn y sefydliadau dethol hyn fe'i trwythwyd ym myd-olwg y dosbarth rheoli Prydeinig. Ar farwolaeth ei dad Edward Davies yn 1898, etifeddodd ef a'i ddwy chwaer Gwendoline Davies (1882-1951) a Margaret Davies (1884—1963), ymerodraeth ddiwydiannol a gynhwysai Gwmni Glo'r *Ocean*, dociau'r Barri, Cwmni Rheilffordd y Cambria lle'r oedd David yn gyfarwyddwr, yn ogystal â stad 100,000 erw o dir yn Llandinam ei hun. Yn rhinwedd yr etifeddiaeth hon yr oedd David Davies yn filiwnydd sawl gwaith drosodd, ac yntau yn meddu ar ffortiwn gwerth £2,000,0000 (byddai swm o'r fath yn gyfwerth ag o leiaf £200 miliwn yn 2014). Sylfaenydd yr etifeddiaeth hon a'r ffigur dominyddol ym mywyd y teulu oedd David Davies, y tad-cu, y dyn yr enwyd David ar ei ôl.

Yr oedd David Davies, neu *"Top Sawyer"* fel y'i gelwid, yn ddyn amryddawn- yn adeiladwr, peiriannydd, dyn busnes, diwydiannwr, gwleidydd (gwasanaethodd fel Aelod Seneddol Bwrdeistrefi Sir Aberteifi rhwng 1874 a 1885) ac elusennwr. Yr oedd hefyd yn Fethodist Calfinaidd ac yn ddirwestwr cadarn, a defnyddiodd ei gyfoeth i waddoli sefydliadau cenedlaethol, yn arbennig Coleg Prifysgol Aberystwyth, yn ogystal ag adeiladu capel i'r teulu ac i Fethodistiaid Llandinam a'r cylch yn 1873. Ei dad-cu oedd y ffigur y modelodd David Davies ei fywyd arno, o ran ei grefydd, ei wleidyddiaeth a'i ddyngarwch. Yn 1910 fe briododd Amy Penman; cawsant ddau o blant, Michael a Margarite. Bu Anne farw wedi

Y tad-cu David Davies

gwaeledd hir yn 1918, bu Margarite farw yn ferch ifanc 18 mlwydd oed, a lladdwyd Michael yn 1944. Priododd Henrietta Margaret Fergusson yn 1922; cawsant bedwar o blant, sef Mary, Edward. Islwyn a Jean.

David Davies, yr elusengarwr hael

Ymserchai David Davies yn y farchnad rydd, ond fel nifer o'i gyd-ryddfrydwyr credai fod angen tymheru penarglwyddiaeth y farchnad drwy helpu anffodusion cymdeithas. Yr oedd elusengarwch, felly, yn rhan bwysig iawn o'i fywyd. Noddodd ystod eang o sefydliadau Cymreig a'r rheini'n cwmpasu byd addysg, cynllunio trefol, y wasg ac iechyd. Ym myd addysg uwch, rhoddodd £3000 i adeiladu Coleg Diwinyddol yn Aberystwyth. Bu hefyd, fel ei dad-cu, yn gefn i Brifysgol Aberystwyth ei hun: ariannodd labordai Cemeg newydd yn ogystal â chreu adran newydd mewn Hanes Ymerodraethol. At hynny, bu ef a'i chwiorydd yn hael eu cefnogaeth i'r Llyfrgell Genedlaethol, a dderbyniodd siartr frenhinol yn 1906. Yn yr un modd bu'n flaenllaw yn sefydlu'r Ymddiriedolaeth Cynllunio Tref a Thai yn 1913, gan hybu cyfleusterau hamdden yn Llanidloes, Machynlleth a'r Drenewydd, yn ogystal â mewn trefi eraill ar hyd a lled y wlad. Yn 1911 creodd Sefydliad Coffa Cenedlaethol Cymru'r Brenin Edward V11 *(King Edward V11 Welsh National Memorial Association*), i fynd i'r afael â'r Diciâu neu'r Ddarfodedigaeth, un o afiechydon creulonaf y cyfnod. Gyda swm sylweddol o £150,000 i'w osod ar ei draed, perswadiwyd Thomas Jones, Rhymni, Athro Economeg ym Melfast, un o sêr academaidd disgleiriaf Cymru, i wasanaethu fel ysgrifennydd llawn amser. Ymhen ychydig flynyddoedd yr oedd y gymdeithas glodwiw hon wedi sefydlu 13 o sanatoria i drin y diciâu, sef un ar gyfer pob un o siroedd Cymru; ac erbyn 1944, diolch i haelioni David Davies, yr oedd mynychder yr aflwydd hwn wedi ei haneru.

David Davies y Rhyddfrydwr

Rhan annatod o'i gydwybod gymdeithasol oedd ei aelodaeth o'r Blaid Ryddfrydol, gyda'i ffocws ar ddatgysylltiad yr eglwys, dirwest, pwnc y tir ac addysg. Yn 1906 fe'i hetholwyd yn Aelod Seneddol dros Sir Drefaldwyn, etholaeth a wasanaethodd hyd 1929, gan ennill pum etholiad-ac eithrio un- yn ddiwrthwynebiad; adlewyrchiad o'r parch uchel oedd i David Davies yn ei ardal enedigol. Un rheswm am hynny oedd y proffil cyhoeddus amlwg oedd ganddo ym myd amaethyddiaeth: roedd y mochyn Cymreig yn bwysig iddo; doedd dim byd yn well ganddo na hela llwynogod, mynychai sioeau amaethyddol, rhai lleol a chenedlaethol, ac fe roddai gefnogaeth ariannol iddynt. Nid aelod confensiynol ydoedd fodd bynnag. Arddelai farn annibynnol, a doedd dim ofn ganddo i dynnu'n groes i dueddiadau ei blaid ef ei hun; er enghraifft, fel ei dad-cu gynt, gwrthwynebai ymreolaeth i Iwerddon. Gallai hefyd fod yn feirniadol o'i gyd-wleidyddion, gan gynnwys neb llai na Lloyd George, megis adeg yr helynt ynghylch addysg uwchradd yn 1902, a hefyd adeg y gyllideb enwog a gyflwynodd yn 1908. Fe fu'n ddigon hy hefyd i daflu amheuon ynghylch masnach rydd, siboleth mwyaf y blaid.

Sefydlu'r *Welsh Outlook*, 1914-1933

Ond doedd hyn ddim yn ddigon iddo golli ei gysylltiad â'r Blaid Ryddfrydol, oherwydd mai'r blaid hon a gostrelai ei werthoedd sylfaenol; a hynny ar adeg pan oedd y gwerthoedd hynny yn dod fwyfwy dan fygythiad Sosialaeth, yn arbennig yn ardaloedd y de diwydiannol. Ymgais i wrthweithio dylanwad Sosialaeth ymhlith y dosbarth gweithiol Cymreig a barodd iddo, (mewn partneriaeth a Thomas Jones Rhymni), lansio cyfnodolyn newydd, sef y *Welsh Outlook* ar ddechrau 1914, gyda'r nod o drin a thrafod bywyd cymdeithasol, crefyddol, deallusol a chelfyddydol Cymru o fewn persbectif eangfrydig. Er i rai o ddeallusion amlycaf Cymru gyfrannu yn gyson iddo, ni lwyddodd erioed i sicrhau cylchrediad eang-dibynnai yn llwyr ar gefnogaeth ariannol David Davies i'w gadw mewn bodolaeth. Pan ddaeth y cylchgrawn i ben yn 1933, serch hynny, roedd y byd y gwyddai ef amdano cyn 1914 wedi newid am byth.

Rhyfel 1914-1918

Ar Fehefin 28 1914 yn ninas Sarajevo, prifddinas Bosnia Herzegovina, saethwyd Ffrans Fferdinand, tywysog coronog Ymerodraeth Awstria Hwngari, yn gelain gan genedlaetholwr Serbaidd ifanc o'r enw Gavrilo Princip. Fis union wedi'r anfadwaith hwn, cyhoeddodd Awstria ryfel yn erbyn Serbia; gweithred a dynnodd bwerau mawr eraill Ewrop i mewn i'r argyfwng. Ar Awst 4, yn sgil ymosodiad yr Almaen ar niwtraliaeth Gwlad Belg, ymunodd Prydain â'r rhyfel ar ochr Ffrainc a Rwsia a chyhoeddi rhyfel yn erbyn yr Almaen a'i chynghreiriaid,

Taflodd David Davies ei hun i mewn i'r drin gydag egni ac argyhoeddiad. Condemniai'r pwerau Almaenig am sathru ar annibyniaeth gwledydd bychain megis Gwlad Belg a Serbia (sefydlodd gronfa i helpu ffoaduriaid o'r wlad honno), ac fe fu'n ymgyrchu'n frwd yn ardaloedd Môn ac Arfon yn ceisio perswadio bechgyn ifanc i listio yn y lluoedd. Yn Nhachwedd 1914 fe'i gwnaed yn is gapten yn y Ffiwsilwyr Brenhinol Cymreig gyda chyfrifoldeb dros Fataliwn Rhif 14 a gynhwysai fil o ddynion, a derbyniodd ef a'r bataliwn hyfforddiant milwrol yn Ne Lloegr, cyn cael eu hanfon i Ffrynt y Gorllewin yn Rhagfyr 1915. Treuliodd y bataliwn bum mis cyntaf 1916 yn y ffosydd ger Laventie, Festubert a Givenchy, lle y gwelodd David Davies erchylltra unigryw y rhyfel- y peryglon di-ben-draw, sŵn hunllefus y gynnau mawr, lluosogrwydd y lladdedigion a'r clwyfedigion, a budreddi bywyd yn y ffosydd. Fe'i cythruddwyd hefyd gan arafwch y llywodraeth wrth ddarparu arfau a chynhaliaeth ddigonol i'r milwyr.

David Davies a David Lloyd George

Ar ddechrau Mehefin 1916, ar drothwy cyrch y Somme, ar gais David Lloyd George, a oedd wedi ei benodi yn Ysgrifennydd Gwladol dros Ryfel yn dilyn marwolaeth ei ragflaenydd yr Arglwydd Kitchener, gwahoddwyd David Davies i wasanaethu fel ei ysgrifennydd personol.

Yn ystod y chwe mis nesaf, cydweithiodd David Davies yn agos â Lloyd George. Prynodd fflat iddo yng nghanol Llundain fel ei fod yn agosach at San Steffan; bu'n ddyfal yn holi a stilio'r meincwyr cefn Rhyddfrydwyr ynglŷn â'r modd yr oedd y gwynt yn chwythu yn y Senedd, ac yn ystod Rhagfyr 1916 chwaraeodd ran bwysig yn ymgyrch lwyddiannus Lloyd George i ddod yn Brif Weinidog yn lle Herbert Asquith. Yn dilyn hynny, gwnaed David Davies yn aelod o'i ysgrifenyddiaeth fewnol, gyda chyfrifoldeb dros y fasnach ddiod, ac fe weithredai hefyd fel dolen gyswllt rhwng y Prif Weinidog a'r Swyddfa Dramor. Yn Chwefror 1917 mynychodd gynhadledd ryng-gynghreiriol gyda'r Arglwydd Milner ym Mhetrograd Rwsia lle y gwelodd bwysigrwydd yr ymgyrch yn y dwyrain, gan gynnwys hynt y brwydro yn Serbia, gwlad a oedd yn parhau i fod yn uchel yn ei feddyliau.

David Davies yn y Rhyfel Byd Cyntaf

Ei gonsyrn am dynged Serbia oedd un o'r rhesymau pam y troes y berthynas rhyngddo ef a Lloyd George yn sur. Idiosyncratiaeth David Davies ei hun oedd wrth wraidd y broblem hon, oherwydd bu'n arferiad ganddo i anfon nodiadau personol at y Prif Weinidog a'r rheini yn aml yn cynnwys sylwadau beirniadol am y modd y cyfarwyddai'r ymgyrch rhyfel. Mynegai ei rwystredigaeth ynghylch yr *impasse* milwrol yn y Gorllewin, a phwysai am ymgyrch newydd i leddfu poen Serbia. Cythruddwyd Lloyd George gan hyn, ac yn ystod Mehefin 1917 hysbysodd David Davies fod si ar led yn y Senedd mai ei gyfoeth oedd wedi ei arbed rhag parhau i wasanaethu yn y ffosydd ac mai hynny yn unig oedd i gyfrif am ei ddychweliad i Lundain. Doedd dim gronyn o wir y yn y geiriau hyn, ond yr oeddynt yn ddigon i beri i'r ddau ffraeo'n enbyd ac i yrru David Davies allan o'r llywodraeth ac yn ôl i'r meinciau cefn.

Undeb Cynghrair y Cenhedloedd, 1919

Gyda'i draed yn rhydd o ddyletswyddau ym myd llywodraeth, troes ei olygon ar faterion rhyngwladol, a drosesgynnai orwelion cyfyng plaid. Ymunodd â grŵp o wleidyddion a deallusion a drafodai'r cwestiynau mawr oedd ynghlwm wrth hynny. Ysbrydolwyd y gwŷr hyn gan benderfyniad Unol Daleithiau'r America yn Ebrill 1917 i ymuno â'r rhyfel a hynny oherwydd i'r Arlywydd Americanaidd, Woodrow Wilson ymdynghedu i sefydlu Cynghrair y Cenhedloedd. Cadarnhawyd hynny yn Ionawr 1918 gyda chyhoeddi amcanion rhyfel America. Rhoddai'r rhain y flaenoriaeth uchaf i greu Cynghrair y Cenhedloedd ac i ddiarfogiad rhyngwladol. Yn ystod trafodaethau heddwch Paris yn dilyn diwedd y rhyfel, mynnodd Woodrow Wilson fod y Cynghrair yn cael ei gynnwys yn y cytundebau heddwch a lofnodwyd ym Mharis yn haf 1919. Daeth yn ffurfiol i fodolaeth ym Mharis yn Ionawr 1919, a dechreuodd ar ei waith yn ei bencadlys parhaol yn ninas Genefa yn y Swistir.

I gydredeg â'r datblygiadau hyn, sefydlwyd Undeb Cynghrair y Cenhedloedd yn Llundain yn Hydref 1918, digwyddiad a dystiai i'r pryder am y dyfodol. Rhoddwyd mynegiant huawdl i hynny gan rai o feddylwyr mwyaf yr oes. Yn 1922, er enghraifft, mewn darlith a draddododd yn Llundain yn 1922 ar gyflwr gwareiddiad, fe ddywedodd Albert Schweitzer "We are living today under the sign of the collapse of civilization'.....it is clear now to everyone that the suicide of civilization is in progress..... the next landslide will very likely carry it away". Roedd meddylwyr eraill megis Albert Einstein a Sigmund Freud yn dweud yr un peth; ac yng Nghymru, ar drothwy protest yr ysgol fomio yn 1936 gallai Saunders Lewis ddweud "...yn y rhyfel nesaf fe eill y dinistrir am byth bob dim a gododd Cristnogion erioed i ogoneddu Duw ac i barchu ac ymgeleddu dyn". Yr hyn sydd yn bwysig yw bod y meddyliau hyn yn adlewyrchu teimladau pobl yn gyffredinol. Prin fod angen holi pam: roedd y rhyfel wedi dinistrio gwareiddiad Oes Fictoria; roedd 10 miliwn o ddynion ar draws Ewrop a'r byd wedi colli eu bywydau; roedd miliynau mwy wedi eu hanafu yn gorfforol ac yn seicolegol. Y gri boblogaidd, felly, oedd na ddylai'r un peth byth digwydd eto. Dyna pam yr oedd lansio Cynghrair y Cenhedloedd gan Woodrow Wilson mor bwysig yng ngolwg y cyhoedd.

Nod yr Undeb oedd symbylu'r farn gyhoeddus i orfodi'r llywodraeth i fabwysiadu polisi diarfogi. Fe weithredai hefyd yn y gred bod y Rhyfel mawr wedi dechrau am ddau reswm; yn gyntaf, oherwydd bod y gwledydd mawr wedi pentyrru arfau, a bod y ras arfau honno yn anorfod wedi arwain at ryfel; ac yn ail, oherwydd y perthynai arweinwyr Ewrop i elît dethol o bobl a gynhwysai frenhinoedd, gwleidyddion, diplomyddion, llysgenhadon a chadfridogion, a wnaethai eu penderfyniadau y tu ôl i ddrysau caeedig. I wrthbwyso'r canfyddiadau hyn oedd y ffaith fod y rhyfel wedi esgor ar Ddemocratiaeth. Sicrhawyd hynny yn y cytundebau heddwch yn 1919 pan sefydlwyd cyfansoddiadau democrataidd ar draws canol a dwyrain Ewrop. Ac ym Mhrydain pasiwyd Deddf Cynrychiolaeth y Bobl yn Chwefror 1918, a roddodd y bleidlais i bob dyn 21 mlwydd oed a throsodd ac i bob menyw 30 mlwydd oed a throsodd. (unionwyd y cam hwn y 1928 pan ddaethpwyd â'r oedran i lawr i 21 mlwydd oed fel y dynion). Y bobl bellach oedd yn dal yr awenau, a'u barn nhw fyddai'n llywio tynged llywodraethau.

Cyngor Cymreig Undeb Cynghrair y Cenhedloedd, 1922

Roedd mwy o ddylanwad o lawer gan yr Undeb Prydeinig o Gynghrair y Cenhedloedd na'r holl fudiadau heddwch eraill gyda'i gilydd. Y prif reswm am hynny oedd bod arweinwyr y mudiad ymhlith hoelion wyth y Sefydliad Prydeinig. Yr oedd pobl megis Robert Cecil, Edward Grey, Austen Chamberlain, Gilbert Murray a David Davies yn bobl fawr eu dylanwad. Er enghraifft, buasai Cecil, mab yr Arglwydd Salisbury, yn is Weinidog Tramor yn llywodraeth Lloyd George yn ystod y rhyfel; ef oedd lladmerydd Cynghrair y Cenhedloedd o fewn y Llywodraeth, ac ef oedd y dyn a ddewiswyd i siarad drosti ar y pwyllgor a grëwyd ym Mharis ar ddechrau 1919 i lunio cyfamod y Cynghrair. Ef hefyd a benodwyd i gynrychioli Prydain ar Gyngor Cynghrair y Cenhedloedd yn Genefa. Gwasanaethai ar bwyllgor gwaith yr Undeb Prydeinig;

David Davies oedd y ffigur allweddol yn ymddangosiad yr Undeb yng Nghymru. Yn Awst 1918, ar faes yr Eisteddfod Genedlaethol yng Nghastell-nedd, galwodd ar i Gymru gyfrannu tuag at hyrwyddo heddwch byd. Ym Mai 1920 fe gadeiriodd gynhadledd yn Llandrindod, gyda'r diben o sefydlu Cyngor Cymreig o Gynghrair y Cenhedloedd. Wrth wahodd yr Aelod Seneddol, J. H. Thomas, i'r gynhadledd fe ddywedodd 'if we can establish a live organisation in Wales, the Principality would quickly give the lead to the World in its championship of the League of Nations'. Adlewyrcha'r geiriau hyn wladgarwch David Davies, a'i benderfyniad i adeiladu ar draddodiad heddwch Cymru. Ddwy flynedd yn ddiweddarach, mewn cynhadledd arall a gynhaliwyd yn Llandrindod ym 1922, daeth Undeb Cymru o Gynghrair y Cenhedloedd yn swyddogol i fodolaeth. Yn rhinwedd ei swydd fel is-gadeirydd yr Undeb Prydeinig, llwyddodd David Davies i sicrhau dogn helaeth o annibyniaeth i'r Undeb Cymreig. Ac at hynny, rhoddodd £30,000 iddo er mwyn creu peirianwaith gweinyddol effeithiol, gydag ysgrifennydd gweithredol llawn amser a chanddo staff o gynorthwywyr.

Y dyn a benodwyd oedd y Parchg Gwilym Davies, a oedd eisoes yn hysbys i David Davies drwy ei gysylltiad ag achos Sefydliad y Diciâu a materion cymdeithasol eraill, a thrwy ei erthyglau yn y *Welsh Outlook*. O dano ef, tyfodd yr Undeb i fod yn gorff poblogaidd ym mhob rhan o Gymru ac ym mhob agwedd o'i bywyd cyhoeddus, gan gynnwys y capeli, yr eglwysi, yr ysgolion Sul, yr ysgolion dyddiol, colegau'r Brifysgol, a'r cyfryngau torfol. Ym 1922 roedd 280 o ganghennau eisoes mewn bodolaeth; bedair blynedd yn ddiweddarach, roedd y nifer wedi neidio i 652, gyda 40,000 o aelodau. Sicrhaodd gefnogaeth gweinidogion ac offeiriaid yn ogystal ag addysgwyr, yn cynnwys arolygwyr, prifathrawon ac athrawon, aelodau'r undebau, ac aelodau sefydliadau sifil megis Sefydliad y Merched. Daethpwyd â gwybodaeth am Gynghrair y Cenhedloedd i mewn i gwricwlwm yr ysgolion, sefydlwyd canghennau ieuenctid ymhlith plant ysgol yn ogystal ag ymysg myfyrwyr y brifysgol; trefnwyd ralïau ac arddangosfeydd ac fe ymddangosai stondinau'r Undeb yn rheolaidd ar faes yr Eisteddfod Genedlaethol a'r Sioe Amaethyddol Gymreig. Yr enghraifft orau o wreiddioldeb Gwilym Davies oedd mai ef oedd y cyntaf i daro ar y syniad o gysylltu dyfais newydd y radio â llais pobl ifanc, pan gytunodd y BBC – eto drwy gysylltiadau David Davies – i ddarlledu'r neges ewyllys da gyntaf yn y Gymraeg, ym 1922, o'i throsglwyddydd yn Lloegr. Gwnaed hynny mewn cysylltiad agos ag Urdd Gobaith Cymru, a sefydlwyd ym 1922. Ysbrydolwyd Ifan ap Owen Edwards gan y fenter arbennig hon; bu'n fodd o gysylltu plant a phobl ifanc Cymru gydag achos heddwch a bu'n fodd hefyd o ymestyn gorwelion rhyngwladol y mudiad. Syniad arall o eiddo Gwilym Davies oedd dechrau cynllun ysgoloriaeth ym 1928 ar gyfer pobl ifanc ddisglair o Gymru, fel eu bod yn medru ymweld â gwaith y Cynghrair yn Genefa.

Adran Gwleidyddiaeth Ryngwladol Coleg Aberystwyth, 1919

Doedd David Davies ddim yn un i laesu dwylo yn yr achos hwn. Yn 1922, mewn ymgais i ddarbwyllo Unol Daleithiau'r America i ymuno â'r Cynghrair, fe drefnodd fod dros 400,000 o ferched Cymru yn arwyddo deiseb yn cydnabod cyfraniad yr Americanwyr i achos heddwch, ac aeth dirprwyaeth o ferched draw i America i gyflwyno'r ddeiseb i'r Arlywydd Coolidge ym 1923. Agwedd arall ar ei wladgarwch rhyngwladol oedd iddo ef a'i chwiorydd, er cof am fyfyrwyr y coleg a fu farw yn y Rhyfel Mawr, waddoli cadair newydd mewn Gwleidyddiaeth Ryngwladol ym 1919 ar gyfer Coleg y Brifysgol Aberystwyth – y gadair gyntaf o'i bath ym Mhrydain. Fe'i sefydlwyd i hyrwyddo gwell dealltwriaeth o faterion rhyngwladol, ac yn ystod yr ugain mlynedd nesaf, dan arweiniad dau athro disglair yn y maes, sef Alfred Zimmern a'i olynydd E. H. Carr, fe dyfodd i fod yn ganolfan rhagoriaeth i astudiaethau rhyngwladol, ac mae wedi dal ei dir yn y maes hwnnw hyd heddiw.

Cynhadledd gydwladol flynyddol Cynghrair y Cenhedloedd yn Aberystwyth

Yn yr un modd, ym 1925, darbwyllodd David Davies Undeb Prydeinig y Cynghrair i gynnal cynhadledd flynyddol y ffederasiwn rhyngwladol yn Aberystwyth, yn lle dinas Dresden yn yr Almaen, lleoliad gwreiddiol y gynhadledd. Fe dalodd am holl gostau teithio a phreswyl pob un o'r cynrychiolwyr; daethant oll ynghyd o bob rhan o'r byd yn Aberystwyth. Fe'u croesawyd gan staff y Brifysgol, ac yn ystod eu harhosiad, trefnodd David Davies eu bod yn cael y cyfle i deithio o amgylch Ceredigion i weld gogoniannau'r sir, gan gynnwys ymweliad â Thregaron, tref enedigol Henry Richard. I'r dref hon hefyd y dechreuwyd y traddodiad o gynnal pererindodau blynyddol er cof am yr Apostol Heddwch.

Llwyddiannau Cynghrair y Cenhedloedd

Roedd hwn yn gyfnod llewyrchus yn hanes y mudiad heddwch. Cefnogid yr Undeb Cymreig gan heddychwyr a berthynai i chwaer fudiadau, megis Cymdeithas y Cymod, a mudiad y merched dros heddwch byd-eang. Roedd gan y Blaid Lafur hefyd ei chyfranwyr: buasai ei harweinydd, Ramsay Macdonald, yn wrthwynebydd i'r rhyfel; ac roedd tad ysbrydol y blaid, Keir Hardie, wedi condemnio'r rhyfel o'r cychwyn. Sefydlwyd *Union for Democratic Control* a anelai at sicrhau atebolrwydd llywodraeth i rym y Senedd o ran polisi amddiffyn. Roedd y mudiadau hyn oll yn barod i gefnogi'r Undeb Cymreig yn y dyddiau cynnar, a hynny oherwydd fod cymaint o obeithion ynghlwm wrth Gynghrair y Cenhedloedd. Canfasiwyd darpar aelodau seneddol adeg etholiadau 1923, 1924 a 1928; a sicrhaodd y mwyafrif ohonynt eu hymlyniad wrth ddiarfogi.

Yn y cyfamser, roedd y Cynghrair yn prysur ddatblygu. Cyfrannai at ymgorfforiad gwledydd newydd dwyrain Ewrop, gan drefnu refferenda lleol ar hyd rhai o'u ffiniau (yn ardal Silesia, er enghraifft, ar ororau'r Almaen a Gwlad Pwyl); sicrhaodd gymod rhwng Sweden a'r Ffindir ym

1921 ynghylch yr Ynysoedd Åaland ym Môr y Baltig; gosododd drefn ar ddinas ryngwladol Dansig yng Ngwlad Pwyl, ac roedd canghennau sifil y Cynghrair ym myd iechyd a ffoaduriaid yn brysur yn cynnig cymorth i ffoaduriaid yn ne ddwyrain Ewrop yn y gwrthdaro rhwng y Twrciaid a'r Groegwyr rhwng 1920 a 1922. Bu corff iechyd y Cynghrair yn weithgar yn lleddfu rhai o afiechydon gwaethaf cyfandir Affrica, megis malaria, a bu hefyd yn flaenllaw yn y frwydr yn erbyn caethwasiaeth. Roedd hyn oll yn destun gobaith i aelodau Undeb Cymreig Cynghrair y Cenhedloedd. Ond o ran y nod o sicrhau diarfogi cyffredinol, yr ysgogiad mwyaf a gafwyd oedd y cytundeb a lofnodwyd yn Locarno ym 1925 rhwng Prydain, Ffrainc a'r Almaen, a sicrhaodd warant yr Almaen o'r ffin a bennwyd rhwng Ffrainc a'r Almaen yng Nghytundeb Versailles ym 1919. Dynodai doriad gwawr newydd mewn cysylltiadau Ewropeaidd, oherwydd iddo arwain at adfer y berthynas rhwng yr Almaen, Prydain a Ffrainc. Dynodai hefyd ddychweliad yr Almaen i gorlan y gwledydd, a'r arwydd pennaf o hynny oedd i'r Almaen ddod yn gyflawn aelod o Gynghrair y Cenhedloedd ym 1926. Ym 1928 cafwyd Pact Kellogg-Briand rhwng America a Ffrainc a gondemniai ryfel, ac a lofnodwyd gan 62 o wledydd eraill. Bu'r trobwynt diplomyddol hwn yn ei dro yn symbyliad i'r Cynghrair fwrw ati i amcanu at ddiarfogi rhyngwladol. Sefydlwyd pwyllgor arbennig i balmantu'r ffordd ar gyfer cynhadledd fawr ar y pwnc, a bu Robert Cecil yn ddiwyd iawn yn lleisio barn Prydain, gan ymorol ar yr un pryd am gefnogaeth llywodraeth Geidwadol Stanley Baldwin, a ddaliai'r awenau rhwng 1924 a 1929.

'Y Barwn Davies o Landinam' a'r awdur

Yn ystod y cyfnod hwn y penderfynodd David Davies roi'r gorau i'w yrfa seneddol. Ni safodd yn etholiad 1929, hynny yn bennaf oherwydd y gwrthwynebai'n gryf argymhelliad Lloyd George i genedlaetholi tir amaethyddol Prydain. Yn sgîl ei ymddeoliad, ym 1932, fe'i dyrchafwyd i Dŷ'r Arglwyddi, ac yno, fel Barwn Davies o Landinam, siaradai yn huawdl ar faterion rhyngwladol. Adlewyrchai hyn yn ei dro ei deithi meddwl annibynnol ac anuniongred. Yn ystod cwrs ei fywyd, ysgrifennodd bum cyfrol ysgolheigaidd. Y mwyaf swmpus, a'r mwyaf dadleuol ohonynt, oedd y gyfrol gyntaf o'i eiddo a gyhoeddwyd ym 1930, sef *The Problem of The Twentieth Century.* Problem rhyfel oedd testun y gyfrol, a'i dadl ganolog oedd mai'r unig ateb i'r broblem hon oedd drwy newid Cynghrair y Cenhedloedd yn gyfan gwbl.

Y 1930au a dechrau'r chwalfa fawr yn Ewrop

Cyfaddawd rhwng delfrydiaeth ddemocrataidd yr Americanwyr a phragmatiaeth imperialaidd y Prydeinwyr oedd y Cynghrair. Fe'i rheolid gan bedwar pŵer mawr, Prydain, Ffrainc, Siapan a'r Eidal, a ddaliai seddau parhaol ar Gyngor y Cynghrair, sef corff gweithredol y sefydliad (methodd Woodrow Wilson ddarbwyllo Senedd America i ymaelodi ag ef, ac, felly, doedd America ddim yn aelod o'r dechrau). Petai gwladwriaeth yn mynd i ryfel yn erbyn gwladwriaeth arall, ni ellid derbyn unrhyw argymhelliad i weithredu yn erbyn y wladwriaeth ymosodol heb fod y pedwar yn gwbl unfrydol – doedd dim ond angen i un ohonyn nhw wrthwynebu a byddai'r argymhelliad yn disgyn. Ond hyd yn oed petaent yn unfryd mewn argyfwng o'r fath, doedd dim gronyn o bŵer milwrol ganddynt i roi'r penderfyniad hwnnw ar waith. Roedd boicot economaidd yn bosibl, ond roedd geiriad y sancsiwn hwn yn y Cyfamod yn wan. I bob pwrpas ymarferol hefyd, dibynnai'r Cynghrair ar bŵer Prydain a Ffrainc i gynnal yr hedd; ac ar ôl y Rhyfel Mawr, nid oedd y naill bŵer na'r llall yn awyddus i blismona'r byd, yn enwedig mewn parthau lle nad oedd ganddynt y grym i fynd â'r maen i'r wal (megis yn y Dwyrain Pell). Nid senedd na llywodraeth go iawn oedd y Cynghrair, ond seiat ryngwladol lle byddai gwladwriaethau sofran yn dal pen rheswm â'i gilydd. Gobaith Woodrow Wilson oedd y byddai'r trefniant hwn yn nhreigl amser yn tyfu i fod yn gorff nerthol a fyddai'n cynrychioli consensws byd-eang o blaid heddwch. Thesis canolog David Davies, serch hynny, oedd bod y trefniant hwn yn rhwym o fethu oherwydd ei fod yn gynhenid wan. Yr unig feddyginiaeth i hynny, meddai, fyddai i'r Cynghrair ennill monopoli ar 'arfau dinistriol', sef awyrennau bomio, tanciau, llongau tanfor ac arfau cemegol. Ei weledigaeth, felly, oedd y byddai holl wledydd y byd yn trosglwyddo eu 'harfau dinistriol' i ofal y Cynghrair. Byddai'r Cynghrair yn ei dro yn sefydlu'r hyn a alwai yn heddlu rhyngwladol, a byddai'r pŵer yma yn ddigon i roi taw ar unrhyw anghydfod a godai mewn unrhyw ran o'r byd. Petai helynt yn codi, byddai'r Llys Barn Rhyngwladol yn ymdrin â'r achos; byddai'r troseddwr dan sylw yn gorfod ufuddhau i ddyfarniad y llys; ond petai yn ymstyfnigo, yna byddai gan y Cynghrair yr hawl cyfreithiol i ddefnyddio'i rym arfog i ddod â'r troseddwr at ei goed. Dadleuon iwtopaidd oedd y rhain. Roeddynt yn gyfystyr â chreu llywodraeth fyd. Ond dim ond corff o'r fath, meddai David Davies, fyddai'n rhwystro rhyfel ac yn sicrhau heddwch parhaol.

Y tristwch mwyaf fu i ddadleuon David Davies yn ystod y tri degau ddod yn wir. Creithiwyd y degawd hwnnw gan gyfres o wrthdrawiadau mawr. Man cychwyn y rhain oedd yr ergyd ddifrifol a roddwyd i'r economi rhyngwladol gan Gwymp Wall Street yn Hydref 1929. Allan o'r trallod ariannol hwn y daeth chwalfa fawr y byd diwydiannol: busnesau yn cau, cynnydd enfawr mewn diweithdra, tlodi aruthrol, a hyn oll yn esgor ar eithafiaeth boliticaidd adain dde, a arweiniodd yn ei dro at ras arfau ac yn y pen draw at ryfel.

Yn wyneb y dymestl hon, profodd Cynghrair y Cenhedloedd i fod yn gorff cwbl ddiddannedd. Y maen prawf cyntaf o hynny oedd yr argyfwng a gododd ym 1931. Yn ystod y flwyddyn honno ymosododd Siapan – aelod parhaol o Gyngor y Cynghrair – ar dalaith Mantswria. Dyfarnodd y comisiwn, sef Comisiwn Lytton, a benodwyd gan y Cynghrair i edrych i mewn i'r helynt bod Siapan ar fai ac y dylai ddychwelyd y dalaith i ofal Tsieina. Diystyrodd Siapan ddyfarniad y comisiwn a cherdded allan o'r Cynghrair yn gyfan gwbl; digwyddiad a ddangosodd fod y Cynghrair yn hollol ddiymadferth, na allai wneud fawr ddim heb gefnogaeth Prydain a Ffrainc. A hwythau yng ngafael dirwasgiad economaidd o'r radd eithaf, ni feiddient gynhyrfu'r dyfroedd rhyngwladol. Dinistriwyd gobeithion y mudiad heddwch gan yr argyfwng hwn; a hynny yn ystod y cyfryw gyfnod pan oedd gwledydd y byd wedi dod at ei gilydd i drafod diarfogiad yn y Gynhadledd Ryngwladol ar Ddiarfogi yn Genefa. Dechreuodd y trafodaethau ym 1932 ac ymlwybrasant am ddwy flynedd arall, gan ddod i ben ym 1934 mewn methiant llwyr: roedd Prydain a Ffrainc yn gwbl gyndyn i ddiarfogi; a thaflwyd cysgod dros y cyfan pan ddaeth Hitler i rym yn yr Almaen ym 1933 a lansio polisi o ailarfogi, gan ddechrau gydag ymadawiad yr Almaen o'r Gynhadledd Ddiarfogi ac o Gynghrair y Cenhedloedd ei hun ym 1934.

David Davies yn parhau i hyrwyddo heddwch: sefydlu Cymdeithas y Gymanwlad Newydd, 1932

Ymatebodd David Davies i hyn oll drwy sefydlu Cymdeithas y Gymanwlad Newydd *('The New Commonwealth Society')* ym 1932, a'i fwriad oedd darbwyllo Undeb Prydeinig Cynghrair y Cenhedloedd i fabwysiadu ei syniadau ynghylch diwygio a chryfhau'r Cynghrair. Dangosodd neb llai na Winston Churchill ddiddordeb yn y syniadau hyn, yn ogystal â gwleidyddion a chadfridogion amlwg eraill, a ffurfiwyd grŵp seneddol o ryw 50 aelod. Ochr yn ochr â hynny, mewn ymgais i godi morâl y mudiad heddwch, rhwng Medi 1934 a Mehefin 1935, trefnodd Undeb Prydeinig y Cynghrair yr hyn a elwid yn Bleidlais Heddwch – 'Peace Ballot' – sef ymgais i fobilieiddio'r bobl i newid polisi'r Llywodraeth ac i fabwysiadu'r egwyddor o gyd-ddiogelwch drwy'r Cynghrair. Yn groes i'r disgwyl, cafwyd ymateb hynod frwd i'r fenter: sicrhawyd cefnogaeth miloedd o wirfoddolwyr i ddosbarthu'r papur pleidleisio i bob person dros 18 mlwydd oed, ac erbyn diwedd y cyfrif ym Mehefin 1935, roedd cynifer ag un filiwn ar ddeg o bobl wedi ateb y pum cwestiwn a osodwyd, gyda'r mwyafrif ohonynt yn gadarn eu cefnogaeth i'r Cynghrair. Roedd yr ymateb hyd yn oed yn fwy brwd yng Nghymru, gyda David Davies ei hun yn arwain yr ymgyrch, ac yn gwneud ei orau glas i lywio'r canfasio o blaid ei syniadau i ddiwygio Cynghrair y Cenhedloedd. Ond breuddwyd gwrach oedd y bleidlais. Yn ystod yr un cyfnod rhoddwyd ergyd farwol i awdurdod y Cynghrair gan gyfres o ddigwyddiadau ysgytwol. Yn ystod haf 1935 ymosododd yr Eidal Ffasgaidd ar Abysinia; yn Ebrill 1936 meddiannodd byddin Hitler – yn groes i Gytundeb Versailles – ranbarth difilwriedig y Rheindir; a phan dorrodd rhyfel cartref allan yn Sbaen yng Ngorffennaf 1936, anfonwyd lluoedd yr Eidal a'r Almaen i mewn i Sbaen ar ochr byddin Ffasgaidd y Cadfridog Franco.

Cofeb genedlaethol hardd: David Davies yn adeiladu'r Deml Heddwch yng Nghaerdydd

Yn hytrach nac anobeithio, fodd bynnag, bu David Davies yn fwy gweithgar nag erioed o ran hybu Cynghrair y Cenhedloedd. Y weithred bwysicaf o'i eiddo oedd ei benderfyniad i ddarparu cofeb genedlaethol hardd a fyddai'n gwasanaethu fel cyfraniad Cymru i hybu heddwch byd. Gyda chefnogaeth Cyngor Dinesig Caerdydd, fe sicrhaodd lain o dir ym Marc Cathays gan ddarparu'r rhelyw o gostau adeiladu'r Deml Heddwch, a ddeuai i gyfanswm o £120,000.

Cynhaliwyd y seremoni agoriadol ar Dachwedd 24 1938. Yn bresennol oedd cynghorwyr lleol, Aelodau Seneddol a llysgenhadon o bob rhan o'r byd, yn ogystal â chynrychiolaeth ryngwladol o famau, gan gynnwys Mrs Minnie James gwraig weddw o Ddowlais, a oedd wedi colli tri mab yn y Rhyfel Mawr, a agorodd grypt yr adeilad. Yn ei anerchiad, fe uniaethodd

Y cinio dinesig yng Nghaerdydd adeg agor y Deml Heddwch

David Davies yr agoriad â'r traddodiad heddwch Cymreig. Gan gyfeirio at gynheiliaid y traddodiad hwnnw, megis Dr Richard Price, Joseph Tregelles Price a Henry Richard, dywedodd "this building is not intended to be a mausoleum, and because at the moment dark clouds overshadow Europe and the world, that is no reason why we should put up the shutters and draw the blinds." Yn ystod haf 1938 mewn cynhadledd o Gymdeithas y Gymanwlad ym Mharis, lle yr argymhellodd yr hyn a elwid Cynnig Quinine, galwodd ar i lu awyr gwirfoddol gael ei greu i helpu'r Tseiniaid yn y rhyfel a oedd wedi torri allan yn erbyn Siapan ym 1937. Ym 1939, ar drothwy'r rhyfel byd, bu cyfarfod rhyngddo ef a ffigurau amlwg ym mywyd cenedlaethol Ffrainc a'r Almaen i drafod yr egwyddor o undod Ewropeaidd; ac yn ystod y rhyfel ei hun, fe fu'n rhan o'r ymgyrch i helpu'r Ffiniaid yn eu rhyfel yn erbyn y Rwsiaid yn ystod gaeaf 1939. Ysgrifennai yn ddi-baid; cynhyrchodd dair cyfrol arall ar bwnc heddwch- *A Federated Europe (1940*). *The Foundations of Victory (1941*), an *The Seven Pillars of Peace* (1943).

Cyfraniad cyfoethog parhaol David Davies

Bu David Davies farw yn ddisymwth ym Mehefin 1944, ddeuddeng mis cyn diwedd y rhyfel y gweithiodd mor galed i'w rwystro. Byddai'n hawdd gweld ei yrfa fel methiant. Ni chafodd Undeb Prydeinig y Cynghrair na'r

Undeb Cymreig unrhyw effaith ar bolisi'r Llywodraeth ynghylch diarfogi nac ynghylch cyd-ddiogelwch- er mor boblogaidd oedd y mudiad ymhlith y werin bobl. Methiant llwyr fu ymdrechion Cynghrair y Cenhedloedd i gynnal heddwch byd: prin ugain mlynedd wedi diwedd Rhyfel 1914-18 fe dorrodd rhyfel byd arall allan, gan wireddu'r gofidiau gwaethaf. At hynny, roedd y llwyfan cyhoeddus yng Nghymru yn un tra gwahanol i'r byd cyhoeddus y ganed David Davies iddo: rhaid oedd iddo weithredu mewn byd a oedd yn mynd yn fwyfwy colectifistaidd ei gymeriad, byd a oedd yn ddirmygus o Ryddfrydwyr cyfalafol fel David Davies a oedd â buddsoddiant dwfn yn ffyniant y fasnach lo. At hynny, mae modd dadlau mai Heddychiaeth a gariodd y dydd o ran y meddylfryd heddwch yng Nghymru, yn arbennig yn y Gymru Gymraeg; hynny oherwydd iddo uno gyda chenedlaetholdeb Plaid Cymru drwy bersonoliaeth Gwynfor Evans, a ysbrydolwyd gan ei arwr pasiffistaidd George M. Ll. Davies.

Ond mae mwy i David Davies na hyn. Y berthynas rhwng syniadaeth a rhyfel yw'r allwedd i'w yrfa. Fel nifer o'i gyd-Ryddfrydwyr, credai y byddai'r Rhyfel Mawr yn arwain at fyd gwell trwy rym rheswm, byd a

David Davies

Mrs Minnie James, y fam o Ddowlais

fyddai'n gorseddu parch at gyfraith ryngwladol ac a fyddai ymhen amser yn sicrhau trefn ar yr anarci a arweiniasai at y rhyfel ei hun. Roedd hefyd yn ddigon hirben i weld bod y defnydd o dechnoleg yn y rhyfel wedi newid natur rhyfela am byth. Mewn erthygl a ysgrifennodd yn y *Welsh Outlook* ym Mehefin 1918 fe ddywedodd, 'The scientific development of the great engines of war during recent years, renders the task of differentiating between the national guard and the international police force comparatively an easy one.' Roedd yr achos yr ymgyrchai drosto- cefnogi'r rhyfel er mwyn creu byd gwell- hefyd yn gwrthbwyso'r gred mewn rhyfelgarwch a seiliwyd ar syniadaeth sosio-wyddonol Darwinaidd a enillasai ei lle ymhlith deallusion yn Lloegr ac yn yr Almaen yn ystod y cyfnod cyn 1914- y gred bod rhyfel yn fodd o sicrhau goruchafiaeth y cryfaf ar draul y gwannaf, ac mai rhyfel oedd yr allwedd i gynnydd. Ymgyrchodd David Davies a'i gydweithwyr yn ddiflino yn erbyn yr ymagwedd hon; a'u syniadau nhw a enillodd y dydd yn y pen draw.

Dylid gweld David Davies, felly, fel Rhyddfrydwr Cymreig a oedd yn pontio dau gyfnod tra gwahanol i'w gilydd- edrychai yn ôl at heddychiaeth Gladstonaidd Oes Fictoria, gyda'r pwyslais ar feithrin ymwybyddiaeth o foesoldeb rhyngwladol; ond edrychai ymlaen ar yr un pryd at y cyfnod wedi'r Ai Ryfel Byd, gyda thwf y Cenhedloedd Unedig a'r ymlyniad wrth gyfraith fyd eang, a thwf Undeb Ewropeaidd. Ac fe weithredodd ar yr olygwedd hon o fewn cyd-destun Cymreig- y gwaith a gyflawnodd ar ran Undeb Cymru o Gynghrair y Cenhedloedd, sefydlu'r Deml Heddwch, ei haelioni i bobl Cymru ym myd iechyd ac addysg, a'i ddiwydrwydd diflino fel lladmerydd dros gydwladoldeb. Mae'n bryd cydnabod ei le yn hanes modern Cymru.

Diwrnod agor y Deml

Teml Heddwch, Caerdydd

Cymdeithas y Cymod 1945 - 1976
Gweithgaredd a Sialens

Jane Harries

Y Cyd-destun:

Dychmygwch eich bod chi yn heddychwr ym 1945. Mae'r gyflafan fwyaf a welodd y byd erioed newydd ddod i ben. Rhyw 75 miliwn o bobl yn gelain, bomio strategol, y defnydd cyntaf o arfau niwclear - nid llawer i ennyn gobaith yng ngallu dynolryw i gyd-fyw yn heddychlon a chymodi â'i gilydd. Ac eto, roedd erchyllterau a sgîl-effeithiau'r rhyfel fel petai yn sbardun i heddychwyr - yn eu cryfhau yn eu hargyhoeddiad bod rhyfel yn anfoesol ac yn drosedd yn erbyn y ddynoliaeth. Gyda diwedd y rhyfel, daeth hefyd yr awydd i gefnogi'r rhai a ddioddefodd yn sgîl y rhyfel, gan gynnwys menywod a phlant - beth bynnag fo eu cenedl. Ym mis Gorffennaf 1945 trefnodd y cyfansoddwr Benjamin Britten, aelod o Undeb y Llw Heddwch (PPU), 'ginio di-fwyd' i dynnu sylw at nifer y rhai a newynai yn yr Almaen. Aeth rhai heddychwyr, George Maitland Davies yn eu plith, i'r Almaen i helpu gyda'r ail-adeiladu. Ar yr un pryd, roedd digon i ymgyrchu yn ei erbyn gartref: yn erbyn arfau niwclear, er enghraifft, ac yn erbyn gorfodaeth filwrol a barhaodd tan 1960.

Mae materion cyfoes yn cael eu hadlewyrchu yn gyson yng nghofnodion Pwyllgor Cyffredinol Cymdeithas y Cymod yn ystod y cyfnod dan sylw. Cedwir y cofnodion hyn hyd at 1960 yn Llyfrgell y Merched, *London School of Economics.* Ym Mehefin 1946 argymhellwyd y dylid ysgrifennu llythyr at y BBC am eu hadroddiad ar Ynni Atomig ac y dylid paratoi adroddiad o safbwynt Heddychiaeth Gristnogol. Yr un flwyddyn mynegwyd consýrn am hynt a helynt Gwrthwynebwyr Cydwybodol, a hefyd am Garcharorion Rhyfel. Ym 1955 daethpwyd ag arfau niwclear ac ailarfogi i sylw siaradwyr yn ystod cyfarfodydd yn paratoi at yr Etholiad Cyffredinol. Yn ôl y disgwyl, yr oedd cymod hefyd yn thema gyson. Ym 1948 argymhellwyd mabwysiadu grwpiau Almaenig o Gymdeithas y Cymod. Ym 1955 daeth Dr Martin Niemöller ar daith i Gymru, a'r flwyddyn ganlynol gwahoddwyd 30 o Almaenwyr ifanc o Hanover. Gyda dyfodiad y Rhyfel Oer, daeth gwahoddiadau i rai o'r Undeb Sofietaidd hefyd - ym 1956 ac eto ym 1959.

Roedd newidiadau cymdeithasol ar droed gartref hefyd. Ar ddechrau'r cyfnod hwn yr oedd dylanwad y capeli Cymraeg yn dal yn drwm ar y gymdeithas yng Nghymru. Dyma T. H. Williams, Ysgrifennydd Cymdeithas y Cymod yng Nghymru, yn datgan ym Mehefin 1945 bod 1,000 o aelodau yno a 29 o ganghennau gweithredol – y rhan fwyaf ohonynt yn Gymraeg eu hiaith. Erbyn 1958 mae J. T. Williams, Ysgrifennydd De Cymru, yn pendroni sut y gellir dylanwadu ar gapeli Saesneg eu hiaith. Ym 1960 mynegwyd siom am ystod oedran y bobl 'ifanc' a fynychodd Gynhadledd Ieuenctid y Gymdeithas – sef 35-40 mlwydd oed! – a sylwyd bod heddychwyr ifanc yn ymddiddori mwy yn CND na Chymdeithas y Cymod. Roedd y gymdeithas – a'r mudiad heddwch yn ogystal – wedi mynd yn fwy seciwlar.

Gweithgareddau

Peidied neb â chredu, fodd bynnag, bod aelodau'r mudiad heddwch yng Nghymru yn ystod y cyfnod hwn yn segur! Yn wir, yr ymdeimlad mwyaf a geir wrth ddarllen am weithgareddau dynion megis T. H. Williams, J. T. Williams, Dewi W. Thomas ac E. Ffestin Williams yw ymdeimlad o edmygedd am eu gwaith ffyddlon a diflino dros gyfnod helaeth. Mae eu hadroddiadau yng nghofnodion y Pwyllgor Cyffredinol yn adlewyrchu myrdd o weithgareddau – sefydlu canghennau newydd, cynnal cyfarfodydd a gwrthdystiadau, trefnu cynadleddau. Dyma rai enghreifftiau. Yn y 1940au hwyr trefnwyd cyfres o gynadleddau heddwch blynyddol ym Mangor. Ym mis Medi 1945 parhaodd y gynhadledd – 'Cymod a Chwyldro' – am bythefnos gyfan, gyda 93 yn mynychu'r wythnos gyntaf a 87 yr ail wythnos. Prin y gellir dychmygu cynhadledd felly yn para am ddeuddydd heddiw! Ar 27 Hydref 1950 cynhaliwyd cyfarfod cyhoeddus yng Nghaerdydd, gyda 550 o bobl yn bresennol. Ym marn Willie James, roedd y cyfarfod yn 'werth y drafferth'. Pan ymwelodd Pastor Niemöller â Chymru ym 1955 cynhaliwyd 9 cyfarfod gyda llond ystafell o bobl. Ar yr un pryd rhoddodd Mrs Niemöller anerchiad gerbron pedwar cyfarfod llawn yn ardal Abertawe, ac fe drefnwyd cyfarfod mawr a thrafodaeth gyda myfyrwyr yng Ngholeg Diwinyddol Aberhonddu. Yn wir, roedd swyddogion ac aelodau Cymdeithas y Cymod ym mhell o fod yn segur!

Mae rhai o'r gweithgareddau a ddisgrifir yn adroddiadau Ysgrifenyddion Cymru â thinc cyfoes iddynt. Roedd awydd cyson i apelio at bobl ifanc, gan gynnwys myfyrwyr. Mor gynnar â 1950 dyma T. H. Williams yn sôn am ddiddordeb gan fyfyrwyr ar faes yr Eisteddfod – diddordeb all arwain at wahoddiadau i gynnal cyfarfodydd yn y colegau. Mae cofnodion y Pwyllgor Cyffredinol yn frith gan adroddiadau am gyfarfodydd, dadleuon a chynadleddau yng ngholegau Cymru wedi hynny, er enghraifft yng Ngholeg Diwinyddol Aberhonddu (1955), Coleg Diwinyddol Aberystwyth (1956), ac yng Ngholeg Abertawe ym 1957, lle cynhaliodd John Williams a D. R. Thomas ddadl dros heddwch o flaen 300-400 o fyfyrwyr. Ym 1956 penderfynwyd trefnu pabell heddwch ar faes Eisteddfod yr Urdd dan nawdd Cyngor Ymgynghorol Cymru, ac erbyn 1957 cytunwyd y dylid sefydlu Pwyllgor Ieuenctid i drefnu gwaith ieuenctid yng Nghymru. Amser Pasg y flwyddyn ganlynol cynhaliwyd Cynhadledd Ieuenctid yn Llandudno a 27 o bobl ifanc yn bresennol.

Ochr yn ochr â'r gwaith o drosglwyddo negeseuon heddwch i'r genhedlaeth ifanc, roedd yna gonsýrn cyffredinol yn y Gymdeithas am ddylanwad gwerthoedd militaraidd mewn ysgolion – consýrn sydd yn parhau hyd heddiw. Mynegwyd pryder am y dylanwad hwn i'r Ysgrifennydd Addysg ym 1951 – a derbyn yr ateb na fedr yr awdurdodau milwrol siarad mewn ysgolion, oni bai eu bod nhw wedi derbyn gwahoddiad gan y pennaeth. Rhyfedd mai'r un esgus a ddefnyddir heddiw! Ym Mehefin 1951 cytunodd y Pwyllgor Cyffredinol i ffurfio 'Mintai Heddychwyr Ifanc' *('Children's Band of Peacemakers')* – datganiad y gallai plant ei arwyddo i fynegi eu dyhead am fyd hapus a heddychlon. Hanner canrif yn ddiweddarach, dyma ni yn annog pobl yng Nghymru i dorri eu henwau ar Lyfr Gwyn Caerfyrddin, 'Llyfr Heddwch', gan ymrwymo i weithio dros fyd di-drais. Yn y modd hwn mae ysbrydoliaeth yn parhau ar wedd newydd o genhedlaeth i genhedlaeth.

Mae rhai o'r dulliau a ddefnyddiwyd gan aelodau'r Gymdeithas i godi ymwybyddiaeth am faterion heddwch yn ddigon cyfarwydd i ni hefyd, gan gynnwys cynnal cyfarfodydd cyhoeddus. Yr hyn sydd yn peri syndod yw'r niferoedd a gymerodd ran yn y gweithgareddau hyn. Rydym eisoes wedi sôn am y cyfarfod cyhoeddus yng Nghaerdydd, ar 27 Hydref 1950, a fynychwyd gan 550 o bobl. Roedd darlithoedd Alex Wood a gynhaliwyd yn flynyddol yn y Deml Heddwch yng Nghaerdydd hefyd yn atynnu cynulleidfaoedd sylweddol (300 o bobl ym 1959, er enghraifft). Yn ystod Eisteddfod Caerffili ym 1950 cafwyd anerchiad gan yr Aelod Seneddol,

Rhys Davies, gyda 60-70 yn bresennol. Roedd yn enedigol o Langennech, ond wedi treulio rhan helaeth o'i fywyd ym Manceinion a'r cyffiniau.

Mae yna adroddiadau am ddulliau cyfarwydd eraill – megis gorymdeithiau a gwrthdystiadau. Ym 1955 trefnwyd 'gorymdaith posteri' dros bellter o 14 milltir yn ardal Abertawe a oedd, meddai J. T. Williams, yn creu argraff fawr. Wrth adrodd am orymdaith heddwch yng Nghaernarfon ym 1959, sylwodd Ffestin Williams nad oedd y gorymdeithwyr mor niferus ag y disgwylid – ond eto daeth torf fawr i'w gweld yn mynd heibio. Nid oedd heddychwyr y cyfnod yn brin o ddyfeisgarwch chwaith ac roeddynt yn ddigon parod i ddal ar y cyfle i gyhoeddi eu neges. Pan roddwyd rhyddid Bwrdeistref Conwy i'r Gatrawd Gymreig ym 1958, dosbarthodd heddychwyr lleol bamffledi, a denu sylwadau anffafriol gan y ficer lleol a'r Lleng Brydeinig! Yn y Sioe Amaethyddol yr un flwyddyn, dyma Ffestin Williams yn dosbarthu pamffledi y tu fâs i bebyll y Fyddin a'r Lluoedd Arfog.

Er nad oes llawer o sôn yn y cofnodion am y cyfryngau, mae'n amlwg bod heddychwyr Cymreig y cyfnod yn ymwybodol o'u dylanwad. Yng nghyfarfod Cyngor Ymgynghorol Cymru ar 27 Ebrill 1951 nodwyd bod y BBC wedi dangos diddordeb yn y Gymdeithas. Yn yr un cyfarfod sylwyd bod yna alw parhaus am gyhoeddiad tebyg i'r *'Deyrnas'* a gyhoeddwyd yn ystod y Rhyfel Mawr – a phenderfynu lansio cylchgrawn newydd – *'Y Deyrnas Newydd'*. Ar Ddydd Nadolig 1954 arweiniodd D.R Thomas y gwasanaeth boreol, a hwnnw yn cael ei ddarlledu gan y BBC.

Un o'r pethau sydd ar flaen meddwl heddychwyr heddiw yw coffáu'r rhai a safodd yn gadarn dros heddwch yng nghyd-destun canmlwyddiant y Rhyfel Mawr. Nid yw'r awydd hwn i dalu teyrnged i'r rhai a fu'n ysbrydoliaeth ac yn batrwm i ni yn rhywbeth newydd chwaith. Ar 22 Medi 1956 trefnwyd cyfarfod coffa i George Maitland Lloyd Davies yn Nolwyddelan, cyfarfod a fynychwyd gan nifer sylweddol o bobl. Cytunwyd y dylid sefydlu cronfa genedlaethol, a hefyd drefnu darlith flynyddol a darlun o George M. Ll. Davies i'w hongian yn y Deml Heddwch yng Nghaerdydd.

Yr hyn nad yw ffeithiau moel yn medru ei drosglwyddo yw'r egni a'r ysbrydoliaeth y tu ôl i'r gweithgareddau hyn. Wrth ddarllen y cofnodion, fodd bynnag, mae'r ymroddiad a'r brwdfrydedd y tu ôl i'r geiriau i'w teimlo. Wrth adrodd yn ôl i'r Pwyllgor Cyffredinol ar ddigwyddiadau yng Nghymru ym 1947 soniodd T.H. Willliams am 'waith arloesol i'w wneud'. Yn wir, arloeswyr oedd y rhain, yn cadw'r fflam ynghyn ar adeg bwysig yn ein hanes.

Twf yn hunaniaeth y Cymry

Nid oes angen darllen ymhell yng nghofnodion Pwyllgor Cyffredinol y cyfnod hwn cyn sylweddoli pa mor wahanol oedd gwreiddiau gweithgarwch y Gymdeithas yng Nghymru o'i gymharu â thros y ffin yn Lloegr. Yng Nghymru digwyddai'r rhan fwyaf o weithgareddau Cymdeithas y Cymod yn y capeli Cymraeg eu hiaith, a'r rhai a oedd yn arwain ac yn ysbrydoli'r gweithgareddau hyn gan amlaf oedd heddychwyr o weinidogion anghydffurfiol, yn eu plith Annibynwyr, Presbyteriaid, Bedyddwyr a Wesleaid. Mynegwyd hyn yn gryno gan Iorwerth Jones wrth iddo annerch cyfarfod arbennig o Gyngor Ymgynghorol Cymru ym 1956: 'There is a higher proportion of pacifist Ministers in Wales than in any other land.' Ac meddai ymhellach: 'Three-quarters of the Welsh people are English speaking, but most of the Churches are Welsh. The more English a congregation gets, the less pacifist it is!'

Law yn llaw â'r iaith daeth ymwybyddiaeth gynyddol o ddiwylliant a hunaniaeth Gymreig – diwylliant a esgorodd ar gyfleon i dystiolaethu dros heddychiaeth nad oedd yn berthnasol i Loegr – yn bennaf trwy'r eisteddfodau. Ym 1950 disgrifiodd T. H. Williams bresenoldeb Cymdeithas y Cymod ar faes Eisteddfod Ryngwladol Llangollen yn 'llwyddiant mawr': gwerthwyd llyfrau a dosbarthwyd taflenni. Yn yr Eisteddfod Genedlaethol yr un flwyddyn, siaradodd T. H. Williams â llawer o bobl, ac fe wnaeth y nifer o gyn-filwyr a holodd am y Gymdeithas argraff fawr arno. Erbyn 1956 trefnwyd pabell heddwch ar faes Eisteddfod yr Urdd yn ogystal. Daeth cyfleon eraill ar ffurf eisteddfodau a sioeau amaethyddol lleol.

Gan mai yn y capeli Cymraeg eu hiaith y digwyddai'r rhan fwyaf o weithgarwch y Gymdeithas, daeth yr awydd i gael copïau o lenyddiaeth y Gymdeithas yn Gymraeg yn fwyfwy amlwg. Yn ei adroddiad i'r Pwyllgor Cenedlaethol ym Mehefin 1945 sonia T. H. Williams eisoes am awydd i gyfieithu rhai o bosteri ymgyrchoedd y Gymdeithas. Ar ôl sefydlu Cyngor

Ymgynghorol Cymru ym 1951, daw ceisiadau i gyfieithu defnyddiau yn rheolaidd. Ym 1959, crybwyllodd Ffestin Williams yn ei adroddiad fod y cyfieithiad o'r pamffled 'Would Christ have pushed the button?' yn gwerthu yn dda.

Nid oes sôn yn uniongyrchol yn y cofnodion pam yr aethpwyd ati ym 1950 i sefydlu Cyngor Ymgynghorol Cymru, ond mae'n rhaid mai cydnabyddiaeth o'r gwahaniaethau uchod oedd wrth wraidd y datblygiad hwn. Prif orchwyl y Cyngor oedd 'to advise the General Council on all matters relating to Wales'. Yn fwy penodol, y materion yr oedd y Cyngor i fod i ddarparu cyngor arnynt oedd: apwyntio Ysgrifennydd Cymru; llenyddiaeth yn y Gymraeg; a'r berthynas gyda chymdeithasau heddwch yr enwadau a grwpiau heddwch eraill yng Nghymru. Yn ôl cyfansoddiad y Cyngor, dylid cynnal cyfarfodydd ddwywaith y flwyddyn. Medrai'r Cyngor ethol ei Gadeirydd a'i Is-gadeirydd ei hun a chyfethol hyd at 3 aelod ychwanegol a 5 aelod anrhydeddus. Y tri aelod a enwebwyd yng nghyfarfod cychwynnol y Cyngor oedd Gwynfor Evans, G. Shilton Evans a Mrs A. E. Humphries.

Gydag amser ehangwyd pwerau'r Cyngor. Ym 1957 gofynnwyd i'r Ysgrifennydd Cyffredinol baratoi cyfansoddiad newydd iddo, gan ganiatáu nifer mwy o gyfarfodydd a newidiadau i'r aelodaeth. Cytunwyd hefyd y dylai swyddogion y Cyngor fedru gwneud datganiadau o bryd i'w gilydd ar faterion cyfoes ac ar egwyddorion sylfaenol. Defnyddiwyd y pŵer hwn ym 1958, pan wnaeth y Cyngor ddatganiad ar 'Gristnogion ac Amddiffyn mewn Oes Niwclear'. Mae'n werth edrych ar rai o newidiadau'r Cyfansoddiad newydd hwn yn fwy manwl
:

- Cynyddwyd nifer yr aelodau a enwebwyd i'r Cyngor yn flynyddol i 11;
- Dylid cynnwys un cynrychiolydd o Gymdeithas Heddwch pob enwad heddychol yng Ngymru;
- Roedd gan y swyddogion yr hawl i alw cyfarfod brys o'r Cyngor pe bai angen;
- Dylai'r Cyngor ethol 2 is-bwyllgor un ar gyfer y Gogledd ac un ar gyfer y De, a fyddai yn cwrdd yn chwarterol ac a fyddai, fel arfer, yn gweithredu trwy gyfrwng y Gymraeg.

Yr hyn sydd i'w weld yma yw awydd gan swyddogion yng Nghymru i newid strwythurau'r Gymdeithas i fod yn fwy hyblyg ac i adlewyrchu yn well sefyllfa ddiwylliannol, ieithyddol a daearyddol eu gwlad. Mae ethol 2 is-bwyllgor yn gwneud synnwyr wrth ystyried anawsterau teithio rhwng y De a'r Gogledd, a gellir deall y byddai swyddogion, wrth gwrdd yn lleol, am wneud hyn yn eu priod iaith, sef y Gymraeg.

Nid felly o anghenraid y gwelwyd pethau gan y Pwyllgor Cyffredinol. Mewn cyfarfod a gynhaliwyd ar 29-30 Mawrth derbyniwyd y Cyfansoddiad newydd ar ôl peth trafodaeth, ond ar yr un pryd mynegwyd pryder y dylai iaith pwyllgorau fod 'mor hyblyg â phosibl'! Mewn geiriau eraill, nid oedd y Pwyllgor yn fodlon bod yr is-bwyllgorau yng Nghymru am gynnal eu cyfarfodydd yn y Gymraeg. Dyma'r unig sôn uniongyrchol a geir yng nghofnodion y Pwyllgor Cyffredinol (hyd at 1960) am dyndra rhwng y Gymdeithas Brydeinig a swyddogion yng Nghymru. Eto, drwy ddarllen rhwng y llinellau, gellir synhwyro anawsterau. Ar 14-15 Medi 1956, er enghraifft, cytunodd y Pwyllgor Cyffredinol i ystyried o dro i dro roi rhyw 4 tudalen o'r cylchgrawn *Reconciliation* heibio ar gyfer newyddion Cymreig. Ar adegau eraill, nodwyd cais gan Gyngor Ymgynghorol Cymru i gyfieithu rhyw bamffled neu'i gilydd. Gellir dychmygu y byddai'r berthynas anghyfartal hon yn mynd ar nerfau'r Cymry ac yn atgyfnerthu'r dyhead i reoli eu materion eu hunain. Mae'r cofnodion yn dod i ben ym 1960, a does dim sicrwydd sut y datblygodd pethau wedi hynny – ar wahân i'r ffaith bod Cymdeithas y Cymod yng Nghymru wedi'i sefydlu fel cangen annibynnol o dan IFOR ym 1976. Eisoes yn y cyfnod hwn, fodd bynnag, gellir gweld y craciau a fyddai'n arwain at rwyg terfynol.

Sialens

Roedd y cyfnod rhwng 1945 ac 1976 yn gyfnod o newid ac o sialens i'r mudiad heddwch – yn enwedig i'r mudiad heddwch Cristnogol. Mewn cyfarfod o'r Pwyllgor Cyffredinol ar 6 – 7 Medi 1949 soniodd Aled Williams eisoes am "y rhwystrau i'w goresgyn" yn ei ardal ef (Sir Ddinbych a Sir y Fflint) – sef y gwrthdaro rhwng bywyd y cartref a'r bywyd diwydiannol; problemau ieithyddol; ac anhawsterau teithio a olygai fod cysylltiadau rhwng aelodau'r Gymdeithas yn anodd. Awgrymodd y dylai aelodau'r Gymdeithas 'ymdreiddio' i gymdeithasau heddwch eraill i ledaenu'r neges.

Mae'r sialens a wynebwyd gan Gymdeithas y Cymod yng Nghymru i'w gweld yn eglur yng nghofnodion cyfarfod arbennig a gynhaliwyd yn Aberystwyth ar 27-28 Mehefin 1956. Teitl y cyfarfod oedd 'Yr Ymgyrch Heddwch – Y Dyfodol yng Nghymru', a'i nod oedd ymgynghori â swyddogion Cymdeithasau Heddwch yr enwadau yng Nghymru i synhwyro'r ffordd ymlaen.

Cafwyd mewnbwn gan dri siaradwr yn ystod y gynhadledd. Soniodd y siaradwr cyntaf, Iorwerth Jones, am 'Waith y Mudiad Heddwch yn ein Heglwysi'. Fel y dywedwyd eisoes, canolbwynt y mudiad heddwch yng Nghymru yn ystod y cyfnod hwn oedd y capeli Cymraeg eu hiaith. Yn ei adroddiad i'r Pwyllgor Cyffredinol ym 1955, sylwodd J. T. Williams pa mor weithgar oedd yr aelodau o fewn eu henwadau eu hunain – yn enwedig ymhlith yr Annibynwyr. Ym 1959, dyma Ffestin Williams (Presbyteriad) yn sôn am y ffaith bod y Bedyddwyr a'r Annibynwyr yn neilltuo lle yn eu cyhoeddiadau ar gyfer materion heddwch. Yn yr araith hon, fodd bynnag, holodd Iorwerth Jones a oedd yna fudiad heddwch go iawn ymhlith yr eglwysi? Yr ateb yn aml, yn ei farn ef, oedd 'na'. Apeliodd ef ar weinidogion i siarad yn blaen o'r pulpud ac i bregethu heddychiaeth radical, weithredol. Anogwyd y mynychwyr i fynd ati i ffurfio grwpiau heddwch trawsenwadol yn eu trefi a'u pentrefi eu hunain.

Erbyn diwedd y cyfnod dan sylw mae yna arwyddion bod cefnogaeth i'r neges heddwch yn edwino, hyd yn oed ymhlith yr eglwysi. Wrth adrodd yn ôl ar gyfarfod cyhoeddus a gynhaliwyd yng Nghaerdydd ym 1958, gresynodd J. T. Williams fod 1,200 o eglwysi wedi derbyn gwahoddiad a dim ond 57 ohonynt wedi'u cynrychioli yn y cyfarfod. Awgrymodd y dylai'r Gymdeithas geisio dylanwadu ar unigolion mewn eglwysi – ond hefyd ymgyrchu trwy'r Undebau Llafur a'r pleidiau gwleidyddol. Yn wir, roedd Cymdeithas y Cymod yn ymgyrchu fwyfwy ochr yn ochr â mudiadau heddwch eraill, megis CND, er enghraifft drwy orymdeithio ar y cyd ym Merthyr ym 1958 a chynnal cyfarfodydd cyhoeddus yng Nghaerdydd a Phontypridd ym 1959. Mewn cymdeithas a oedd yn fwyfwy seciwlar, bu rhaid i'r ymgyrchwyr symud o'r capel i'r stryd a chydweithio ag eraill.

Yr ail siaradwr yn y gynhadledd oedd D. R. Thomas, a'i destun oedd 'Gwaith y Mudiad Heddwch yn y Gymuned'. Honnodd ef nad oedd gan Gymdeithas y Cymod ronyn o ddylanwad ar y gymuned. Mewn gwirionedd nid oedd y mudiad heddwch yn cyffwrdd â'r dosbarth gweithiol o gwbl. Roedd Cell Llanelli o'r Gymdeithas eisoes wedi mynegi'r un farn mewn datganiad i'r Pwyllgor Cyffredinol ym 1950. 'We sincerely regret', medden nhw, 'the apparent and continuous refusal of FOR to face honestly and realistically in its public witness the potential and social implications of Christian Pacifism...' Gofynnwyd i Willie Jones ymweld â nhw.

Aeth D. R. Thomas rhagddo yn ei anerchiad i geisio esbonio pam nad oedd Cymdeithas y Cymod yn dylanwadu ar y gymdeithas gyfoes. Yn ei farn ef nid oedd neges heddychiaeth mor glir ag yr oedd, er enghraifft, ym 1914 – a rhyfel erbyn hyn yn cael ei ystyried yn 'ddrwg, ond yn angenrheidiol'. Yn fwy na dim, roedd gagendor mawr rhwng pobl y pulpud a'r dyn yn y stryd, a chapelwyr yn siarad iaith oedd bellach yn estron. Weithiau hefyd roedd yna ddeuoliaeth rhwng dysgeidiaeth Gristnogol a'r ffordd yr oeddd Cristnogion yn byw yn y byd. A'r ateb, ym marn D. R Thomas? Rhaid i aelodau gyfeirio eu neges at y gymuned a chondemnio rhyfel yn gyfan gwbl. Rhaid gofyn o ddifrif a fyddai hynny yn pontio'r gagendor rhwng yr heddychwyr a mwyafrif y gymdeithas seciwlar. Pan gynhaliwyd gorymdaith heddwch yng Nghaernarfon ym 1959 sylwodd Ffestin Williams fod torf fawr wedi gwylio'r gorymdeithwyr yn mynd heibio – ond gwylio roeddynt yn ei wneud, nid ymuno.

Testun y trydydd siaradwr, Meirion Lloyd Davies, oedd 'Gwaith y Mudiad Heddwch Ymhlith Pobl Ifanc'. Dechreuodd drwy wadu'r ddelwedd gyfoes arwynebol o bobl ifanc – yn ddi-feddwl, hunanol a didaro. Nid oedd hyn yn wir, meddai. Roedd themâu megis rhyfel a heddwch o gonsýrn gwirioneddol iddynt – ond roeddynt yn chwilio am arweiniad, ac nid oedd gan yr eglwysi ddim byd o bwys i'w ddweud wrthynt. Mae'r dystiolaeth yn tueddu i ategu ei eiriau. Er i Bwyllgor Ieuenctid gael ei ffurfio ym 1957, roedd rhaid dileu cynhadledd ieuenctid adeg y Pasg 1959 gan mai dim ond pedwar person ifanc oedd wedi cofrestru. Cafwyd cynhadledd ym 1960, ond oedran y mynychwyr oedd 35-40. Awgrymodd Meirion Lloyd Davies rai syniadau ymarferol i ddenu pobl ifanc, gan gynnwys defnyddio ffilmiau, trefnu teithiau cyfnewid â gwledydd eraill, cynnal gweithdai, ac annog pobl ifanc i ymuno â'r Gymdeithas a gwisgo bathodyn, gan 'eu bod nhw yn hoffi ymuno â phethau.' Yn y cyfamser, fodd bynnag, tueddai pobl ifanc a oedd yn ymddiddori mewn heddwch i ymuno ag CND.

Casgliadau

Pe byddwn wedi mynychu'r cyfarfod arbennig uchod rwy'n siwr y byddwn wedi troi am adref yn weddol ddigalon. Roedd negeseuon y tri siaradwr yn gadarn, bron iawn yn greulon yn eu gonestrwydd – yn cwestiynu effeithiolrwydd ymdrechion heddychwyr yn y gymdeithas, ymhlith pobl ifanc, hyd yn oed yn yr eglwysi. Eto, mae'r cofnod sydd yn nodi casgliadau'r gynhadledd yn gadarnhaol. 'This special meeting of the WAC', meddai 'was judged by all to have been of enormous value not only to those who attended, but to the FOR as a whole.' Penderfynwyd y dylai Cyngor Ymgynghorol Cymru roi mwy o sylw i gyhoeddusrwydd – yn enwedig drwy geisio denu mwy o bobl ifanc i gynadleddau. Cytunwyd hefyd y dylid cydlynu ymdrechion y Cymdeithasau Heddwch Enwadol yng Nghymru drwy Gymdeithas y Cymod yn y dyfodol. Ymddengys, felly, fod y mynychwyr wedi'u hatgyfnerthu yn eu hargyhoeddiad ac wedi'u hysbrydoli i barhau'r frwydr ar dalcen caled heddychiaeth. Efallai na ddylem ni synnu at hyn. Dyma ni heddiw yn cynnal ein gweithgareddau yng nghysgod strwythurau milwrol a gefnogir gan y wladwriaeth, militariaeth gynyddol yn y gymdeithas, a datblygu 'adar angau' (sef awyrennau di-beilot) ar ein tir. Ein ffydd mewn ffordd well Gristnogol i reoli perthynas rhwng pobl a chenhedloedd sydd yn ein cadw yn gadarnhaol ac yn sbarduno ein brwdfrydedd. Felly y bu ym 1956 hefyd.

Fe wnaethpwyd rhai argymhellion pellach ar ddiwedd y gynhadledd: y dylai Cyngor Ymgynghorol Cymru wneud datganiadau o bryd i'w gilydd ar themâu cyfoes ac ar egwyddorion sylfaenol; ac y dylid ffurfio pwyllgor o Gymry Cymraeg gyda'r grym i wneud argymhellion i'r Cyngor. Mae'r awydd i greu strwythurau mwy annibynnol i Gymdeithas y Cymod yng Nghymru a rheoli ein materion ein hunain i'w weld yn glir yma – awydd a fyddai yn y pen draw yn arwain at sefydlu cangen ar wahân i FOR Lloegr ym 1976. Ond mae hynny yn bennod arall.

Cymdeithas y Cymod: 1976 hyd Heddiw
Gweledigaeth i Gymru a'r Byd

Jane Harries

Cyfnod o Newid

Ym 1976, pan ddaeth Cymdeithas y Cymod yng Nghymru yn gangen annibynnol o IFOR, roedd y Rhyfel Oer yn dal yn ei anterth. Y perygl mwyaf a fygythiai ddynoliaeth oedd yr elyniaeth rhwng grymoedd y Gorllewin a'r Bloc Sofietaidd. Erbyn heddiw, mae'r byd yn edrych yn wahanol iawn. Nid dau floc pwerus yn wynebu ei gilydd, ond sefyllfa fwy bregus a chymhleth a geir, er bod y pwerau mawrion yn dal i ymyrryd pan fo gwrthdaro yn y byd a chylch eu dylanwad yn y fantol. Gellir honni mai rhyfeloedd dros reoli adnoddau – yn enwedig olew – oedd y rhyfeloedd mwy diweddar, megis Rhyfeloedd y Gwlff a'r rhyfel yn erbyn Irac – er bod rhethreg y gwleidyddion am ein perswadio yn wahanol. Yna daeth 9/11 a'r 'rhyfel yn erbyn terfysgaeth' sydd bellach yn rheoli polisi tramor gwledydd y Gorllewin. Yma eto, fodd bynnag, mae dulliau milwrol wedi profi'n aflwyddiannus yn y tymor hir. Ymddengys fod defnyddio arfau megis 'adar angau' (awyrennau di-beilot), a fedr dargedu pobl ddiniwed yn ddamweiniol, wedi ein gwneud ni yn llai diogel fyth ac wedi arwain at dwf yn aelodaeth grwpiau megis Al-Qaeda. Mae rhyfel wedi mynd yn gêm lle gellir dinistrio'r 'gelyn' honedig drwy bwyso botwm tra yn eistedd wrth gyfrifiadur ochr arall y byd.

Yn ein gwlad ein hunain mae'r Fyddin ar un wedd wedi mynd yn llai amlwg. Nid oes gorfodaeth filwrol bellach. Ar y llaw arall, mae militariaeth yn ymdreiddio yn ddistaw bach i bob agwedd o'n cymdeithas – drwy hysbysebu, achlysuron megis 'Dydd y Lluoedd Arfog', sefydliadau tebyg i 'Help for Heroes', ac ymweliadau'r Fyddin â'n hysgolion. Yng Nghymru mae ardaloedd cyfan o'n tir wedi'u meddiannu gan y Lluoedd Arfog at bwrpasau milwrol, gan gynnwys Mynydd Epynt, Y Fali, ac Aber-porth.

Yn wleidyddol, mae gennym ein Cynulliad ein hunain, er mae'n debyg nad yw'r rhan fwyaf o'i wleidyddion yn wahanol iawn i'r rhai yn San

Sian ap Gwynfor ar fynydd Epynt yn y fynwent ffug.

Steffan pan ddaw yr amser i wneud penderfyniadau ynglŷn â militariaeth. A'r pyllau glo wedi hen gau, ystyriaethau economaidd sydd yn tueddu i reoli penderfyniadau gwleidyddol. Yn gymdeithasol, mae dylanwad y capeli a'r eglwysi – cylch dylanwad pennaf Cymdeithas y Cymod – wedi edwino ymhellach. Erbyn hyn, cydweithio gyda grwpiau heddwch eraill, megis CND, yw'r norm. Ar y llaw arall, mae twf yn nulliau newydd y cyfryngau torfol, megis Trydar, Gweplyfr ac Ap, yn cynnig cyfleon newydd i ni ledaenu'n neges a chyrraedd cynulleidfaoedd newydd.

Gweithgareddau'r Gymdeithas

Er i Gymdeithas y Cymod yng Nghymru ddod yn gangen annibynnol o IFOR *(International Fellowship of Reconciliation)* ym 1976, nid oedd hyn yn golygu llawer o newid i'n dulliau gweithredu arferol. Yn ei hatgofion am ei chyfnod hir fel Ysgrifennydd Cyffredinol y Gymdeithas (o 1985 tan 1999) mae Nia Rhosier yn sôn am ymweld â changhennau ac aelodau ledled Cymru, trefnu cyfarfodydd, cynadleddau a digwyddiadau i goffáu heddychwyr, a sicrhau tystiolaeth y Gymdeithas ar Faes yr Eisteddfod. Dilyn yn nhrywydd arloeswyr diflino, megis J. T. Williams ac E. Ffestin Williams, a wna Nia yma, a'i hawydd i geisio 'annog aelodau i drefnu gweithgareddau heddwch ar y cyd er mwyn gwneud ein tystiolaeth yn fwy gweladwy yn y gymdeithas' yn amlwg.

Parhau a wnâi awydd y Gymdeithas i apelio at bobl ifanc a'u hannog i ymddiddori ym materion yn ymwneud â rhyfel, heddwch a didreisedd. Ym 1987 cefnogodd Cymdeithas y Cymod gynllun gan Yr Urdd i anfon criw o bobl ifanc ar Daith Heddwch gyda brys-negeseuon i Ganolfan y Cenhedloedd Unedig yn Genefa. Cynhaliwyd gweithdy tridiau

(*'Travelling Peace Workshop'*) dan arweiniad swyddog ieuenctid FOR Lloegr yng Ngholeg Trefeca ym 1989, lle daeth heddychwyr ifanc o bob cwr o Gymru i ddysgu am ddulliau di-drais. Daeth digwyddiadau i'w hanterth gyda dyfodiad y mileniwm a phenderfyniad y Cenhedloedd Unedig i neilltuo'r flwyddyn 2000 yn 'Flwyddyn Diwylliant Heddwch'. Y flwyddyn honno cynhaliwyd cynhadledd yn y Deml Heddwch yng Nghaerdydd ar y thema 'Breuddwydion Newydd i'r Milrif Newydd', a chwech o ysgolion Cymraeg y De-Ddwyrain yn cymryd rhan. Cafwyd cyfraniadau gan nifer o siaradwyr ar themâu megis 'Trais ar y Teledu' a 'Ffrwydron-tir ac Arfau bach', ac yna cynhaliwyd cystadleuthau 'Cân Heddwch' a Siarad Cyhoeddus. Rwy'n siwr i'r bobl ifanc fynd oddi yno wedi'u hysbrydoli. Mae cydweithio gyda phobl ifanc wedi digwydd eto yn 2014 wrth i swyddogion Cymdeithas y Cymod gefnogi disgyblion o ysgolion Meirionnydd i lunio a pherfformio Neges Heddwch ac Ewyllys Da yr Urdd ar achlysur coffáu canmlwyddiant y Rhyfel Mawr. Gorffenna'r neges gydag apêl daer ar i arweinwyr y byd 'gymodi â'i gilydd a dilyn ffordd heddwch'.

Parhau hefyd a wnâi traddodiad y Gymdeithas o wrthdystio yn erbyn rhyfel fel ffordd dderbyniol o 'ddatrys problemau' rhwng gwledydd. Yn ystod y cyfnod hwn cafwyd gwrthdystiadau yn erbyn Rhyfel y Gwlff, a'r rhyfeloedd yn Irac ac Afghanistan. Yn nes at gartref, mae aelodau'r Gymdeithas yn dal i wrthdystio yn erbyn atafaelu a defnyddio Mynydd Epynt yn faes milwrol, a'r defnydd o dir yn Aber-porth a Llanbedr i brofi a datblygu 'adar angau'. Yn hyn o beth mae aelodau Cymdeithas y Cymod yn sefyll yn gadarn yn y gred a fynegir yn ein Sylfeini, sef 'na ddylid derbyn y drefn bresennol fel petai na ellir ei gwella'. Ar yr un pryd, protestio a wnawn yn ein ffordd unigryw ein hunain – gan 'fynegi yn glir ac adeiladol neges cymod', a thrwy ddatgan ein hargyhoeddiad na ellir gorchfygu drygioni ond drwy ddaioni.

Fodd bynnag, wrth ddod yn gangen annibynnol, roedd yn haws i swyddogion ac aelodau'r Gymdeithas ganolbwyntio ar dystiolaeth oedd yn berthnasol i'n cymdeithas yma yng Nghymru, a gwneud hynny yn fwy effeithiol. Yn yr Eisteddfod Genedlaethol daeth yn arfer i Gymdeithas y Cymod drefnu ac arwain oedfa ym mhabell Cytûn ('Yr Eglwysi Ynghŷd') bob blwyddyn ar 6 Awst (sef Diwrnod Hiroshima), hefyd i drefnu tystiolaeth heddwch ar y Maes, megis amgylchynu'r Pafiliwn ar y cyd gyda grwpiau heddwch eraill. Cynhaliwyd nifer o gyfarfodydd a phererindodau dros y blynyddoedd i goffáu heddychwyr o Gymry a'u cyfraniad i'r achos – yn eu plith 'SR' Llanbryn-mair, George M. Ll. Davies, Henry Richard, a Thomas Wynne. Ym 1987 trefnwyd nifer o ddigwyddiadau i goffáu George M. Ll. Davies, 'Heddychwr Mawr Cymru', gan gynnwys darlith yn Eisteddfod Genedlaethol Llanrwst, pasiant ym Mhafiliwn Corwen, a drama gerdd a gyflwynwyd gan drigain o ddisgyblion Ysgol Gyfun Rhydfelen yn y Deml Heddwch yng Nghaerdydd.

Gyda sefydlu ein cangen ein hunain daeth hefyd newid ym mhwyslais rhai o'n gweithgareddau a chanolbwyntio mwy ar effeithiau paratoi at ryfel ar ein tir ein hunain. Dros gyfnod o flynyddoedd trefnwyd pererindod flynyddol i Gwm Cilieni ar Fynydd Epynt – pentref a ddymchwelwyd gan y fyddin ym 1940 er mwyn gwneud lle i faes ymarfer milwrol. Cafodd 219 o bobl eu troi o'u cartrefi (54 o dai a ffermydd) a chodi pentref ffug yn eu lle, gan gynnwys eglwys na fyddai neb byth yn addoli ynddi. Gwasanaeth o edifeirwch ac eiriolaeth ar safle Capel y Babell a gafwyd yno bob blwyddyn, gan wahodd heddychwyr eraill i ymuno â'r digwyddiad. Ym 2007 daeth y Gymdeithas yn ymwybodol o gynllun gan Lywodraeth Cymru i greu Academi Filwrol yn Sain Tathan a fyddai yn 'ganolfan ardderchogrwydd' genedlaethol a rhyngwladol ar gyfer hyfforddiant milwrol ym Mro Morgannwg. Ffurfiwyd ymgyrch yn erbyn hynny, gyda'r nod o godi ymwybyddiaeth am natur yr Academi arfaethedig, gwadu'r honiadau y byddai'n dod â swyddi i Gymru, a rhoi pwysau ar y Llywodraeth i roi'r gorau i'r cynllun. Ac yn lle Academi Filwrol daeth y syniad o sefydlu Academi Heddwch yng Nghymru. Y mae'r ymgyrch honno yn parhau hyd heddiw, ac yn derbyn pob cefnogaeth gan Gymdeithas y Cymod. Erbyn Haf 2010 trodd sylw'r Gymdeithas tuag at Aber-porth, lle y caiff awyrennau di-beilot ('adar angau') eu datblygu a'u profi dros ardal helaeth o ganolbarth Cymru. Cynhaliwyd Gwasanaeth o Edifeirwch yno dan ofal Guto Prys ap Gwynfor ar 26 Mehefin 2010 – Dydd y Lluoedd Arfog. Cyflwynwyd deiseb i'r Cynulliad Cenedlaethol yn ogystal yn galw arnynt i roi'r gorau i brofi 'adar angau' yn Aber-porth. Bellach gallwn ychwanegu Llanbedr, Dyffryn Ardudwy, at y rhestr drist o lefydd a ddefnyddir yng Nghymru at baratoadau rhyfel, oherwydd fod awyrennau di-beilot i'w datblygu yno hefyd, gan gynnwys 'Hawks' Americanaidd. Ar 13 Mehefin 2014 trefnodd Cell Dwyryd a Glaslyn i bum person fynd heb ganiatâd ar y maes awyr hwnnw i fynegi eu gwrthwynebiad yn heddychlon.

Yn ffyddlon i sylfeini'r Gymdeithas, bu pwyslais cyson yn ystod y cyfnod hwn ar gymod fel nod i anelu ato. Yn ystod ei hysgrifenyddiaeth bu Nia Rhosier yn gyfrifol am greu cysylltiad gyda Chymuned Corrymeela yng Ngogledd Iwerddon, canolfan sydd yn cyflawni cymaint dros ddealltwriaeth rhwng unigolion a chymunedau. Y prif siaradwyr yng Ngŵyl Heddwch Cymru, Caernarfon, ym Medi 2007 oedd Jo Berry a Patrick Magee. Aelod o'r IRA oedd Patrick a oedd yn gyfrifol am ladd tad Jo. Eglurodd Jo sut y bu iddi roi'r gorau i feio a sut y gwnaeth hynny drawsnewid ei bywyd. Eglurodd Patrick yn ei dro y gwahaniaeth a wnaeth cyfarfod Jo i'w fywyd yntau. O dro i dro hefyd cynhaliwyd gweithdai i gefnogi pobl i ennill y sgiliau angenrheidiol er mwyn bod yn gymodwyr. Yn ystod Cyngor Blynyddol y Gymdeithas ym Mai 1998, er enghraifft, cafwyd gweithdy 'heriol ac addysgiadol iawn' ar ddulliau didreisedd gan Rob Fairmichael, sylfaenydd INNATE *(Irish Network for Nonviolent Action, Training and Education).*

Ni ellir dwyn adran ar weithgareddau'r Gymdeithas i ben heb ddiolch i gynifer o bobl a gadwodd y gannwyll ynghyn dros y blynyddoedd – rhai ohonynt, megis Nia Rhosier ac Arfon Rhys, a wasanaethodd am flynyddoedd. Mewn erthygl yn crynhoi ei hatgofion am ei chyfnod fel Ysgrifennydd Cyffredinol, rhydd Nia restr helaeth o enwau gyda manylion am eu cyfraniadau i'r Gymdeithas. Ofnaf wneud hynny fan hyn, rhag ofn imi hepgor enwau y dylid eu cydnabod, a chan nad wyf wedi bod yn weithgar iawn gyda'r Gymdeithas ond am ychydig flynyddoedd. Yn *Sylfeini'r* Gymdeithas, cawn ein hatgoffa:

> 'Nid ar gael nifer luosog o aelodau y dibynna dyfodol y Gymdeithas, dibynna yn hytrach ar i'r aelodau fod yn barod i roi amser, yn unigol ac mewn grwpiau, i ystyried beth sy'n oblygedig yn yr egwyddorion, ac ymdrechu, doed a ddelo, i'w cyfieithu i fywyd beunyddiol y cyfnod.'

Diolchwn i bawb – dynion a merched – a fu yn gwneud hynny dros y blynyddoedd, ac i'r rhai y mae eu hymdrechion yn parhau. Y mae gweledigaeth y Gymdeithas a'i thystiolaeth yn y byd yn ddiogel yn eu dwylo.

Cymru ym Mhrydain

Er bod militareiddio Cymru yn gonsýrn cynyddol i aelodau'r Gymdeithas yma yn ein gwlad, nid ydym wedi bod yn ynysig. Parhaodd cysylltiadau a chydweithio gyda Chymdeithas y Cymod yn ardaloedd eraill y Deyrnas Unedig a thu hwnt. Soniwyd eisoes am y gweithdy ar ddidreisedd *('Travelling Peace Workshop')* a drefnwyd ar y cyd gyda FOR Lloegr ym 1989. Y flwyddyn ganlynol penderfynodd y Gymdeithas 'efeillio' gyda changen Gogledd Iwerddon, a'r un flwyddyn trefnwyd pererindod heddwch a chymod ar y cyd yng Nghymru. Parhaodd y cysylltiad hwnnw hyd yn oed ar ôl i gangen Gogledd Iwerddon ddirwyn i ben wrth i Nia Rhosier, ein Hysgrifennydd Cyffredinol bryd hynny, benderfynu sefydlu 'Cwlwm Cymod Cymru-Corrymeela' ym 1999. (Am ragor o wybodaeth, gweler atgofion Nia yn y gyfrol hon.) Roedd yna gysylltiadau rhwng Cymru a'r Alban hefyd, gyda swyddogion yn mynychu cyfarfodydd ei gilydd.

Cymru yn y byd

Dros y blynyddoedd mae cangen Cymru wedi chwarae rhan amlwg yn y *Fellowship of Reconciliation* ar lefel Ewropeaidd ac yn fyd-eang. Fel yr adroddir gan Nia Rhosier yn ei hatgofion yn y gyfrol hon, cynrychiolodd hi'r gangen sawl gwaith yng nghyfarfodydd IFOR – yn Assissi ym 1988, Ecuador ym 1992 a Sweden ym 1996 – gan greu rhwydwaith o gyfeillion ac ymgyrchwyr heddwch mewn rhannau eraill o'r byd. Yna, ym 1996, trefnodd Nia gynhadledd ryngwladol yn Llanbedr Pont Steffan ar y thema 'Torri'r Cylch Cythreulig', gyda'r heddychwraig enwog o Awstria, Hildegard Goss-Mayr, yn westai a 70 yn mynychu. Gwasanaethodd Awel Irene ar Bwyllgor Llywio IFOR am ddwy flynedd, ac yna Arfon Rhys yntau yn ystod ei ysgrifenyddiaeth (2005-2014). Cynrychiolodd Arfon Gymru yn ffyddlon yng nghynadleddau rhanbarth Ewrop IFOR o'u cyfarfod cyntaf yn 2003 ymlaen. Ym mis Ebrill 2013 gwahoddwyd ein cyfeillion o Ewrop i gyfarfod yng Nghaerdydd. Bryd hynny anerchwyd y cynrychiolwyr ar ran Cymdeithas y Cymod yng Nghymru gan Robin Gwyndaf, ac roedd Arfon wrth ei fodd yn eu tywys o gwmpas y ddinas a threfnu ymweliad â'r Senedd, yn ogystal â rhoi ychydig o flas ar ddiwylliant Cymru iddynt! Do, mae cangen Cymru wedi cyfrannu'n helaeth tuag at fywyd a gweithgareddau IFOR yn y cyfnod diweddar.

Dulliau Gweithredu

Yn ein *Sylfeini* caiff yr aelodau eu hannog i ystyried egwyddorion y Gymdeithas a sut y gellir cyfieithu'r rhain i fywyd beunyddiol y cyfnod. Er bod rhai dulliau gweithredu, megis cynnal oedfaon a chyfarfodydd cyhoeddus, gwrthdystio, sicrhau tystiolaeth ar Faes yr Eisteddfod, wedi aros yn gyson, datblygwyd rhai dulliau newydd yn ogystal, yn enwedig ar ôl sefydlu'r Cynulliad Cenedlaethol. Un ffordd o greu ymwybyddiaeth bellach a dwyn consýrn gerbron gwleidyddion yw cyflwyno deiseb i Bwyllgor Deisebau'r Cynulliad, lle mae materion yn cwympo o fewn eu cyfrifoldebau datganoledig. Mae hyn wedi digwydd deirgwaith yn ddiweddar – sef deisebau yn galw ar Lywodraeth Cymru i roi'r gorau i brofi awyrennau di-beilot yng ngorllewin Cymru; deiseb yn annog y Llywodraeth i wrthod gadael i'r Fyddin fynd i mewn i ysgolion i recriwtio; a'r ddeiseb yn galw ar Gynulliad Cenedlaethol Cymru 'i ymchwilio i'r posibilrwydd ac i edrych pa mor ymarferol fyddai i Gymru gael Academi Heddwch i edrych ar heddwch a hawliau dynol, tebyg i'r sefydliadau a gefnogir gan lywodraethau gwladwriaethau yn Fflandrys, Catalonia a mannau eraill yn Ewrop.'

Wrth lunio'r bennod hon, mae un o'r deisebau uchod – yr un ynglŷn ag awyrennau di-beilot – wedi cau. Yn sgîl y ddeiseb o blaid sefydlu Academi Heddwch yng Nghymru, deiseb a gyflwynwyd gan Bwyllgor yr Academi Heddwch gyda chefnogaeth lwyr Cymdeithas y Cymod, mae'r Pwyllgor Deisebau wedi cynhyrchu adroddiad ffafriol iawn (Hydref 2013), a dadl ar y mater wedi digwydd yn y Senedd. Mae'r ddeiseb am i'r Fyddin beidio â mynd i mewn i ysgolion i recriwtio ar hyn o bryd (2015) yn dal o dan ystyriaeth. P'un a fydd y deisebau hyn yn llwyddiannus ai peidio, maent yn dod â chonsýrn ac egwyddorion Cymdeithas y Cymod i sylw'r cyhoedd ac i wleidyddion ac yn sicrhau bod safbwynt heddychwyr o leiaf yn cael eu hystyried. Pan gyflwynwyd y ddeiseb yn gofyn am sefydlu Academi Heddwch i'r Cynulliad yn 2009, er enghraifft, roedd 1,525 wedi'i llofnodi. Wrth i'r Pwyllgor Deisebau lansio ymgynghoriad ysgrifenedig ar y mater hwn, cawsant 56 o atebion gan gyrff ac unigolion – yr ymateb mwyaf helaeth sydd wedi bod i unrhyw ymgynghoriad ysgrifenedig hyd yn hyn. Mae dulliau felly yn bendant yn rhoi'r Gymdeithas ar y map.

Ar fwy nag un achlysur cynhaliwyd hefyd gyfarfodydd cyhoeddus ar risiau'r Senedd ym Mae Caerdydd, wedi'u trefnu gan amryw fudiadau. Amcan y cyfarfodydd hyn oedd mynegi barn yng ngŵydd Aelodau'r Cynulliad Cenedlaethol ac eraill ar bynciau pwysig yn ymwneud â heddwch a chyfiawnder. Cafwyd un cyfarfod, 16 Hydref 2012, er enghraifft, i wrthwynebu Trident a'r fasnach arfau ym Mhrydain. Daeth nifer dda i'r cyfarfod hwn a rhai wedi teithio o Loegr a'r Alban. Roedd y trefnwyr hefyd wedi creu draig liwgar anferthol o fawr i gynrychioli Trident. Cynhaliwyd cyfarfod arall, 14 Tachwedd 2012, wedi'i drefnu gan Arfon Rhys ac eraill, i wrthwynebu i'r Fyddin fynychu ysgolion ac i atgoffa'r gwrandawyr am y ddeiseb ar y pwnc hwn. Ar y ddau achlysur y cyfeiriwyd atynt uchod anerchwyd ar ran Cymdeithas y Cymod gan Robin Gwyndaf, a chyhoeddir dyfyniadau o'r anerchiadau hyn yn y gyfrol bresennol: 1. 'Na i Arfau Rhyfel, Ie i Hyrwyddo Heddwch'. 2. 'Na i'r Fyddin Fynychu Ysgolion, Ie i Gyflwyno Astudiaethau Heddwch a Chyfiawnder'.

Ffordd arall sydd gennym i hybu ein hegwyddorion a'n tystiolaeth gerbron y gymdeithas sydd ohoni yw drwy ddefnyddio'r cyfryngau. Gelwir ar swyddogion y Gymdeithas yn weddol aml i roi sylwadau ar faterion cyfoes ar y radio, yn enwedig lle mae gwrthdaro yn y cwestiwn. Yn ogystal â hynny, mae potensial enfawr gan gyfryngau mwy modern, megis Gweplyfr a Thrydar, i godi ymwybyddiaeth am ein gweithgareddau ac ehangu ein cylch dylanwad. Pan gafwyd protest ar Faes Awyr Llanbedr yn 2014, cynyddodd nifer y 'twitiau' a gawsom a'n 'dilynwyr' yn aruthrol.

Cell Caerfyrddin sydd efallai wedi bod yn fwyaf creadigol a dyfeisgar hyd yn hyn wrth gydio yn y cyfryngau sydd ar gael yn y byd modern a'u haddasu at bwrpas heddwch. Buon nhw yn gyfrifol yn 2013 am ddyfeisio 'Ap Heddwch' cyntaf Cymru, sef 'Heolydd Heddwch Caerfyrddin / *Carmarthen Peace Trail*' – 'ap' y gellir ei lawrlwytho am ddim o Google a'i roi yn hwylus ar ffôn neu dabled. Gallwch wedyn fynd am dro o gwmpas Caerfyrddin – naill ai ar droed neu o gludwch eich soffa – ac ymweld â llefydd sydd yn bwysig yn hanes heddwch a heddychiaeth y dref. Dyma enghraifft ragorol o wneud neges Cymdeithas y Cymod yn berthnasol i genhedlaeth ifancach. Lansiwyd yr 'Ap' ar 31 Ionawr 2014.

Cyflwyno y Llyfr Gwyn yng Nghaerfyrddin

Cyn hynny, yn 2011, roedd Cell Caerfyrddin wedi cynhyrchu llyfr mawr hardd a'i ddalennau'n lân: 'Llyfr Heddwch'. A'r enw swyddogol arno? 'Llyfr Gwyn Caerfyrddin'. Bellach, drwy ymroddiad Mererid Hopwood ac aelodau eraill o'r Gell, y mae rhai cannoedd o bobl hwnt ac yma yng Nghymru, a rhai ymhellach na hynny, wedi arwyddo'r 'Llyfr Heddwch' nodedig hwn. Ar 25 Hydref 2012, pan oedd Archesgob Emeritws Desmond Tutu ar ymweliad â'r Deml Heddwch a mannau eraill yng Nghymru, bu'n fraint fawr ganddo arwyddo Llyfr Gwyn Caerfyrddin. Gwnaeth hynny yn Ysgol Plas Mawr, Caerdydd. Dyma englyn ardderchog Tudur Dylan Jones i'r Llyfr Heddwch:

Rhag rhyfel, rhag creu gelyn, – yn annwyl
Daw'r enwau'n ddiderfyn;
Yn ddi-oed fe ddaw wedyn
Yfory gwell o'r Llyfr Gwyn.

Yn 2012 cynhyrchwyd Cynllun Datblygu gan Bwyllgor Gwaith y Gymdeithas. Prif amcan y cynllun oedd rhoi ffocws pendant i waith y Gymdeithas, gan greu cyfle i'r holl aelodau gyfrannu at y gwaith hwnnw, a hefyd gryfhau strwythur mewnol y Gymdeithas i sicrhau ei pharhad a'i ffyniant yn y dyfodol. Ar wahân i ganolbwyntio ar un brif ymgyrch dros dair blynedd (2012-2015) – sef Di-filitareiddio Cymru – mynegodd y cynllun awydd i ehangu'r aelodaeth, yn enwedig drwy gynyddu apêl y Gymdeithas at bobl ifanc a thrwy greu perthynas agosach â'r eglwysi a'r capeli. Mae'r datblygiad hwn i'w groesawu, yn rhoi i'r Gymdeithas seiliau clir a chadarn. Rhaid wrth fonitro'r cynllun yn rheolaidd, wrth gwrs, a bod yn agored i amgylchiadau a chyfleon newydd.

Rhwystrau i'w Goresgyn

Mae pob oes yn dod â'i rhwystrau ei hun, ac nid yw'r cyfnod hwn wedi bod yn eithriad. Mae rhai tueddiadau cymdeithasol a fu yn amlwg yn y cyfnod blaenorol wedi dod yn fwy amlwg fyth. Y newid sydd yn effeithio fwyaf ar waith Cymdeithas y Cymod, mae'n siŵr, yw dirywiad pellach ym mywyd yr eglwysi - yn enwedig y capeli Cymraeg eu hiaith. Ar y cyfan mae'u cynulleidfaoedd yn tueddu i fynd yn llai ac yn hŷn, sydd yn ei gwneud hi'n fwy anodd i gynnal gweithgareddau a changhennau. Ar lefel genedlaethol mae yna anhawster i ddod o hyd i swyddogion ac i rannu baich y gwaith sydd yn angenrheidiol i sicrhau ffyniant y Gymdeithas. Gellir honni hefyd fod y gymdeithas ar y cyfan wedi mynd yn fwy seciwlar a bod pobl yn llai tebygol o ymuno â grwpiau, ond yn fwy tebygol o ymgyrchu ar-lein drwy gyfryngau megis Trydar, Gweplyfr, a gwefannau. Nid yw'r datblygiadau hyn yn effeithio ar Gymdeithas y Cymod yn unig, wrth gwrs, ond mae ystyried eu goblygiadau yn bwysig wrth gynllunio ymlaen i'r dyfodol.

Yng nghanol y cyfnod o dan sylw daeth y Rhyfel Oer i ben. Er nad yw hyn wedi gwneud y byd yn lle mwy diogel, o anghenraid, ac er nad yw pentyrrau arfau niwclear y pwerau mawrion wedi'u lleihau yn sylweddol, cafodd y digwyddiad hwn effaith seicolegol, gan arwain at leihad yn nifer aelodau mudiadau heddwch, megis CND. Mae'r propaganda cynyddol ynghylch bygythiad terfysgaeth heddiw yn ei gwneud hi yn fwy tebygol y bydd i ganran helaeth o'r gymdeithas gefnogi polisïau amddiffyn Llywodraeth San Steffan – gan gynnwys cadw a moderneiddio arfau. O dan yr amgylchiadau hyn daeth yn fwyfwy pwysig i fudiadau heddwch gydweithio i drosglwyddo eu negeseuon ac i gryfhau ymgyrchoedd. Er bod hyn yn beth da ar yr un llaw, gall fod yn fwy anodd i grŵp bychan fel Cymdeithas y Cymod sicrhau bod ei lais a'i weledigaeth unigryw yn eglur – yn enwedig ein pwyslais ar gymod a didreisedd.

Ar ddiwedd yr Ail Ryfel Byd, a hyd yn oed ar ddechrau'r cyfnod dan sylw yn y bennod hon, roedd lle'r Fyddin yn ein cymdeithas ym Mhrydain yn weddol eglur. Erbyn hyn, fodd bynnag, mae effaith y Lluoedd Arfog ar ein bywyd bob dydd yn fwy cynnil, gan ymdreiddio yn ddistaw bach i bob agwedd o'r gymdeithas. Mewn cyfweliad yn *Y Cymro* ym mis Chwefror 2013 soniodd ein Hysgrifennydd ar y pryd, Arfon Rhys, am sawl datblygiad a oedd yn destun pryder iddo – gan gynnwys 'dathlu' 'Diwrnod y Lluoedd Arfog' yn flynyddol; mudiadau megis *'Help for Heroes'*; ymweliadau gan y Lluoedd Arfog â'n hysgolion i geisio recriwtio; a chytundebau rhwng y Lluoedd Arfog a cholegau i gynnig prentisiaeth i fyfyrwyr. Byddai Arfon wedi gallu ychwanegu'r ffaith bod pob awdurdod lleol yng Nghymru bellach â chytundeb gyda'r Lluoedd Arfog *('Armed Forces Community Covenant').* Amcan y cytundebau hyn yw 'annog cymunedau lleol i gefnogi'r Lluoedd Arfog yn eu hardal, a hyrwyddo dealltwriaeth ac ymwybyddiaeth ymhlith y cyhoedd am faterion sydd yn effeithio ar gymuned y Lluoedd Arfog.' Mae'r sefyllfa hon yn gofyn am wyliadwriaeth gyson gan grwpiau heddwch. Y mae hefyd yn anos i ymgyrchu yn ei herbyn gan fod y Lluoedd Arfog yn cael eu gweld fel rhan 'naturiol' o'r gymdeithas.

Agwedd arall sydd yn codi braw ar heddychwyr yn gynyddol yw'r duedd gan y Llywodraeth (yn San Steffan ac ym Mae Caerdydd) i ffurfio cytundebau gyda chwmnïau preifat – cwmnïau megis Raytheon a Qinetiq – i ddatblygu prosiectau milwrol yng Nghymru, gan honni y bydd y rhain yn cynnig swyddi i'r economi lleol. Yn achos yr Academi Filwrol arfaethedig yn Sain Tathan profwyd nad oedd hynny yn wir, ac yn Aberporth nid yw'r gymuned leol wedi cael llawer o fudd ychwaith. Ar wahân i hynny nid yw'r cwmnïau hyn yn atebol o gwbl i'r gymuned leol. Eu prif amcan yw gwneud elw. Gydag economi Cymru yn wan, fodd bynnag, hawdd yw dwyn perswâd ar bobl y bydd y datblygiadau hyn yn fuddiol.

Cydweithio ag eraill

Un peth sy'n sicr, bydd angen i Gymdeithas y Cymod gydweithio, fel erioed, gyda phob mudiad a chymdeithas sy'n bodoli i hyrwyddo heddwch, cyfiawnder a hawliau dynol, megis Canolfan Materion Rhyngwladol Cymru; grwpiau heddwch a chyfiawnder yng Nghymru; yr Urdd; ac, wrth gwrs, y sefydliadau eglwysig. Dwy gymdeithas eglwysig sydd wedi bod â chysylltiad maith ac uniongyrchol â Chymdeithas y Cymod yng Nghymru yw Cymdeithasau Heddwch yr Annibynwyr a'r Bedyddwyr. Eisoes yn y gyfrol hon, yn y bennod: 'Traddodiad Heddychol Cymdeithas y Cymod (1914-1945)', y mae Dr. D. Ben Rees wedi'n hatgoffa o gyfraniad gloyw Cymdeithas Heddwch yr Annibynwyr, yn deillio'n ôl i gyfnod y Rhyfel Byd Cyntaf, a da yw gallu ychwanegu bod y Gymdeithas hon yn parhau i gyhoeddi neges bwysig i Gymru heddiw, yn arbennig drwy gyfrwng ei darlithoedd.

Felly Cymdeithas Heddwch y Bedyddwyr. Gwraig a roes wasanaeth maith a ffyddlon i Gymdeithas Heddwch y Bedyddwyr yw Einwen M. Jones, Llansanffraid Glynceiriog, a fu'n Drysorydd y Gymdeithas er y saithdegau . Y Cadeirydd presennol yw'r Parchg Denzil I. John. Y Cadeirydd am flynyddoedd mewn cyfnod cynharach ydoedd y Parchg Lewis Valentine. Bu ef, fel y gwyddom, ac eraill o Enwad y Bedyddwyr, ar flaen y gad yn hyrwyddo heddwch. Yn Undeb Rhosllannerchrugog, Medi 1932, a droeon wedi hynny, er enghraifft, gwnaed penderfyniad bod y Bedyddwyr yn 'llwyr ymwrthod â dwyn arfau dinistr'. (Gw. Anerchiad Lewis Valentine, 13 Hydref 1936: *Paham y Llosgasom yr Ysgol Fomio,* t. 24.) Wedi marw Lewis Valentine ym 1986, dechreuwyd galw darlith flynyddol Cymdeithas Heddwch y Bedyddwyr yn 'Ddarlith Goffa Lewis Valentine'. Traddodwyd y ddarlith gyntaf, yn ôl yr enw hwn, yn ystod cyfarfodydd Undeb y Bedyddwyr, Dyffryn Maelor, 1987, gan un o gyn-Gadeiryddion Cymdeithas y Cymod, y Parchg Pryderi Llwyd Jones, a theitl ei ddarlith yn addas iawn ydoedd 'Lewis Valentine yr Heddychwr'.

Bu'n arfer ardderchog gan Gymdeithas Heddwch y Bedyddwyr i gyhoeddi Darlithoedd Coffa Lewis Valentine bron bob un, ac fe'u nodir gan Dr. D. Ben Rees yn ei Lyfryddiaeth ar derfyn y gyfrol hon. Cyfeillion ac aelodau o Gymdeithas y Cymod oedd awduron y darlithoedd hyn. Yn ogystal â darlith Pryderi, gellir nodi, er enghraifft, ddarlithoedd aelodau eraill o Bwyllgor Gwaith presennol Cymdeithas y Cymod: Guto Prys ap Gwynfor, *Amodau Shalom,* Llandudoch, 1998; Nia Rhosier, *Daearu Cariad Crist,*

Bae Colwyn, 1999; Mererid Hopwood, *Cymru'r Dyfodol: 'Cylch yn Treiglo'* neu 'Crud yn Siglo', Casllwchwr, 2011. Ceir rhestr gyflawn o'r darlithoedd a gyhoeddwyd hyd 2008 yng nghyfrol Robin Gwyndaf, *Rhyfel a Heddwch a Sancteiddrwydd Bywyd* (ymestyniad o Ddarlith Goffa Lewis Valentine, Undeb y Bedyddwyr, Caerdydd, 2008). Un sylw pellach. Pan draddodir darlithoedd Cymdeithasau Heddwch yr Annibynwyr a'r Bedyddwyr, gwneir casgliad, a chyflwynir cyfran ohono i gronfa Cymdeithas y Cymod.

..... a'r dyfodol?

Mae'r sefyllfa i heddychwyr yng Nghymru heddiw yn ddigon heriol, felly. Fodd bynnag, mae cyfleon ar y gorwel. Y prif gyfle yn y blynyddoedd i ddod yw canmlwyddiant y Rhyfel Mawr – a'r achlysur hwnnw yn fodd i ni godi ymwybyddiaeth am y rhai a safodd yn ddewr yn erbyn rhyfel – a dioddef o'r herwydd. Mae hi hefyd yn gyfle i dynnu sylw at y traddodiad heddwch yng Nghymru, gan goffáu nid yn unig gewri megis Henry Richard a George M. Ll. Davies, ond pobl lai adnabyddus yn ogystal. Mae Cymdeithas y Cymod yn bartner mewn prosiect o'r enw 'Cymru dros Heddwch' – ac os bydd i'r prosiect hwn lwyddo i gael ei ariannu gan Gronfa Dreftadaeth y Loteri, bydd yn ein galluogi i fod yn rhan o ddatblygu deunyddiau addysgol cyffrous a fydd yn annog pobl ifanc i ymchwilio i fywyd heddychwyr yn eu hardal, creu eu hadnoddau eu hunain, a dod yn rhan o drafodaeth am berthnasedd rhyfel a heddwch i'n cymdeithas heddiw. Gyda dyfalbarhad ac ymroddiad gall y degawd nesaf hefyd weld creu Academi Heddwch yng Nghymru.

Mae'n anodd gweld i'r dyfodol, ond mae'n debyg y bydd rhaid i ni aros yn wyliadwrus, gan gadw llygad barcud ar ddatblygiadau, yn arbennig, mewn canolfannau milwrol, megis Aber-porth a Llanbedr, a bod yn barod i weithredu. Dylem barhau i godi ymwybyddiaeth hefyd am rôl y

Protest Llabedr ym Meirionnydd

Lluoedd Arfog yn ein cymdeithas, a datgelu propaganda a chelwyddau lle mae'r rhain yn dod i'r amlwg. Er mwyn bod yn effeithiol dylem fanteisio ar y cyfryngau newydd – Gweplyfr, Trydar, Ap - a beth bynnag a ddaw nesaf, ond rhaid hefyd gofio cadw cysylltiad gyda'n cefnogwyr lleol a chreu rhwydweithiau byw ac effeithiol lle mae hynny'n bosibl.

Wrth gofio mai prif amcan ein Cymdeithas yw gweithio tuag at drefn gymdeithasol newydd yn seiliedig ar gariad a chymod, tybed o ble y daw'r angen am gymod yn y blynyddoedd i ddod? A ddylem wneud mwy o waith i hyrwyddo dealltwriaeth rhwng cymunedau Cristnogol a Mwslemaidd yng Nghymru? A fydd yna gyfleon i hybu hyfforddiant am ddulliau di-drais mewn ysgolion ac mewn cymunedau? Cawn weld!

Diweddglo

Wrth edrych yn ôl ar y 38 mlynedd ddiwethaf, beth fedrwn ni ei ddweud am gyfraniad Cymdeithas y Cymod i fywyd ac, yn bennaf, i'r agenda heddwch yng Nghymru? Gellir honni i'r Gymdeithas gael rhai buddugoliaethau. Ni ddaeth Academi Filwrol i Sain Tathan, er – mae'n debyg – fod rhesymau economaidd yn gyfrifol am hyn llawn cymaint ag unrhyw ymgyrchu gan grwpiau heddwch. Yn Hydref 1999 daeth buddugoliaeth fach yn hollol annisgwyl ynghylch Cwm Cilieni ar Fynydd Epynt pan gytunodd y Weinyddiaeth Amddiffyn i symud y geiriau 'The Battle of the Falklands was won on the Hills of Brecon' a rhoi yn eu lle faen coffa ar safle Capel y Babell, a dyfyniad o Eseia 2.4: '… hwy a gurant eu cleddyfau'n sychau a'u gwaywffyn yn bladuriau; ni chyfyd cenedl gleddyf yn erbyn cenedl, ac ni ddysgant ryfel mwyach.'

Er hynny, nid yn nhermau buddugoliaethau y dylid ystyried cyfraniad y Gymdeithas i heddwch yng Nghymru dros y blynyddoedd diwethaf. Bu aelodau'r Gymdeithas yn ffyddlon yn eu tystiolaeth am ffordd ragorach, ffordd cariad a chymod, ac fe wnaethant hynny yn ddyfal ac yn gyson drwy gynnal oedfaon, cyfarfodydd a phrotestiadau, drwy lythyru ac ymgyrchu. A phwy a ŵyr beth yw effaith eu hymdrechion? Ymddiried a wnaethant yng Ngallu, Doethineb a Chariad Duw y sonnir amdano yn ein *Sylfeini,* gan wybod 'ei fod Ef beunydd yn chwilio am y cyfle i dorri i mewn i'n bywyd mewn ffyrdd newydd a helaethach.' A'r ffydd hon fydd yn gymorth i ni aros yn ffyddlon i'n gweledigaeth fel heddychwyr yn y blynyddoedd i ddod ac i ganrif newydd yn hanes Cymdeithas y Cymod.

Dau Anerchiad

Robin Gwyndaf

Dyfyniadau o anerchiadau a draddodwyd ar ran Cymdeithas y Cymod ar risiau'r Senedd yng Nghaerdydd. Y cyntaf: 16 Hydref 2012. Yr ail: 14 Tachwedd 2012.

1. Na i Arfau Rhyfel; Ie i Hyrwyddo Heddwch

Mae pob bywyd yn sanctaidd. Y mae gan bob person yr hawl i fyw. Ond ymhob rhyfel, y nod ydi dwyn bywyd – lladd. A'r canlyniad? Poen, hiraeth, a dioddefaint dibendraw; dryllio teuluoedd a chymunedau.

Ar daflen Cymdeithas y Cymod yng Nghymru fe sgrifennwyd y geiriau hyn:

> 'Wedi miloedd o flynyddoedd o ryfela, mae'r byd [heddiw] yn y cyflwr mwyaf peryglus y bu erioed. Y gred mewn rhyfel sy'n gyfrifol am hyn. Rhyfel yw'r broblem, nid yr ateb.'

Mae Trident; mae pob arf niwclear; mae pob awyren ddi-beilot yn Aberporth: 'adar angau'; pob bom; pob tanc; pob llong danfor; pob gwn – mae'r cyfan yn symbol o ryfel a thrais; dioddefaint a phoen. Yn symbol o'r barbareiddiwch sy'n flotyn du yn hanes y ddynoliaeth.

Y mae Prydain yn un o'r gwledydd sy'n gwario fwyaf ar arfau – yn arfau niwclear, yn danciau, yn awyrennau, yn ynau. (Mae'n un o'r gwledydd hefyd sy'n gwerthu fwyaf o arfau rhyfel i wledydd eraill.) A pham? Er mwyn 'amddiffyn'? Amddiffyn pwy? Amddiffyn beth? A gwario'r fath arian pan fo cymaint o'i angen yng Nghymru, ym Mhrydain, a'r byd. Cymaint yn dioddef o dlodi a newyn, o sychder a diffyg dŵr glân. Cymaint o angen yr arian ym myd addysg, meddygaeth, a chartrefi gofal.

Oni wyddom, oni chlywsom, y mae'r gost o adfer Trident o leiaf yn 100 biliwn o bunnoedd? Ie, miliwn o filiynau. Am gost un awyren ryfel, gallwn adeiladu un ysbyty gyfan. Gwae ni oni chodwn ein llef yn erbyn y fath anwarineb; y fath ymddygiad ymherodrol; y fath ffolineb.

Y mae Llywodraeth Cymru yn dweud nad oes a wnelo nhw ddim byd oll â hyn: Llywodraeth Prydain sy'n gyfrifol am faterion amddiffyn. Dyna'r drefn – a dyna ni. Ond rydyn ni yma heddiw i ddweud wrth bob aelod o'r Cynulliad bod ganddyn nhw gyfrifoldeb.
Y mae ganddyn nhw, mae gan aelodau eglwysig, mae gan aelodau pob cymdeithas a mudiad yng Nghymru – mae gan bawb, yn cynnwys bob un ohonom ni, ein rhan hollbwysig i sicrhau: yn lle ein bod ni'n hyrwyddo diwylliant rhyfel a thrais, ein bod ni yn hyrwyddo diwylliant heddwch a thangnefedd.

Rydyn ni yma heddiw i ddweud bod gan bob un ohonom ni ein rhan i sicrhau y bydd Cymru – ie, Cymru – yn arwain yn Ewrop a'r byd i chwifio baner cyfiawnder a heddwch. Rydyn ni yma heddiw i ddweud: am bob ymgais i gefnogi Trident; pob arf niwclear; pob bom; pob taflegryn; pob tanc; pob awyren ryfel; pob llong danfor, a phob defnydd o Aber-porth a Chymru i ymarfer a hedfan awyrennau di-beilot – rydyn ni yma i ddweud: na, na, na.

Ond rydyn ni yma hefyd i ddweud: am bob ymgais i hyrwyddo cyfiawnder a heddwch; pob ymgais i waredu arfau rhyfel; i atal y Fyddin rhag mynychu ysgolion; i atal y Fyddin, y Llynges a'r Llu Awyr rhag hysbysebu ar y teledu; pob ymgais i roi hawl i Gymdeithas y Cymod ac unrhyw fudiad arall i gynnwys hysbyseb o blaid heddwch ar y teledu; am bob cefnogaeth i gymdeithasau a mudiadau sy'n ymweud â chyfiawnder a heddwch, megis Canolfan Materion Rhyngwladol Cymru, yn Y Deml Heddwch yng Nghaerdydd; ac am bob cefnogaeth i sefydlu Academi Heddwch Cymru – er mwyn hyn oll rydyn ni yma i ddweud: ie, ie, ie.

2. Na i'r Fyddin Fynychu Ysgolion; Ie i Gyflwyno Astudiaethau Heddwch a Chyfiawnder

… Y geiriau hyn yn nheitl yr anerchiad hwn, dyna'r neges y dylai plant ac ieuenctid Cymru gael ei chlywed yn gyson ac yn hyglyw heddiw. Ond be sy'n digwydd mewn amryw o ysgolion ein gwlad y dyddiau hyn? Y Fyddin yn cael caniatâd i ymweld â'r ysgolion hynny ac i annog – neu a ddylwn i ddweud: i ddenu – plant i ymuno.

O'r 27 o wledydd yn y Gymuned Ewropeaidd, Prydain ydi'r unig un i ganiatáu hyn, er bod hynny'n groes i Gonfensiwn y Cenhedloedd Unedig ar Hawliau Plant. Yn fwy difrifol fyth, er bod Prydain ei hun wedi llofnodi'r union Gonfensiwn hwn. Y fath ragrith. Y fath sefyllfa dorcalonnus.
Wrth gwrs, bydd y Fyddin ei hun yn dadlau'n chwyrn nad ydi hi, mewn gwirionedd, yn 'recriwtio', yn 'annog', nac yn 'denu'. Dim ond 'addysgu' y maen nhw. Hynny ydi, dweud y maen nhw: gyrfa mor anturus ac ardderchog sydd ar gael drwy ymuno â'r Fyddin, ac yn enwedig mewn ardaloedd difreintiedig a chymaint yn ddi-waith. Cyfle i weld y byd. Prentisiaeth heb ei hail. Swyddi ardderchog. Cyflog rhagorol.

Ond a ydyn ni i gredu hyn oll? Fydd rhywun yn sôn wrth y plant hefyd am y galon o garreg y mae'n rhaid iddyn nhw ei chael i ladd un o'u cymrodyr ar faes y gad? Fydd rhywun yn sôn wrthyn nhw am ofn a phryder a gofid teulu yn aros, ddydd ar ôl dydd, i glywed newyddion am eu hannwyl fab neu ferch? Ac a fydd rhywun yn sôn wrthyn nhw am yr effaith ddirdynnol y mae rhyfel a bywyd yn y Fyddin yn gallu'i gael ar iechyd a phersonoliaeth?

Rydyn ni yma heddiw, felly, i gyflwyno deiseb ac i ddweud mewn llais clir wrth Lywodraeth Prydain a Llywodraeth Cymru am wahardd y Fyddin yn llwyr, ac ar unwaith, rhag ymweld ag unrhyw un ysgol yn ein gwlad. Yn lle hynny, galwn ar ein Llywodraeth yma ym Mae Caerdydd i sicrhau y bydd astudiaethau cyfiawnder, heddwch a hawliau dynol yn dod yn fuan yn rhan greiddiol o addysg plant ac ieuenctid Cymru …

John Owen

Mererid Hopwood.

D. Ben Rees

C. Rhai o Arweinwyr Adnabyddus y Gymdeithas

'Bod Llariaidd mewn Byd Lloerig'
George Maitland Lloyd Davies, y Cymodwr

D. Ben Rees

Aflonyddwr ei oes – a phob oes o ran hynny – oedd George M. Ll. Davies, fel ei hadnabyddir ar lwyfan hanes. Fe'i ganwyd yn freiniol i deulu cefnog o Gymry Lerpwl. Ei dad, John Davies, wedi ei eni yn y ddinas. Hanai ei dad ef o Lanilar yng Ngheredigion. Daeth John Davies yn ŵr cyfrifol, Cadeirydd Pwyllgor Gwaith Eisteddfod Genedlaethol Cymru ar ei hymweliad â Lerpwl ym 1884, a chynghorydd ar Gyngor y Ddinas dros y Blaid Ryddfrydol. Roedd ei ddiddordebau yn eang, a daeth yn fasnachwr te llwyddiannus. Roedd ei briod, Gwen, yn ferch i un o bregethwyr amlycaf oes Fictoria, y Parchg John Jones, Tal-y-sarn, Dyffryn Nantlle, a'i mam, Fanny Jones yn wraig nodedig am gael dau ben llinyn ynghyd. Nid oedd Gwen Davies am adael i un o'i chwe phlentyn, yn arbennig y pedwar bachgen a anwyd iddi yn Toxteth, Lerpwl: Glyn (a ddaeth yn Athro Celteg ym Mhrifysgol Lerpwl), Frank, Stanley na George, anghofio eu cefndir Methodistaidd Calfinaidd Cymraeg.

John Davies

Gwen Davies

Teulu, addysg a gwaith

Ganwyd George M. Ll. Davies ar 30 Ebrill 1880 yn 55 Peel Street, yna bu'r teulu yn Belvidere Road ac, ar ôl 1891, yn 38 Devonshire Road, Princes Park. Bedyddiwyd ef yng nghapel hardd Princes Road gan weinidog Gwen, Dr Owen Thomas. Roedd ef yn ymwelydd cyson â'r cartref hwn. Byddai'n arfer dod, fel gŵr gweddw, i ginio a the ar y Sul, ac eraill o bregethwyr y bobl. Ond fe ddaeth George M. Ll. Davies wyneb yn wyneb â chwmwl du pan syrthiodd ei dad ym Mawrth 1891 yn ariannol. Aeth yn fethdalwr. A dyma'r rheswm pam yr ymddiswyddodd fel blaenor ym 1892, a pham y mae J. Hughes Morris a Freeman Williams ac eraill yn dawedog yn ei gylch wrth groniclo hanes Eglwys Princes Road. Nid oedd gan y Methodistiaid Calfinaidd Cymraeg gydymdeimlad o gwbl â phobl yn methu, a deallwn mai ar hyd stryd y cefn, ac ar ei ben ei hun, yr âi John Davies i'w gapel wedi'r methdaliad. Ond nid felly Gwen Davies. Mynnai hi wisgo ei dillad sidan a cherdded i mewn fel cynt i Eglwys 'gadeiriol' Princes Road a'i phlant ar ei hôl ac eistedd yn sedd flaenaf y gangell. Nid oedd John Davies yn cael eistedd gyda hwy. Sleifiai ef i mewn drwy ddrws yn y festri, gan eistedd ar ei ben ei hun yn y gornel bron o dan yr organ newydd. Roedd Gwen Davies wedi etifeddu rhuddun ei rhieni ac roedd George yn ffefryn ganddi. Cafodd bob cyfle, ysgol breifat i ddechrau ac yna yr enwog Liverpool Institute. Gofalai ei fam fod y Gymraeg yn cael ei chryfhau yn ei hanes ac anfonwyd ef ar wyliau'r ysgol i Langernyw a Dolwyddelan, a gwlad Llŷn, yn enwedig i Erw Goch (Morfa Nefyn); Melin Edern, Anhegraig (Aberdaron); a Phlas Bach (Ynys Enlli). Fel ei frawd hynaf, Glyn, syrthiodd mewn cariad â Llŷn a'i phobl, a deuai yn aml yno weddill ei oes am gynhysgaeth ysbrydol a chefnogaeth fel Tyst Heddwch.

Gadawodd y Liverpool Institute yn un ar bymtheg oed, a chafodd waith fel clerc ym Manc Lerpwl yn Water Street. Er iddo lwyddo o fewn strwythur y banc, nid oedd yn fodlon ei fyd. Yn wir, ni fu ar hyd ei oes. Roedd yn enaid aflonydd, ac yn greadur dwys a thyner ei emosiynau. Er na chafodd ei gyffwrdd gan Ddiwygiad Crefyddol 1904-1906, roedd yn llygad-dyst o Evan Roberts yn y cyfarfodydd mawr a gynhaliwyd yn y ddinas. Daeth ei fam o dan gyfaredd y Diwygiwr ac yn un o weddïwyr eneiniedig y Diwygiad yn Lerpwl. Galwai'r mab hi yn 'Mater' a phwysai ei fam arno i ddilyn llwybrau ei daid a'i ewythr (ei brawd), y Parchg David Lloyd Jones,

Llandinam. A phan fu farw y Parchg David Lloyd Jones yn Nhachwedd 1905, cafodd ysgytiad pan ddywedwyd fod John Jones, Tal-y-sárn, ei daid, ar ei wely angau wedi trosglwyddo ei weinidogaeth rasol Galfinaidd gymedrol i'w fab, a bellach pwy oedd i dderbyn y gwaddol hwnnw ar ôl David Lloyd Jones (1843-1905) a fu'n weinidog eglwys Saesneg Llandinam am ddeg mlynedd ar hugain? Meddai George ar nodweddion ei ewythr, sef dynoliaeth gyfoethog, personoliaeth hardd a golwg gŵr deallus, ond nid oedd yn barod eto i genhadaeth hedd ymysg yr enwad a olygai gymaint i'w fam a'i daid. Ym 1905 roedd ganddo gwestiynau diwinyddol anghyfforddus a ddisgwyliai atebion, ac yn fwy dirdynnol na'r cwbl, yr hen elyn a fu'n drybeilig o drafferthus ar hyd ei oes, sef iselder. Deuai'r digalondid heibio ers dyddiau llorio ei dad, a gwelwyd ef laweroedd o weithiau yn wylo dagrau am fethiant pobl Dduw i gyd-fyw yn gytûn.

O faes y gad i faes heddwch a chymod

Ym 1908 dyrchafwyd ef yn oruchwyliwr Cangen Wrecsam o Fanc Lerpwl. Roedd ei frawd, Stanley, yn gweithio mewn swyddfa insiwrans ac, ar ôl marwolaeth ei dad, daeth eu mam i fyw atynt. Yn Wrecsam cyfarfu â merch a'i cyfareddodd, Miss Leslie Royden Smith o Chelsea, ac athrawes yn Grove Park. Daeth hi yn wraig oddefol ac yn fam dda, yn ôl pob tystiolaeth. Ymunodd George M. Ll. Davies hefyd â Bataliwn 4 o'r Ffiwsilwyr Cymreig, ef a'i frawd Stanley a'i ffrind mawr o ddyddiau Lerpwl, Dan Thomas, Sosialydd brwd o annwyl goffadwriaeth. Ond nid oedd merch Tal-y-Sarn yn hapus o gwbl gyda diddordeb ei meibion; ei fod ef, George, o bawb, yn ei geiriau hi ei hun, yn barod i 'wisgo i fyny i ddysgu lladd dynion'. Disgrifiad gwych. Gwelodd George M. Ll. Davies ystyr ei dywediad yn fuan iawn. A dywedodd wrth Dan Thomas: 'Sylweddolaf fy mod trwy ymuno â'r fyddin i'm cymhwyso fy hun i gymryd bywyd cyd-ddyn wedi ymddwyn yn groes i ewyllys Duw, ac wedi bradychu Crist.' Ymddiswyddodd o'i gomisiwn ac o'i swydd yn y banc, ac am weddill ei oes bu'n gwbl rydd o hualau swyddi sy'n caethiwo'r meddwl. Ymdaflodd i waith yr heddychwr. Rhoddodd hwb i Gymdeithas y Cymod o'r cychwyniad. Teithiodd ledled y wlad i weithredu cymod. Daeth yn Gymodwr di-ail. Dioddefodd garchar dros ei argyhoeddiadau. Bu ym mhedwar carchar: Wormwood Scrubs, Knutsford, Dartmoor a Smethwick. Enillodd rai swyddogion a llawer o'r carcharorion i'r ffordd ddi-drais. Ceisiodd y chwiorydd, Gwendoline a Margaret Davies,

Dan Thomas

Gosod plac ar Gartref George Maitland Lloyd Davies yn Devonshire Place Lerpwl

Llandinam, ei gael i droi Gregynog yn ganolfan diwylliant a chymod, ond, er iddo ef a'i briod a'r ferch fach symud yno, ni ddaeth y cynllun i weithrediad. Roedd y Cymodwr yn methu aros yn ei unfan. Roedd arno awch anniwall i drosglwyddo ffordd y Cymod i'w genedl oedd o dan gyfaredd David Lloyd George, yntau wedi meddwi ar rym a gallu byddinoeddd y Gorllewin. Derbyniodd wahoddiad i sefyll am sedd Prifysgol Cymru yn y Senedd yn Etholiad Cyffredinol 1923. A chyda mwyafrif bach iawn fe gariodd y dydd.

George Maitland Lloyd Davies (Heddychwr Cristnogol)	570
Joseph Jones, Prifathro Coleg Coffa Aberhonddu (Rhyddfrydwr)	560
Yr Uwch-Gapten John Edwards (Cyn-Aelod Seneddol Aberafan)	467

Cafodd gyfle yn ei gyfnod byr o flwyddyn i lefaru ar fater dwys Iwerddon, gan y bu'n allweddol i ddod â David Lloyd George a De Valera i gytundeb a chreu Gogledd Iwerddon. Collodd y sedd i'r Rhyddfrydwr, Capten Ernest Evans, yn Etholiad Cyffredinol 1924.

Y Weinidogaeth Gristnogol

Gwelodd ddrws arall yn agor mewn ychydig amser, y weinidogaeth Gristnogol Gymraeg. Ordeiniwyd ef yn Sasiwn Rhosllannerchrugog, Tachwedd 1926, yn weinidog gyda'r Eglwys Bresbyteraidd, a derbyniodd alwad i ofalaeth ddwyieithog Tywyn a Chapel Cymraeg Cwm Maethlon yn Henaduriaeth Gorllewin Meirionnydd. Etholwyd ef yn aelod o Gyngor Tywyn, a chafodd gyfle da i drosglwyddo neges y Cymod. Ond roedd ceidwadaeth y Cyfundeb yn fwrn ar ei ysbryd, a bu'r modd y triniwyd ei gyfaill mawr, Tom Nefyn Williams, gan Sasiwn y De, yn ddigon i'w orfodi i ymddiswyddo o'r 'bagad, gofalon bugail'.

Derbyniodd ysgoloriaeth i Goleg Woodbrooke, Selly Oak, Birmingham, ac erbyn Ionawr 1932 roedd ym Mryn-mawr, Sir Fynwy, yn helpu'r Ganolfan Gymdeithasol a oedd yno. Roedd ef a'i briod yn rhan o'r Crynwyr erbyn hyn. Bu am gyfnod yn Rhosllannerchrugog ac yna ym Maes yr Haf, Trealaw, yn y Rhondda Fawr, yn helpu William ac Emma Noble. Daeth yn rhan annatod o'r gwaith o gysuro y difreintiedig a'r di-waith. Gwnaed ef yn Warden bob haf ar y Gwersyll Gwyliau a gynhelid yn yr Hen Fragdy yn y Wig, ger Y Bont-Faen. Bu yno o 1932 hyd 1939. Anfonid hanner cant o bobl o bob oedran am wyliau bob rhyw bythefnos o adnewyddu o dan gyfaredd y Warden. Roedd y Cymodwr yn ennill bob tro. Cariad yn gweithredu a Gras Duw yn cofleidio pobl y Cymoedd drwy weddïau, anerchiadau a chyhoeddiadau yr heddychwyr. Ysgrifennodd lawer adeg yr Ail Ryfel Byd, yn arbennig ei bamffledi gwerthfawr a'i glasuron *Pererindod Heddwch a Profiadau Pellach* (Gwasg Gee). Bu'n cefnogi llyfrau eraill ac yn amddiffyn y dewrion a wrthodai ymrestru yn y fyddin. Bu'n gefn iddynt mewn tribiwnlysoedd, fel y bu'r Parchg D. E. Williams, Pontyberem, yng Nghwm Gwendraeth.

'Bod llariaidd mewn byd lloerig'

Erbyn 1946 roedd dyddiau euraid Maes yr Haf ar ben. Roedd ei iechyd yntau yn ddigon simsan. Ymneilltuodd ei briod ac yntau i Ddolwyddelan. Roedd yn dal i grwydro dros Gymdeithas y Cymod. Cofiaf ei glywed yn Sasiwn Llanddewibrefi (1948) mewn Cyfarfod Heddwch, a thrysoraf y fraint fy mod wedi gweld un o fawrion cenedl y Cymry. Roedd erbyn hyn wedi ei ethol yn flaenor yng Nghapel Moriah, Dolwyddelan. Treuliodd gyfnodau yn Ysbyty'r Meddwl, ac ar 16 Rhagfyr 1949 fe ymgrogodd yn un o wardiau Ysbyty Gwynfryn, Dinbych. Felly y daeth i ben fywyd ymroddedig iawn. Gosodwyd ef ar 20 Rhagfyr, gerbron cannoedd o Gymry, i orffwys ym mynwent Bryn y Bedd, Dolwyddelan. Mangre pererindod wedi hynny, yn sicr, i bob heddychwr Cristnogol. Lluniwyd aml englyn iddo. Dewisaf un yr Athro J. Gwyn Griffiths, Abertawe, gan fod George M. Ll. Davies yn galw yn ei dro i sgwrsio yn y cylch rhyfeddol hwnnw o feirdd a heddychwyr a adnabyddid fel Cylch Cadwgan yn y Rhondda Fawr, adeg yr Ail Ryfel Byd.

> Er nam y bru annhymig – a luniodd
> Erch lwynau llu'r goedwig,
> Erys dawn i oroesi dig:
> Bod llariaidd mewn byd lloerig.

Y mae'r llinell olaf yn gampwaith ac yn crynhoi bywyd a gwaith y cymodwr hwn yn berffaith: 'Bod llariaidd mewn byd lloerig.'

Sail Heddychiaeth Gwynfor (1912-2005)

Guto Prys ap Gwynfor

Ganed Gwynfor Evans yn Y Barri ddwy flynedd cyn dechrau'r Rhyfel Byd Cyntaf pan oedd yr ymerodraeth Brydeinig yn ei hanterth. Yn ystod ei blentyndod a'i ieuenctid yr unig werth a roddwyd ar Gymru oedd y cyfoeth mawr a ddeuai o'i meysydd glo, y cynnyrch a yrrai lynges ymerodrol Prydain i'w chaniatáu i ymestyn ar draws y byd. Nid ystyriwyd ei chenedl, ei hiaith na'i diwylliant, i fod o unrhyw werth, yn wir gwadwyd eu bodolaeth; *For Wales see England* oedd yr unig gyfeiriad ati yn yr *Encyclopædia Britannica* cyntaf. Erbyn diwedd ei oes yr oedd yr ymerodraeth wedi diflannu i bob pwrpas a Chymru wedi ennill rhyw gymaint o hunanlywodraeth, a sefyllfa yr iaith a'r diwylliant yn llawer mwy gobeithiol, er yn dal yn fregus iawn. Cyfraniad mwyaf Gwynfor oedd y ffaith bod Cymru bellach yn genedl gydnabyddedig, a'i hiaith a'i diwylliant yn cael rhywfaint o gefnogaeth (er nad yw'n ddigon o bell ffordd) gan y wladwriaeth. Rhan allweddol o'i gyfraniad yw'r ffaith bod hyn wedi digwydd heb ddefnyddio trais i'w sicrhau. Anonest fyddai dweud na fu unrhyw drais o gwbl, ond, diolch i arweiniad Gwynfor ac eraill yn y mudiad cenedlaethol, ymylol oedd y trais hwnnw.

Teulu a threftadaeth

Er mwyn gallu deall Gwynfor a'i gyfraniad yn iawn, rhaid deall ei gefndir a'i fagwraeth, a ddylanwadodd yn drwm iawn arno. Ei rieni oedd Dan a Catherine Evans, dau â'u gwreiddiau'n ddwfn yn Sir Gaerfyrddin a gorllewin Sir Forgannwg. Hanai teulu ei dad o Langadog, Llanfihangel-ar-arth a Felindre Llangyfelach, a theulu ei fam o Gydweli a Llangyndeyrn. Anghydffurfwyr oedd y rhan fwyaf ohonynt – yr unig eithriad oedd ei dad-cu ar ochr ei fam a oedd yn warden yn eglwys Cydweli. Ond ei dad-cu ar ochr ei dad oedd ei arwr mawr. Ben Evans oedd hwnnw, gweinidog gyda'r Annibynwyr, ac ef oedd yn gyfrifol am gymryd y teulu i'r Barri. Cyn dod yn weinidog yn y Tabernacl, yng nghanol tre'r Barri, bu'n weinidog yn eglwysi Annibynnol Seilo, Melincryddan, Castell-nedd a Lloyd Street, Llanelli.

Roedd James Evans, tad Ben a hen dad-cu Gwynfor, yn anghydffurfiwr radical i'r carn. Daeth i'r Felindre o Alltwalis, plwyf Llanfihangel-ar-arth, ac roedd ei dad yntau yn ddiacon gyda'r Annibynwyr ym Mhencader. Gwehydd oedd o ran ei grefft a diacon yn Nebo, capel yr 'Anymddibynwyr' (chwedl y garreg ar dalcen y capel). Fe wrthododd ganiatáu i'w fab fynd i'r ysgol ddyddiol yn Felindre am ei bod yn ysgol eglwysig! Merch ffarm ac aelod yn Salem, Llangyfelach, capel y Bedyddwyr, oedd Ann Bowen a ddaeth yn wraig i James. Ganwyd iddynt bump o blant a oroesodd eu plentyndod. Aeth tri o'r meibion i'r weinidogaeth gyda'r Annibynwyr ac un yn filwr proffesiynol! Addysgwyd Ben adref ac yn yr Ysgol Sul. Aeth yn was ffarm at ei ewythr yn Salem, Heolgaled, ger Llandeilo; gweinidog gyda'r Annibynwyr, ffarmwr a milfeddyg oedd David M. Evans. Ar ôl bod yno am nifer o flynyddoedd aeth Ben i Ysgol Ramadeg Llangadog lle roedd Watcyn Wyn yn athro. Yno dechreuodd y berthynas gydag Elizabeth, a ddaeth yn wraig iddo. Merch Dan James, ffarmwr Caesiencyn a phen blaenor Gosen y Methodistiaid oedd hi. Yn yr ysgol yn Llangadog y derbyniodd yr unig addysg ffurfiol a gafodd cyn mynd i Goleg Coffa'r Annibynwyr yn Aberhonddu i baratoi ar gyfer y weinidogaeth.

Ben Evans oedd arwr mawr Dan a Catherine Evans; ac fe fagwyd Gwynfor i'w edmygu a'i ystyried fel *role-model* i'w efelychu. Drwy ei oes bu Gwynfor yn edmygydd o'r werin anghydffurfiol a fynnodd addysgu eu hunain a chyfrannu'n greadigol i ddiwylliant eu bröydd a'u cenedl. Pan oedd yn fachgen ysgol byddai'n mynd ar ei wyliau at ei deulu yn Llangadog a hefyd i Lanwrtyd. Dwy ardal oedd yn gwbl Gymraeg eu hiaith a'u diwylliant yn y cyfnod hwnnw, y 1920au a'r 30au, gyda'r eglwysi anghydffurfiol yn ganolbwynt i'r bywyd cymunedol bywiog. Fe gwympodd mewn cariad â'r ardaloedd hynny gyda'u Cymraeg cyhyrog a'u diwylliant llenyddol a cherddorol cyfoethog. Yn Llangadog arhosai gyda'i berthnasau yn y Bacwai (Heol Gwallter) yn rheolaidd; byddai'r teulu yn ymweld â Llanwrtyd yn achlysurol, tref y ffynhonnau oedd yn boblogaidd iawn gyda'r glöwyr; byddai nosweithiau llawen a chyngherddau yn cael eu cynnal yno bron yn nosweithiol yn ystod yr haf. Yno fe ddaeth ar draws diwylliant Cymraeg y colier, diwylliant oedd yn prysur ddiflannu yn y cyfnod hwnnw. Dywedai'n aml mai mynd yn llawer tlotach y gwnaeth diwylliant y cymoedd wrth i'r Gymraeg ddiflannu. Wedi iddo symud i Langadog ym 1940 a phriodi Rhiannon ym 1941, fe ymdaflodd y ddau i fywyd yr ardal.

Rhiannon, Dan Thomas, a George M. Ll. Davies

Trwy'r mudiad heddwch y daeth i gysylltiad â Rhiannon. Roedd ei rhieni hi yn heddychwyr, a'i mam, Lys, wedi dod yn drysorydd mudiad Heddychwyr Cymru ym 1937, ac roedd yn dal y swydd pan ddaeth Gwynfor yn ysgrifennydd ym 1938. Cangen Gymreig y *Peace Pledge Union* (PPU) oedd Heddychwyr Cymru. Dyma'r cyfnod y dechreuodd gydweithio gyda George M. Ll. Davies, heddychwr mwyaf egnïol yr ugeinfed ganrif. Cychwynnodd eu cyfeillgarwch pan fu Gwynfor yn helpu George M. Ll. Davies fel gwirfoddolwr i baratoi gwyliau i blant glowyr y Rhondda. Ffrind mawr i'r heddychwr oedd y cyn-filwr a gafodd ei glwyfo a'i rewi yn y ffosydd yn ystod y Rhyfel Byd Cyntaf, sef Dan Thomas, tad Rhiannon, aelod brwd a gweithgar o'r ILP yn Lerpwl a brofodd dröedigaeth i heddychiaeth a chenedlaetholdeb Cymreig o dan ddylanwad 'dau berson – Iesu Grist a Lys' (ei wraig), oedd ei ymffrost yn aml. Gŵr annibynnol iawn ei feddwl ydoedd a ddyfynnai'n aml ei fod yn 'pacifist, with the emphasis on the fist'!

Un o atgofion cynharaf Gwynfor oedd gweld y milwyr yn martsio drwy'r Barri i'r dociau i ddal y llongau a'u cludai i Ffrainc neu Wlad Belg pan oedd yn blentyn ysgol gynradd. Gwnaeth dau beth argraff fawr arno fel plentyn, yr afr ar flaen y milwyr a dagrau'r dynion ifanc.

Cyfoeth y traddodiad Cristnogol anghydffurfiol

Yn sail i heddychiaeth Gwynfor, a'i holl feddwl a gweithredoedd fel heddychwr a chenedlaetholwr, oedd ei Gristnogaeth. Ni ellir osgoi'r ffaith hon. Credai fod Duw, y creawdwr a ffynhonnell bywyd, yn gariad; a bod Iesu wedi dod i'r byd er mwyn dangos Duw i'r ddynoliaeth ac i agor y ffordd i achub y byd. Yr hyn sy'n peryglu'r byd yw trachwant a hunanoldeb dynol a fynegir drwy raib, rhyfel, imperialaeth a materoliaeth; ac a gynhelir gan strwythurau gwleidyddol ac economaidd anghyfiawn. Dyma fel mae pechod, sef amherffeithrwydd dynol, yn ei fynegi ei hunan. Daeth Iesu i agor ffordd arall – ffordd tangnefedd, ffordd cyfiawnder, hunan-aberth; mewn gair, ffordd cariad. Ffordd ddyrchafol yw'r ffordd hon sy'n rhoi gwerth ac urddas ar bob unigolyn, cymdeithas a chenedl. Dyma ffordd y Creawdwr ei hun ac, o'r herwydd, dyma'r ffordd sy'n sicr o ennill yn y pen draw; y mae'r fuddugoliaeth honno wedi ei harddangos i'r byd yn yr Atgyfodiad.

Yr Eglwys yw corff Crist ar y ddaear. Efelychu ffordd Iesu yw ei braint a'i dyletswydd. Nôl yn y 1930au ni welai Gwynfor fod y traddodiadau eglwysig offeiriadol, sef y Pabyddion, Anglicaniaid a'r Uniongred, yn gwneud hynny. Y maent yn hierarchaidd eu strwythurau ac yn sefydliadol eu gogwydd. Teimlai eu bod yn 'cydymffurfio â'r byd hwn'. Rhaid cofio bod pethau wedi newid cryn dipyn yn ystod y genhedlaeth neu ddwy ddiwethaf gyda'r enwadau 'sefydliadol' yn prysur golli eu grym a'u dylanwad ac, o ganlyniad, yn dod yn fwy 'anghydffurfiol'.

Ac anghydffurfiwr o argyhoeddiad dwfn iawn oedd Gwynfor. Pan gyflwynais fy hun i'r weinidogaeth cefais aml sgwrs gydag ef am ei syniadau Cristnogol. Pwysleisiai mai gwrthod cydymffurfio â'r wladwriaeth oedd ystyr anghydffurfiaeth. Wrth sôn am yr anghydffurfwyr cynnar dywed Gwynfor yn ei gyfrol *Diwedd Prydeindod*:

> 'Y rhain oedd y 'separatists' cyntaf i godi yng Nghymru ar ôl iddi gael ei hymgorffori yn Lloegr; hwy oedd y cyntaf i anghydffurfio â'r drefn Seisnig. Am fod Eglwys Loegr yn sefydliad gwladwriaethol Seisnig, a'r rhai a fynnai fod yn annibynnol arni, boed y rheiny yn Annibynwyr, yn Fedyddwyr, yn Bresbyteriaid neu'n Grynwyr, yn fygythiad i'r drefn wladol Seisnig ... Da oedd bod cnewyllyn o Gymry cadarn a deallus na chydymffurfiai â'r Wladwriaeth Seisnig yn ei gwedd grefyddol, ac a fyddai'n arddel radicaliaeth a ystyriwyd hefyd yn fygythiad i'r drefn.'

Y traddodiad anghydffurfiol hwn oedd magwrfa heddychiaeth fodern, gyda'i wreiddiau'n ymestyn nôl i'r gangen o'r Diwygiad Protestannaidd a adnabyddir fel y Diwygiad Radical a ddechreuodd yn y Swisdir yn y 1520au. Mynegwyd y meddylfryd hwn yn gyntaf ymhlith y Crynwyr yng ngwledydd Prydain, cyn ymledu i ddylanwadu ar yr enwadau anghydffurfiol eraill. Erbyn canol y bedwaredd ganrif ar bymtheg yr oedd anghydffurfwyr selog fel Henry Richard (1812-88) a Samuel Roberts, Llanbryn-mair (1800-85), yn arweinwyr cadarn i'r mudiad heddwch. Ymfalchïai Gwynfor yn y traddodiad hwn. Y pwyslais a roddai'r heddychwyr hyn oedd bod rhyfel yn gwbl anghydnaws â'r Efengyl Gristnogol.

Tystiodd Gwynfor i'r dylanwad adeiladol a gafodd y diwylliant anghydffurfiol ar bobl Y Barri pan oedd yn ifanc. Tref ddiwydiannol a chosmopolitanaidd iawn oedd Y Barri, ac roedd y Gymraeg wedi diflannu bron yn llwyr o'i strydoedd. Ynysoedd o Gymreictod yng nghanol y môr o Seisnigrwydd oedd y capeli anghydffurfiol. Soniodd droeon am y gwahaniaethau amlwg a welwyd rhwng pobl y capel a phobl eraill y dref honno. Nid oedd pobl y capel wedi cael gwell addysg na'r gweddill, nid oeddynt o ddosbarth uwch yn gymdeithasol (capel y *coal trimmers* y galwyd y Tabernacl lle bu'n aelod yn Y Barri, a lle bu ei dad-cu yn weinidog a'i dad yn ddiacon); gweithwyr cyffredin oedd y mwyafrif o'r diaconiaid a'r aelodaeth yn gyffredinol. Ac eto, roedd eu bywydau yn llawer mwy creadigol, a'u diwylliant yn llawer cyfoethocach na'r rhelyw. Creodd hyn argraff fawr arno, a gadawodd y ffaith taw Cymraeg oedd cyfrwng y diwylliant hwnnw ei ôl annileadwy arno. Pan ddaeth i Langadog i fyw, ymdaflodd yn llwyr i fywyd diwylliannol y capel a'r pentref. Yr oedd, ar hyd ei oes, wrth ei fodd mewn cyngherddau a nosweithiau llawen yn gwrando ar bobl leol yn adrodd a chanu, a byddai yn ei ddagrau'n aml wrth chwerthin ar yr hiwmor gwerinol. Canmolai a gwerthfawrogai eu hymdrechion yn ddi-eithriad; hyd yn oed pan nad oeddynt, yn ôl aelodau eraill o'r teulu, yn haeddu'r fath ganmoliaeth! Dywedai'n aml fod pob ymdrech at greadigrwydd yn haeddu cefnogaeth.

Pwysleisiai'r diwylliant anghydffurfiol ddatblygiad y meddwl; dyna pam y rhoddai'r fath fri ar addysg. Y meddwl yw 'llun a delw Duw' sydd arnom fel dynoliaeth ac sy'n ein gwneud 'ychydig is na'r angylion' ac yn gwahaniaethu'r hil ddynol oddi wrth weddill y creaduriaid. Ymffrostiai yn y ffaith bod anghydffurfiaeth, am gyfnod byr (ysywaeth) yn hanes ein cenedl, wedi llwyddo i fowldio gwerin ddiwylliedig, llengar a cherddgar, a hynny drwy gyfrwng y Gymraeg. Nid dan nawdd y wladwriaeth y gwnawd hyn, nid yr Eglwys Sefydledig a'i mowldiodd; na, anghydffurfiaeth oedd y gyfrinach allweddol, a chyflawnwyd hynny yn nannedd gwrthwynebiad ffyrnig a chreulon y ddau sefydliad tra phwerus oedd mewn grym, y Llywodraeth a'r Eglwys. Ewyllys y werin bobl a ddihunwyd ac a gafodd ruddin gan anghydffurfiaeth fu'n gyfrifol am ddatblygu'r diwylliant unigryw hwn a esgorodd ar elfennau radical a blaengar yn ei gwleidyddiaeth. Daeth arweinwyr y diwylliant hwn o blith y werin, nid o blith y cyfoethogion a'r breintiedig. Roedd y rheiny wedi cefnu ar Gymru, ei hiaith a'i gwerthoedd a dod yn rhan o'r Sefydliad Prydeinig (pwysleisiai Gwynfor yn gyson mai'r un ystyr oedd i Brydain a Lloegr). Siom aruthrol iddo yn ei henaint oedd clywed neu ddarllen am bobl yn ymosod ar y traddodiad gwerinol hwn. Gresynai fod ieuenctid, a phobl hŷn, yn troi cefn ar y Gristnogaeth anghydffurfiol; ac ymwrthodai â'r ddadl y gellid cadw'r hyn sydd orau mewn diwylliant arbennig ac ar yr un pryd droi cefn ar yr hyn a roes fod iddi.

Derbyniai nad oedd y diwylliant anghydffurfiol Cymraeg yn berffaith o bell ffordd. Credai fod llawer gormod wedi cael ei wrthod wrth ddod mas o'r traddodiadau eraill; mynegodd droeon y carai weld mwy o liw a symud yn ein hoedfaon, ond peidied byth, meddai, a cholli'r pwyslais ar ddatblygu'r meddwl drwy gyfrwng y bregeth. Credai hefyd fod culni meddwl yn gallu nodweddu llawer gormod o bobl oedd yn dal argyhoeddiadau dyfnion, a bod hynny wedi effeithio ar anghydffurfiaeth er drwg. Agor meddyliau pobl i weld ffordd arall o fyw a wnaeth Iesu, gan ymwrthod â chulni Phariseaidd y Sefydliad crefyddol a gormes y Sefydliad gwleidyddol yn ei ddydd. Agor meddyliau pobl i bosibiliadau cyffrous ffordd wahanol o weithredu ac adeiladu cymdeithas ar lefel y genedl ac yn rhyngwladol yw cyfrifoldeb y mudiadau heddwch a chenedlaethol.

Roedd Gwynfor yn gwbl argyhoeddedig mai'r diwylliant a luniwyd gan Gristionogaeth anghydffurfiol, gyda'i phwyslais ar argyhoeddiad personol ac ar gyfrifoldeb at y gymdeithas letach, a fu'n gyfrifol am dwf radicaliaeth Gymreig y ganrif a hanner cyn y Rhyfel Byd Cyntaf. Chwalwyd y diwylliant lliwgar a chynhyrchiol hwn gan y Rhyfel Mawr. Pwyslais cyson Gwynfor oedd nad er mwyn 'amddiffyn' y gwareiddiad

Cristnogol a Chymreig hwnnw yr aeth yr holl filwyr i'r rhyfel, yn wir yr oeddynt yn ymladd dros y grym treisgar oedd yn prysur chwalu'r diwylliant hwnnw, sef imperialaeth 'Brydeinig'. Yr un dynged a fu i'r radicaliaeth oedd wedi datblygu drwy'r ganrif flaenorol. Mae cyfnod o ryfel yn llwyddo i droi pobl radical yn rhai gwasaidd. Hyn oedd yn gyfrifol am y siom aruthrol a dorrodd calon Keir Hardie (1856-1915, gŵr a edmygai Gwynfor yn fawr) wedi i werin Aberdâr a Merthyr Tudful ei floeddio oddi ar y llwyfan ar ddechrau'r Rhyfel Byd oherwydd ei wrthwynebiad i'r rhyfel. Bu farw'n fuan wedyn. Mae rhyfel hefyd yn dwysáu grym ac awdurdod y wladwriaeth – roedd y Gymru a ddilynodd y rhyfel wedi ei chlymu'n dynnach i'r wladwriaeth Brydeinig. I Gwynfor yr un ystyr oedd i 'Brydain' a 'Lloegr', Saesneg yw iaith swyddogol Prydain a Seisnig yw ei diwylliant torfol; o fewn y Brydain hon y mae Cymru'n cael ei hanwybyddu. Rhethreg yr imperialwyr oedd bod y bechgyn o Gymru a laddwyd wedi aberthu eu bywydau er mwyn 'rhyddid'; celwydd oedd hyn, canlyniad eu haberth oedd bod caethiwed eu cenedl yn dynnach na chynt.

Yr un oedd dadleuon Gwynfor ynglŷn ag effeithiau'r Ail Ryfel Byd. Roedd yn ŵr ifanc, egnïol, yn ystod y gyflafan honno ac yn wrthwynebydd cydwybodol i'r rhyfel. Dywedai yn aml am y cyfeillion a chydnabod iddo a ddychwelodd o'r rhyfel wedi eu dadrithio'n llwyr mewn crefydd ac wedi eu prydeineiddio'n drylwyr. Roedd eu profiadau erchyll wedi effeithio arnynt er drwg mewn sawl ffordd arall hefyd, gyda sawl un yn dioddef yn gorfforol ac yn feddyliol, ond heb gael unrhyw fath o gefnogaeth feddygol na seicolegol gan y wladwriaeth a'u danfonodd i ddioddef drosti ac i beri dioddefaint i eraill.

Pwysleisiai yn aml ei fod yn gyd-genedlaetholwr ymhell cyn iddo ddod yn genedlaetholwr. Ei fagwraeth anghydffurfiol a'i gariad at y ddynoliaeth a'r Cread oedd yn gyfrifol am hyn, ac fe ddaeth hynny'n sylfaen i'w heddychiaeth. Bu ar daith i Genefa gyda Gwilym Davies pan oedd yn y chweched dosbarth, ym 1930, lle y cyfareddwyd ef gan waith Cynghrair y Cenhedloedd. Bu Gwilym Davies (1879-1953), sylfaenydd Neges Ewyllys Da yr Urdd, yn arwr mawr i Gwynfor hyd nes iddo gael dadrithiad poenus ynddo pan wnaeth hwnnw ledaenu cyhuddiadau celwyddog am y cenedlaetholwyr drwy eu cyhuddo o ffasgaeth adeg yr Ail Ryfel

Byd. Canlyniad ei daith i Genefa oedd iddo ddod i'r argyhoeddiad mai cymell y gwladwriaethau i gydweithio â'i gilydd yn hytrach na chystadlu â'i gilydd oedd y ffordd i sicrhau heddwch. Bu'n frwd ei gefnogaeth i olynydd y Cynghrair, sef y Cenhedloedd Unedig, wedi i honno gael ei ffurfio ar ddiwedd yr Ail Ryfel Byd.

Pan oedd yn fyfyriwr bu'n aelod brwd o Gymdeithas Gristnogol y Myfyrwyr (SCM), mudiad a gynorthwyodd ddatblygu ei syniadau Cristnogol radical. Daeth yn aelod o'r *Peace Pledge Union* (PPU), mudiad a sefydlwyd ym 1934 ac a ddaeth yn hynod boblogaidd dros nos. Rhoes ei gefnogaeth yn frwd i'r gangen Gymreig o'r mudiad hwn a adnabuwyd fel Heddychwyr Cymru. Wrth i gymylau rhyfel grynhoi ym mis Awst 1939 fe aeth i Amsterdam yn yr Iseldiroedd i gynhadledd ryngwladol o dan nawdd SCM, lle daeth 1,500 o Gristionogion ifanc ynghyd. Wedi dychwelyd bu'n teithio o gylch Cymru i sôn am ei brofiadau ac i geisio atal y gorffwylledd a grëwyd gan y cyhoeddiad o ryfel.

Yn ei ieuenctid roedd Gwynfor yn ddarllenwr brwd; llyfr a gafodd ddylanwad mawr arno oedd *The Christian's Alternative to War* (1929), gan Leyton Price Richards (1879-1948), gweinidog gyda'r Annibynwyr yn Lloegr. Y gyfrol hon, meddai, a wnaeth heddychwr ohono, a hynny ar waetha'r ffaith bod yr awdur yn llawdrwm iawn ar genedlaetholdeb. Ond cenedlaetholdeb y pwerau mawrion, neu imperialaeth, oedd y gelyn, a hynny a bwysleisiai Gwynfor. Pwysleisiai'n gyson drwy ei fywyd fod yna ddau fath o genedlaetholdeb, sef ar y naill law y gred a arddelwyd gan y pwerau mawrion (Lloegr yn achos Cymru) fod y genedl (neu'r wladwriaeth yn hytrach) yn well a mwy datblygedig na chenhedloedd eraill, ac felly fod ganddi yr hawl a'r cyfrifoldeb i dra-arglwyddiaethu dros y cenhedloedd llai ffodus yn ei golwg hi. Dyma imperialaeth, a dyma oedd agwedd y Sefydliad Seisnig at ei hymerodraeth, gyda Chymru fel ei threfedigaeth (*colony*) gyntaf. Yr ysfa am fawrdra yw achos rhyfeloedd, 'Clòs iawn yw'r cysylltiad rhwng mawrdra a rhyfel, fel y gwelsom yn hanes yr Ymerodraeth Brydeinig. Crëwyd y gwladwriaethau mawr er mwyn cynyddu eu grym a'u gogoniant ... Tuedda mawrdra, gan hynny, at bolisïau tramor ymosodol ac at ddefnyddio rhyfel fel offeryn polisi', meddai.

‘Hawl gan bob cenedl i fyw...’; ‘nef newydd a daear newydd...’

Y math arall o genedlaetholdeb, a’r ffurf a arddelwyd gan Gwynfor, oedd y gred fod pob cenedl yr un mor werthfawr â’i gilydd; a bod hawl gan bob cenedl i fyw eu bywydau mewn rhyddid urddasol heb orfod dioddef gorthrwm a bygythion o du cenhedloedd eraill. Datblygiad o’i Gristnogaeth oedd y gred hon, oherwydd credai fod Duw, yn y creu, wedi sicrhau bod yr holl ddynoliaeth wedi ei chreu ar ei lun a’i ddelw ei hun, a bod pob cenedl wedi dod i fodolaeth fel rhan o’r pwrpas dwyfol. Trais yn erbyn ewyllys a meddwl y Creawdwr yw gormesu unrhyw unigolyn neu unrhyw genedl. Imperialaeth yw achos rhyfeloedd, nid cenedlaetholdeb, ac, i Gwynfor, y meddylfryd imperialaidd oedd yn creu rhwygiadau a chasineb ac a fynnai ddefnyddio adnoddau’r wladwriaeth i gynnal y rhwysg a’r militariaeth oedd yn rhan annatod o’r gyfundrefn honno.

Awdur arall a ddylanwadodd arno yn ddyn ifanc oedd Wilfred Wellock (1879-1972). Bu Wellock, oedd yn Gristion ac yn bregethwr lleyg gyda’r Methodistiaid, yn wrthwynebydd cydwybodol a garcharwyd yn ystod y Rhyfel Byd Cyntaf. Roedd yn edmygydd mawr o Gandhi a Keir Hardie, a bu’n aelod seneddol dros y Blaid Lafur o 1927 i 1931. Ef oedd un o sylfaenwyr y PPU ym 1934 ac yna CND. Mewn llyfr nodiadau o gyfnod y 30au a’r 40au a etifeddais mae Gwynfor yn rhoi ei sylwadau ar un o bamffledi cynnar Wellock lle mae’n cyflwyno pedair egwyddor sydd yn grynhoad effeithiol o argyhoeddiadau Gwynfor ei hun. Mewn ateb i’r cwestiwn ‘Beth sy’n mynd i greu heddwch byd?’ cyflwyna’r delfrydau canlynol:

1) Rhaid i lywodraethau gydnabod bod y bod dynol yn fwy na chnawd ac esgyrn, yn fwy na dim ond endyd economaidd, mae e hefyd yn fod ysbrydol. Mae’r person cyflawn ym mhob man yn byw gyda gwerthoedd ysbrydol yn ogystal â’r materol. ‘In the realm of the spirit we pass from merely quantitative consideration to qualitative...’

2) Cyfrifoldeb llywodraethau yw creu’r amgylchiadau lle gall y gwarineb ddatblygu, nid creu amgylchiadau sy’n hybu hunanoldeb a thrachwant.

3) Dylai llywodraethau gydweithio â’i gilydd i sicrhau economi teg a chyfiawn ym mhob gwlad.

4) Dylai'r unedau gwleidyddol, cymdeithasol ac economaidd fod yn rhai bychain oherwydd bod hynny yn hybu'r ymdeimlad o berthyn ac o gyfrifoldeb ar ran pawb sy'n gysylltiedig â nhw, boed yr unedau hynny'n wladwriaethau neu'n ddiwydiannau.

Delfryd? Ie, ond pwysleisiai Gwynfor yn barhaus y pwysigrwydd o gael delfryd wedi ei sylfaenu ar y ddealltwriaeth o'r addewid Cristnogol o 'nef newydd a daear newydd lle mae cyfiawnder yn cartrefu'. Yr hyn oedd yr un mor bwysig iddo â chael delfryd oedd sicrhau bod y modd o gyrraedd y nod yn unol â'r ddelfryd ei hun. Ni ellir hyrwyddo daioni drwy ddefnyddio drygioni, 'trecha di ddrygioni â daioni'.

Leopold Kohr ac E. F. Schumacher: *Small is Beautiful*

Meddyliwr arall a gredai mai byd o wladwriaethau bychain oedd y ffordd ymlaen i greu heddwch a datblygu'r potensial dynol oedd yr Awstriad, Leopold Kohr (1909-94), athro E. F. Schumacher, awdur *Small is Beautiful*. Daeth Leopold Kohr yn gyfaill personol i Gwynfor, a bu'n ymwelydd cyson â'n haelwyd yn Nhalar Wen, Llangadog, pan oedd yn ddarlithydd yn Aberystwyth.

Ni wyrodd o'r ddelfrydaeth hon gydol ei fywyd, beth bynnag oedd yr amgylchiadau, ac oherwydd ei gysondeb bu'n rhaid iddo wynebu pob math o gyhuddiadau. Yn wleidyddol dioddefai Gwynfor gydol ei oes y sen a daflwyd ato mai ei genedlaetholdeb ef oedd achos rhwyg a thensiwn yn y Gymru hon. Cyhuddwyd ef o swcro 'teroristiaid' adeg yr Arwisgo ym 1969 ac yn ystod yr ymgyrch i losgi tai haf yn ddiweddarach. Erbyn heddiw mae pob hanesydd yn cydnabod mai ymdrech bwriadol ar ran y wladwriaeth Seisnig i danseilio twf cenedlaetholdeb Gymreig, yn dilyn llwyddiant ysgubol Gwynfor yn is-etholiad Caerfyrddin 1966, oedd yr Arwisgo. Dywedodd Gwynfor droeon 'Mae'r bwli bob amser yn beio'r dioddefwr am ei gyflwr.' Canlyniad y math o genedlaetholdeb heddychol a arddelai Gwynfor oedd ei osod mewn safle i allu cydymdeimlo a chydymddwyn gyda chenhedloedd eraill a ddioddefai oherwydd rhaib imperialaeth.

Grym imperialaidd UDA a Fiet-nam

Enghraifft o'r uniaethu hwn oedd ei agwedd at y rhyfel a ymladdwyd gan rym imperialaidd yr Unol Daleithiau yn erbyn Fiet-nam yn ystod y 1960au a dechrau'r 70au. Ar ddiwedd 1967 aeth nifer o heddychwyr ar daith i'r Dwyrain Pell, a Gwynfor yn eu plith, gyda'r bwriad o sefyll ysgwydd wrth ysgwydd gyda thrigolion Hanoi adeg y bomio di-drugaredd a ddigwyddai'r pryd hynny. Roeddwn yn digwydd bod ar wasanaeth VSO ar Ynysoedd y Malfinas (Falklands) ar y pryd. Derbyniais lythyr oddi wrtho yn rhoi amlinelliad o'i resymau dros gyflawni'r fath weithred, a chredaf fod y llythyr hwnnw'n crynhoi ei safbwynt. Ynddo dywedodd fod America yn ymladd rhyfel imperialaidd yn erbyn Fiet-nam; rhyfel i orfodi ei hewyllys hi (UDA) ar wlad arall; yr oedd yn gas ganddo unrhyw fath o imperialaeth gyda'r pwerau mawrion yn ymddwyn fel bwli mawr. Dywedodd ymhellach mai'r diniwed sy'n dioddef waethaf mewn unrhyw ryfel, a dyna oedd yn digwydd yn Fiet-nam, gyda gwerin y wlad yn dioddef bomio cyson a'r defnydd o napalm a losgai'r cyrff. Dywedai mai cyfrifoldeb pobl, yn enwedig y rhai sydd mewn safle o ddylanwad yn y gymdeithas, megis aelodau seneddol, yw sefyll gyda'r rhai sy'n dioddef am ddau brif reswm; yn gyntaf er mwyn cyfleu i'r trueiniaid bod pobl ar draws y byd yn poeni amdanynt, ac yn ail oherwydd byddai rhywun o'i statws yn y gymdeithas yn tynnu sylw eraill at yr hyn oedd yn digwydd. Gwyddai y byddai hyn yn ennyn pob math o gyhuddiadau a sen yn ei erbyn, yn arbennig, felly, y cyhuddiad ei fod yn gefnogol i'r comiwnyddion. Dyna a ddigwyddodd, fe wnaeth ei wrthwynebwyr gwleidyddol ei gyhuddo'n gelwyddog o fod yn gomiwnydd heb unrhyw fath o embaras yn y ffaith i'r un bobl, ychydig flynyddoedd ynghynt, ei gyhuddo o fod yn ffasgydd (roedd y ffasgwyr yn elynion pennaf i'r comiwnyddion).

Nid oedd wedi cael ei ddenu at gomiwnyddiaeth erioed. Ystyriai'r Undeb Sofietaidd yn ymerodraeth Rwsiaidd, a chredai fod sosialaeth wladwriaethol yr un mor ormesol â'r gyfalafiaeth imperialaidd a nodweddai Prydain a'r UDA. Daeth i'r argyhoeddiad hwn yn gynnar drwy ei gyfeillgarwch â Gareth Jones (1905-35), brodor o'r Barri a mab i'w brifathro yn ysgol Uwchradd y Barri. Bu'n trafod y profiadau a gafodd Gareth Jones yn yr Iwcrain adeg y newyn mawr oedd yn ganlyniad uniongyrchol a bwriadol i bolisïau Stalin. Llofruddiwyd Gareth pan oedd ar daith yng nghyffiniau China i chwilio am wybodaeth am yr hyn oedd yn digwydd.

Cofier bod *eugenics* yn gred dderbyniol a phoblogaidd yn y 1920au a 30au pan oedd Gwynfor ar ei brifiant. Arddelwyd y ddamcaniaeth hon, a gyflwynwyd yng nghanol y bedwaredd ganrif ar bymtheg, gan bobl fel Winston Churchill ac Adolf Hitler. Datblygiad o ddamcaniaeth esblygiad oedd y gred fod hiliau a phobloedd yn esblygu ar raddfa wahanol i'w gilydd, ac felly bod rhai hiliau wedi cyrraedd safle uwch ar yr ysgol esblygiadol. Rhannai'r ddau a enwyd yr argyhoeddiad mai'r hil Tiwtonaidd oedd wedi cyrraedd y gris uchaf! Bu'r ddamcaniaeth hon yn allweddol fel sail syniadol i imperialaeth; a thrwy hynny yn bwysig fel un o achosion rhyfel. Fel Cristion o argyhoeddiad dwfn, gwrthodai Gwynfor y fath ddamcaniaeth wyrdroëdig; iddo ef yr oedd pob person, o ba hil bynnag, yn gydradd â phob un arall. Roedd yr hyn oedd yn wir am unigolion yn wir am genhedloedd hefyd. Dyma un o seiliau ei heddychiaeth.

Yr Eglwys yn cyfiawnhau 'militareiddio a rhyfela'

Er hynny, derbyniai Gwynfor nad oedd yr Eglwys Gristionogol yn ddi-fai yn y mater hwn. Defnyddiwyd yr Eglwys gan lawer o lywodraethau i gyfiawnhau militareiddio a rhyfela. Bu hierarchi'r Eglwys yn barod iawn i gydweithio â'r awdurdodau gwladol. Roedd hynny'n wir am bob gwladwriaeth oedd ymhlith Gwledydd Cred. Bendithiwyd byddinoedd y ddwy ochr ar adeg o ryfel a gweddïwyd ar i Dduw i sicrhau buddugoliaeth i'r ddwy ochr!

Llyfr arall a gymeradwyodd yn frwd i mi ei ddarllen pan oeddwn yn fyfyriwr am y weinidogaeth oedd *The Fall of Christianity* (1930) gan yr Iseldirwr o heddychwr, Gerrit Jan Heering (1879-1955), cyfrol a gafodd ddylanwad aruthrol arno ers ei ieuenctid. Yn ei ddydd yr oedd safbwynt Heering yn hynod o herfeiddiol, ond bellach y mae ei syniadau wedi dod yn llawer mwy derbyniol ymhlith Cristnogion radical, gyda'r pwyslais cyfoes ar y cyfnod Ôl-Gred (*Post-Christendom*), sef cyfnod pan fo pob traddodiad Cristnogol yn y gwareiddiad gorllewinol, yn arbennig felly yn Ewrop, gyda thrai yn nylanwad yr eglwysi, yn prysur ddod yn 'anghydffurfiol', gan gynnwys yr enwadau hynny a fu'n cydweithio'n barod iawn gyda'r awdurdodau gwladol.

Dadl Heering yw bod 'cwymp' Cristnogaeth i'w olrhain i'r cyfnod pan ddaeth yr Eglwys yn dderbyniol yng ngolwg y wladwriaeth yng nghyfnod Cystennin yn y bedwaredd ganrif. Cyn dyddiau Cystennin yr oedd yr Eglwys yn fudiad a ymwrthodai â rhyfel; lladdwyd llu o Gristnogion gan yr awdurdodau am iddynt wrthod ufuddhau i'r awdurdodau. Pan ddaeth Cystennin yn ymherodr fe newidiodd pethau dros nos. Daeth yr Eglwys (neu'r gangen ohoni oedd yn dderbyniol i'r awdurdodau) yn rhan o'r Sefydliad. Derbyniodd ei rôl fel morwyn i'r brenin a'i lywodraeth ddaearol; defnyddiodd ddulliau'r drefn ymerodrol i weinyddu ei hun (daw geiriau fel *diocese* a *vicar* o'r gyfundrefn wleidyddol Rufeinig), ac, yn waeth na hynny, efelychwyd ffyrdd y wladwriaeth o drin gwrthwynebwyr. Erlyniwyd hereticiaid yn ddidrugaredd. Mewn gair, daeth i gydweithio â'r wladwriaeth i gynnal y gyfundrefn, yn hytrach na chydweithio â Iesu i'w thrawsffurfio. Dyna oedd y sefyllfa drwy'r Oesoedd Canol hyd y Diwygiad Protestannaidd. Bu'r ddau gorff (y wladwriaeth a'r eglwys) yn cydweithio i osod eu trefn hwy ar y byd, ac o gyfnod y Diwygiad hyd ein dyddiau ni, bu'r enwadau eglwysig sefydliadol yn cydweithio gyda'r wladwriaeth; y rhai a wrthodai wneud hynny yn ein traddodiad ni yng Nghymru (a rhannau eraill o Ewrop) oedd yr anghydffurfwyr.

Prif arfau'r Sefydliad i gynnal eu cyfundrefnau yw rhyfel, militariaeth a'r grym awdurdodol a bygythiol a ddefnyddir i orfodi unffurfiaeth (a gamenwir fel 'undod' yn aml). Gorfodir yr unffurfiaeth honno ar y trwch o'r bobl 'oddi uchod' gan y breintiedig a'r cyfoethog mewn modd sy'n sicrhau eu buddiannau hwy. Nhw sy'n rheoli'r 'wybodaeth', sydd yn aml yn ddim amgenach na phropaganda ac yn lliwio meddyliau'r bobl. Y mae'r 'wybodaeth' hon yn gyson o blaid defnyddio trais i ddatrys 'problemau'r byd'. Canolant bob dim er mwyn gwneud rheoli'r cyfan yn haws iddynt hwy. Yn ei pherthynas â rhyfel, mynna'r wladwriaeth, drwy'r awdurdodau gwladol, bod ei ffordd hi yn gywirach na ffordd Duw. Y cyfoethog a'r grymus sy'n elwa o ryfel a'r paratoadau ar ei gyfer, y tlawd a'r diniwed sy'n dioddef ei ganlyniadau.

Gwrthweithio'r meddylfryd hwn a wna'r anghydffurfiaeth a arddelai Gwynfor, oherwydd fod hwnnw'n gosod y cyfrifoldeb am ddatblygu'r gymdeithas, a'r genedl, yn lleol ac ar ysgwyddau'r aelodau unigol. Ystyriai Gwynfor mai cyfrifoldeb pob unigolyn yw rhannu yn natblygu'r gymdeithas a'r genedl, a chyfrifoldeb pob cenedl yw bod yn rhydd. Nid hawl yn unig yw hyn; gall pobl wrthod eu hawliau, ond ni allant yn unol â'r drefn foesol wrthod eu cyfrifoldebau. Mae pob unigolyn yn atebol i Dduw am yr hyn y mae wedi ei wneud (neu heb ei wneud) dros adeiladu ei gymdeithas, ei genedl a'r ddynoliaeth. Dywed yr anghydffurfiwr fod yna awdurdod sydd uwchlaw'r awdurdodau daearol a bod pob unigolyn yn uniongyrchol atebol iddo. Nid yn atebol i wladwriaeth neu eglwys, ond yn atebol i Dduw. Mae Duw yn galw ar bob unigolyn i chwarae ei ran, yn unol â'i ddoniau, yn y drefn achubol; ymateb i'r alwad honno a wnaeth Gwynfor, hyn oedd sail ei heddychiaeth a'i genedlaetholdeb. Er ei hamherffeithrwydd, yr oedd anghydffurfiaeth yn gosod y sylfeini deallusol a diwinyddol i sefyll yn erbyn hynny, a thrwy hynny yn rhoi rhuddin a dewrder i'r bobl.

Un o arwyr pennaf Gwynfor oedd Gandhi. Credai fod y gŵr mawr hwn wedi cyfrannu at greu chwyldro yn yr India drwy ryddhau meddyliau'r bobol o'r cadwyni o waseidd-dra a'u clymai i gaethiwed. Gwnaeth hynny mewn modd di-drais drwy gael yr Indiaid i gredu yn y posibiliadau o ryddid a chyfiawnder. Gobaith mawr Gwynfor oedd y gallai yntau gyfrannu ychydig i wneud hynny yng Nghymru. Mynnai mai grym meddyliol ac ewyllys y bobl mewn gwahanol genhedloedd a chwalodd yr ymerodraethau mawrion oedd yn eu hanterth pan aned ef ym 1912. Nid y Rhyfel Mawr fu'n achos i ryddhau'r cenhedloedd oedd o dan bawen grymoedd imperialaidd Awstria-Hwngari, ymerodraeth Ottoman a Rwsia, ond grym cenedlaetholdeb. Yn yr un modd, diflannodd yr ymerodraeth Brydeinig yn ystod ei oes ac am yr un rhesymau. Cyhoeddodd lyfrau i dynnu sylw at y modd y mae ewyllys pobl yn gallu creu cenedl a chymdeithas fwy creadigol. Dyna oedd ei ddymuniad i Gymru, a'i argyhoeddiad oedd mai'r angen mawr ar Gymru (a phob cenedl gaeth arall) oedd adeiladu mudiad a fyddai'n mynegi'r ewyllys hwnnw. Wrth sôn am gyfraniadau Plaid Cymru dywedodd, '... cynhyrfodd y Blaid ysbryd Cymreig mewn llawer o'n pobl; cododd eu hurddas nhw; creodd feddwl Cymreig mwy annibynnol yn eu plith nhw; cryfhaodd eu hewyllys nhw i fyw bywyd cenedlaethol ...'

Mabwysiadodd ddull yr anghydffurfwyr o genhadu fel ei ffordd ef hefyd. Byddai'n mynd, gyda rhai cyfeillion, i wahanol drefi a phentrefi yng nghymoedd y De i sefyll mewn man cyfleus ac annerch y bobl wrth iddynt gerdded heibio. Adeg y rhyfel bu'n gyfrifol am ennyn cryn dipyn o atgasedd at ei dad, oedd yn ddyn busnes yn Y Barri, oherwydd iddo wneud hynny yn ei dref enedigol.

Ymrwymo i 'ymwrthod â thrais'

Yn ei genedlaetholdeb mynnodd fod y dulliau a ddefnyddid gan y mudiad cenedlaethol yn rhai di-drais. Mor gynnar â 1938 cyflwynodd gynnig yng Nghynhadledd Flynyddol Plaid Cymru, a gynhaliwyd yn Abertawe, 'yn ei rhwymo i ymwrthod â phob trais'. Glynodd at y penderfyniad hwn drwy ei oes. Yn ei ddarlith 'Cenedlaetholdeb Di-Drais', a draddodwyd ym 1973, o dan nawdd Cymdeithas y Cymod, dywed,

> 'Pe tybiwn i y gellid fyth gyfreithloni defnyddio trais er mwyn sicrhau unrhyw nod gymdeithasol, yna er mwyn sicrhau rhyddid a statws cenedl i Gymru – yr achos y treuliais y rhan fwyaf o'm bywyd erddo – y byddai hynny. Ond yn fy marn i nid yw hyd yn oed yr achos aruchel hwn, y dibynna bodolaeth y genedl Gymreig arno, yn cyfiawnhau defnyddio trais. Mae a fynno trais â phobl; golyga drwy ddiffiniad dreisio'r bersonoliaeth ddynol. Nid rhywbeth haniaethol mohono, ac nid yw'n rhywbeth a wneir i bethau heb fywyd ynddynt. Nid yw trais yn drais ond pan gyflawnir ef ar bersonau dynol. Fe ddigwydd i bobl, i'r naill ar ôl y llall ohonynt, a phob un yn unigryw ac o werth anhraethol.'

Gwêl rhai anghysondeb yn y ffaith ei fod yn clodfori 'arwyr' treisgar hanes Cymru, fel Owain Glyndŵr a'r Arglwydd Rhys. Codais y mater hynny gydag ef a'i ymateb oedd bod arweinwyr cenedlaethol yr Oesoedd Canol wedi cael eu dysgu gan yr Eglwys ei bod yn berffaith gywir i ymladd 'rhyfel cyfiawn'. Y gred gyffredinol y pryd hynny oedd y dylid derbyn barn hierarchi'r Eglwys yn ddi-gwestiwn. Felly, roedd yr Eglwys yn gyfrifol i Dduw am yr holl drais a ddigwyddodd. Cariodd yr un farn drwodd i gyfnodau diweddarach. Dywedai fod ymateb gwasaidd yr eglwysi anghydffurfiol i'r Rhyfel Byd Cyntaf (gydag eithriadau clodwiw) yn dynodi 'cwymp anghydffurfiaeth', ac yn un o'r rhesymau pennaf am ei chyflwr yn y Gymru sydd ohoni.

Fel y dengys Rhys Evans mewn modd mor drawiadol yn ei gyfrol am Gwynfor, *Rhag Pob Brad*, yr oedd casineb enbyd tuag at anghydffurfiaeth a heddychiaeth yn bodoli (ac yn dal i fodoli) mewn nifer o gylchoedd yn y bywyd Cymreig drwy ei oes, hyd yn oed o fewn ei blaid ei hun. Dywedodd wrthyf un tro pan oeddwn mewn cryn ansicrwydd fy hun o'm hargyhoeddiadau, fod yna apêl ramantaidd i ryfel a thrais, gyda'r pwyslais parhaol ar ogoneddu aberth er mwyn achos mawr, ac ofnai fod nifer o genedlaetholwyr wedi eu dallu gan y rhamant hwn. 'Cofia bob tro', meddai wrthyf, 'mewn rhyfel y diniwed sy'n dioddef waethaf. Mae'r heddychwr yn brwydro er eu mwyn nhw.'

O fwrw golwg ar seiliau heddychiaeth Gwynfor, fel y ceisiwyd ei wneud yn yr ysgrif hon, nid yw'n syndod yn y byd iddo fod mor gefnogol i waith Cymdeithas y Cymod. Haws deall hefyd paham y cyhoeddodd gyfrolau megis *Heddychiaeth Gristnogol yng Nghymru* (Cymdeithas y Cymod, 1991), ac y traddododd ddarlithoedd megis *Non-violent Nationalism* (Darlith Goffa Alex Wood, 1973). Cyhoeddwyd cyfieithiad Cymraeg ohoni gan D. Alun Lloyd: *Cenedlaetholdeb Di-drais* (Cymdeithas y Cymod, 1976). Y Gymdeithas hefyd, a gyhoeddodd, er enghraifft, ei ddarlith ysbrydoledig: *George M. Ll. Davies: Pererin Heddwch*, a draddodwyd i Gymdeithas Heddwch yr Annibynwyr yn Y Tymbl, 17 Mehefin 1980.

Ifan Wynn Evans (1929-2007)

R. Alun Evans

Yn dair blwydd oed roedd Ifan Wynn wedi dechrau pregethu, a hynny ar ben wal. Ar y bwtsiwr yr oedd y bai! Bill Harries y Bwtsiwr oedd Ysgrifennydd Capel Newydd Yr Hendy, Pontarddulais. Aethai nhad, Roberth Evans, yno'n Weinidog ym 1924; priodi ym 1927, a ganed Wynn ar Dachwedd yr wythfed ar hugain 1929. Y bwtsiwr a'i cododd i sefyll ar ben wal isel pont Yr Hendy a'i orchymyn i draddodi. Y bregeth oedd 'Bobol, bobol, byddwch yn dda a pheidiwch bod yn ddrwg'. Druan o Wynn, byddem yn dannod hynny iddo weddill ei ddyddiau. Clywed am y bregeth wnes i. Ym 1933 symudodd fy rhieni a Wynn o Gapel Newydd, Yr Hendy, i'r Hen Gapel Llanbryn-mair. Yno, rai blynyddoedd yn ddiweddarach, y cafodd Wynn frawd bach. Pan oeddwn deirblwydd, roedd yntau'n ddeg oed a'r bwlch oedran yn enfawr rhyngom.

Ar ddydd ei angladd ar 16 Mawrth 2007, y tro yma o bulpud Capel Newydd, soniodd ei gyfaill coleg, y Parchg Ddr Vivian Jones, amdano fel un afieithus, direidus a'i disgrifiai ei hun fel 'pacifist with an emphasis on

Y ddau frawd-Ifan Wynn Evans a R.Alun Evans

the fist'. Ac fel y brawd bach fe fedra i dystio i wirionedd hynny. Chwarae teg i Wynn, niwsans oeddwn i ym mlynyddoedd y bwlch-oedran enfawr; yn disgwyl iddo aros adre i'm diddannu i. Yn ei rwystredigaeth byddai'n ymarfer ei ddoniau bocsio arnaf. Os oedd y teirblwydd poenus yn methu â chamu o'r ffordd mewn pryd, fe ddysgai at y tro nesaf. Fel y caeodd bwlch y blynyddoedd oedran, fe ddysgais innau, nid am ergyd ei ddyrnau, ond am gryfder a grym ei argyhoeddiadau heddychol.

O Lanbryn-mair i'r ysgol, i'r coleg, ac i'r weinidogaeth

O ran addysg, aeth Wynn o'r ysgol gynradd, oedd am y wal â'n tŷ ni, i Ysgol Ganolraddol Machynlleth (Ysgol Uwchradd Bro Ddyfi. A bellach, er 1 Medi 2014, Ysgol Uwchradd Bro Hyddgen). Ymlaen wedyn ym 1947 i Fangor lle cyfarfu â'i ddarpar-wraig, merch brydferth o Bradford o'r enw Vera Rushworth. Pan aeth i Goleg Bala-Bangor roedd Wynn a'i fryd ar fod yn genhadwr, ond torrodd ei iechyd a bu'n rhaid ailfeddwl. Fe'i hordeiniwyd ym 1954 yn weinidog ar eglwysi Annibynnol Albion Park, Caer, a Chei Conna. Yno y dechreuodd Vera ac yntau ar eu bywyd priodasol. Parhaodd eu priodas am dros hanner canrif ac fe'u bendithiwyd â dau fab, Aled Tudur a Gareth Steffan.

Symudodd o Gaer ym 1958 i ardal Cwm Eithin, Uwchaled, i weinidogaethu yn Llangwm, Gellïoedd, Cerrigydrudion a Phentrellyncymer. Bum mlynedd yn ddiweddarach fe'i gwahoddwyd i fugeilio'r gynulleidfa yng nghapel Carmel, Gwauncaegurwen. Dyma'r ddau gylch, Cwm Eithin a Chwm Tawe, a dyma'r cyfnod lle gwelwyd ei argyhoeddiadau heddychol yn cyrraedd eu pinacl. Cawn fanylu ar hynny. Ym 1974 derbyniodd alwad i Soar, Llanbedr Pont Steffan a Pharc-y-rhos, gan symud eto ym 1981 i'r Tabernacl, Pen-y-bont ar Ogwr. Ei symudiad olaf, ym 1989, oedd i'r Hen Gapel, Llanbryn-mair, a Chreigfryn, Carno, gan ychwanegu Y Foel a Bethel, Llanerfyl, ym 1993, at y daith honno. Tipyn o fentr oedd dychwelyd i'r fro lle bu ei dad yn gweinidogaethu am chwarter canrif, ond Llanbryn-mair pur wahanol oedd hwnnw i'r pentre lle'i maged yn nhri a phedwar degau'r ugeinfed ganrif. Oddi yno yr ymddeolodd ar dro'r ganrif bresennol, gan ymgartrefu yn Llangennech ac ymaelodi yng Nghapel Newydd, Yr Hendy, hyd ei farw yn Ysbyty'r Tywysog Philip, Llanelli, ar 8 Mawrth 2007.

Yn ei angladd, dywedodd y cyn-Archdderwydd Meirion [Evans] a chyd-fyfyriwr ym Mala-Bangor amdano:

> 'Nid syndod oedd dod i wybod, a hynny yn bur fuan, am ei argyhoeddiadau cryfion, yn arbennig felly ei heddychiaeth gadarn. Ac yn hynny o beth yr oedd yn olyniaeth rhai o gewri Llanbryn-mair megis Samuel Roberts, Iorwerth Peate a Robert Evans ei hunan. Dyma un a oedd yn heddychwr wrth natur ac argyhoeddiad. Er cryfed ei safiad, ac er iddo gasáu rhyfel â chas perffaith, cadwodd ei ysbryd mawrfrydig yn wyneb pob gwrthwynebiad. Dyma ddywed Iorwerth Peate am S. R. "Yr oedd yn un o'r addfwynaf o ddynion, ac ni bu erioed ball ar ei garedigrwydd a'i radlonrwydd. Dilys cofio am ei gyfeillgarwch a'i gymwynasgarwch, ei haelioni a'i garedigrwydd, rhag digwydd inni anghofio'r pethau hyn ynddo wrth edmygu – neu ddilorni – yr ymladdwr pybyr dros gyfiawnder a rhyddid."

Hawdd iawn yw priodoli teyrnged felly i Ifan Wynn Evans.

Pererindod heddwch: o San Francisco i Foscow

Os na chafodd wireddu ei fwriad o fynd dramor fel cenhadwr, y mae dwy daith dramor fel ymgyrchydd heddwch yn crynhoi dyfnder ei heddychiaeth. Pwysleisiodd fy nhad wrthym, yn ein safiad fel gwrthwynebwyr cydwybodol i ryfel, rhag ceisio gwneud y gwrthwynebu'n hawdd. Bu Wynn a minnau ar fwy nag un orymdaith i Aldermaston i brotestio yn erbyn arfau niwclear. Taith fer oedd honno o'i chymharu â'r hyn oedd ar y gweill. Tra oedd Rhiannon a minnau yn cynllunio'n priodas yng Ngorffennaf 1961, gwyddem na fyddai Wynn yn bresennol.

Cyfnod anesmwyth oedd pumdegau'r ugeinfed ganrif. Daethai'r Ail Ryfel Byd i ben, ond roedd y Rhyfel Oer rhwng y Gorllewin a'r Dwyrain yn taflu cysgod tros y byd yn gyfan. Bu defnydd America o'r bom atomig yn Hiroshima yn ddamniol. 'Better dead than red' oedd y feddylfryd tu draw i'r Iwerydd. Yn erbyn y gefnlen honno y cynlluniwyd taith heddwch o San Francisco i Moscow, rhwng Rhagfyr 1960 a Hydref 1961, i alw am ddiarfogi niwclear. Chwe mil o filltiroedd o gerdded oedd y cynllun. Cerddwyd ar draws America cyn hedfan i Brydain. Yn Llundain yr ymunodd Wynn â'r daith i gerdded y ddwy fil a hanner o filltiroedd olaf. 'A Parson, a plumber and a girl medical student became three of Britain's representatives on the most exclusive ban-the-bomb march ever launched', meddai'r *Daily Mail*, 'but to qualify for 2,500 miles of blisters they had to pass the sort of selection which picks a man for a top job.'

Wynn fyddai'r cyntaf i gydnabod ei ddyled i Vera ac i'r eglwysi yng Nghwm Eithin am eu cefnogaeth. Dyma'r math o bregethu y clywent ganddo:

> 'Gwyddom oll ryw gymaint am allu dinistriol arfau niwclear ein dydd. Ni wyddom y cyfan, am y rheswm syml na fedr hyd yn oed y gwyddonwyr a'u cynhyrcha lawn amcan-fesur eu heffeithiau dieflig – a hwy yw'r cyntaf i gydnabod hynny ... Yn fwy aml na pheidio ffroenir rhyw apathi pathetig yn agwedd y mwyafrif ohonom at y broblem ... Ymwingwn allan o'n cyfrifoldeb Cristnogol yn null cyfrwys-gall y Phariseaid, a thra'n gwelir yn torchi ac yn plethu i ystumio ein hymarweddiad ynfyd gwelwn golyn cyffelybiaeth brathog Iesu – "O seirff, hiliogaeth gwiberod ..." Mor amharod y mae dyn i dderbyn Cariad fel grym. Cred mai rhywbeth annelwig a melfedaidd feddal ydyw ac ni all dderbyn ei werth ymarferol. Gwell ganddo gredu mai cynnyrch gwyddonwyr rydd safon i ymarferoldeb a rheswm – a sylfaenir amddiffyniad o "ryfel cyfiawn" ar y safon hon ... Fe geir o hyd gnewyllyn o Gristnogion sy'n argyhoeddiedig mai Cariad fel y'i dehonglwyd gan ac yng Nghrist yw'r unig allu i orchfygu drygioni. Sylweddola'r rhain fod ffyrdd arfau niwclear yn prysur wireddu portread llawer proffwyd o Uffern ... Gwêl yr heddychwr o Gristion fod dewis arall a thramwya ef y "ffordd newydd wnaed gan Iesu Grist i basio heibio i uffern drist." '

Ar y daith i Moscow, yr uffern drist gyntaf y bu'n rhaid ei wynebu oedd amharodrwydd yr awdurdodau yn Ffrainc i'r cerddwyr lanio oddi ar y llong yn Le Havre. Neidiodd rhai o'r fintai o gerddwyr i'r harbwr a nofio am y lan. Yn ôl yr Americanwr, Bradford Lyttle, gwnaethant hynny er mwyn sefydlu eu hawliau i ddwyn neges heddwch i bobl pob gwlad. Fedrai Wynn ddim nofio. Doedd plymio o'r dec i'r dŵr ddim yn opsiwn iddo. Felly, cerddodd i lawr y gangwe. Fe'i rhwystrwyd gan y *gendarmes*. Stampiodd un ohonynt yn gïaidd ar ei droed a mwmblian rhywbeth am fwynhau *marchè Moscow*. Gan gymaint y boen doedd Wynn ddim yn siwr a oedd asgwrn un o'i fodiau wedi ei dorri.

Wedi hel y cerddwyr o'r doc i'r dec gorfodwyd y llong, y 'Normania', i hwylio yn ôl i Southampton. Cyn iddi adael Le Havre neidiodd hanner dwsin o'r cerddwyr rhyngwladol dros fwrdd y llong am yr eildro a chawsant eu hebrwng yn ddiseremoni i'r celloedd dros nos. Ar waethaf pob ymdrech drwy Lysgenhadaeth Ffrainc yn Llundain, ni chafodd y cerddwyr lanio yn y wlad honno. Y canlyniad oedd hyn, daethai cwpwl o gannoedd o heddychwyr Ffrainc i Le Havre y tro cyntaf y ceisiwyd glanio yno. Erbyn yr eildro roedd y gefnogaeth wedi tyfu'n filoedd a chafwyd cyhoeddusrwydd rhyfeddol i'r ymgyrch.

Rhag i amserlen y daith ddioddef oherwydd yr oedi annisgwyl, penderfynwyd hwylio yn hytrach i Wlad Belg lle cawsant groeso yn Ostend, Ghent, Brwsel a Liege. Ymlaen oddi yno i Orllewin yr Almaen gan groesi'r ffin yn Aachen. Doedd y rhwystrau ddim drosodd o bell ffordd. Roedd pennaeth yr heddlu yn Bonn yn gwahardd y cerddwyr rhag rhannu pamffledi na chario baneri, ond caniatawyd iddynt barhau i gerdded i Gwlen [Köln]. Oddi yno, anfonodd Wynn erthygl fer i'r *Tyst*:

> 'Gweithreda rhai ohonom ar argyhoeddiad crefyddol, eraill o ffyddlondeb i werthoedd dyngarol, ond fe'n ceir yn unol yn ein gwrthwynebiad i ryfel. Am fod dynoliaeth mewn perygl o ddifodiant yr ydym yn benderfynol o roi mynegiant i'r hyn y credwn ei fod yn wirionedd ... Hyderwn y gallwn lefaru'n rhydd ym mha le bynnag y bôm. Mynnwn ddosbarthu ein llenyddiaeth, amlygu ein baneri a thrafod ein barn â'r bobl ym mhob gwlad a dramwyir gennym. Am y credwn fod hyn yn hanfodol, bodlonwn ar gael ein carcharu os rhwystrir ni rhag gorymdeithio neu genhadu ein hegwyddorion.'

Erbyn y seithfed o Awst roedden nhw'n croesi'r ffin yn Helmstedt i Ddwyrain yr Almaen gyda'r bwriad o deithio ymlaen drwy Berlin i Wlad Pwyl. I gymhlethu pethau daethai'r Comiwnyddion i gydgerdded â nhw gan ddosbarthu eu pamffledi eu hunain. Stopiodd y cerdded dri chilomedr yn brin o Ddwyrain Berlin. Daeth swyddog o'r Weinyddiaeth Fewnol i ddweud y byddai bws yn mynd â nhw i Stalinstadt, tu draw i Berlin, a bod caniatâd i barhau i gerdded oddi yno. Gwrthod y cyfaddawd wnaeth y tîm:

> 'At noon on August 14 a Mr Zack from the Ministry of the Interior arrived and ordered the team to get on the bus. All refused except for Ifan Wynn Evans and Cyril Pustan (Britain) and Mrs Astrid Wollnick (Norway) who felt the offer was reasonable.' (*Peace News*)

Dyma dystiolaeth Wynn ei hun o'r digwyddiad:

> 'Daeth Herr Willmann, Ysgrifennydd Cyffredinol Cyngor Heddwch yr Almaen, i'n plith a bron nad âi ar ei liniau i erfyn arnom i beidio â gweithredu. Fe'n sicrhaodd y defnyddid ni. Y byddai'r Ffasciaid yno – ac nid ydynt hwy yn brin yn yr Almaen o hyd – i'n defnyddio fel esgus i greu cyffro. Maent yn ysu am ysgarmes ... Ni allwn lai na gweld synnwyr yn rhesymu Herr Willmann. Parchwn addewid yr Americanwyr i wneud yn hollol yr un fath yn y Dwyrain ag a wnaed yn y Gorllewin ... Roedd argyfwng ym Merlin. Ac am na ddymunwn fod yn achos Thermo-Nuclear War, fe dystiais fy mharodrwydd i gydymffurfio â chais Cyngor Heddwch y Comiwnyddion a pheidio, dros dro, ddemonstratio ym Merlin. Cytunai Astrid a Cyril, ond mynnai pawb arall lynnu'n geidwadol at y cynllun gwreiddiol. Heb ffws na ffwdan, heb drais na chodi llais ... ond hen ganu'n iach digon diflas fu hwnnw a'r aml ddeigryn yn dyst mai cyfeillion go glòs oeddem o hyd.'

Cludwyd, ar draul Cyngor Heddwch y DDR, y tri 'rebel' i'r ffin yn Frankfurt a throsodd i Wlad Pwyl. Ail ymunodd gweddill y tîm â hwy ger Rzepin, ac wrth gerdded ymlaen cafodd Wynn gyfle i sgwrsio â hwn a'r llall:

'Er nad edifarhawn oherwydd ein safiad ym Merlin fe sylweddolwn i'n hymdorriad ni effeithio'n anffafriol ar undeb y tîm. Anffodus iawn oedd hynny, ond byddai'n drychineb pe gadewid i'r awelon croesion i chwythu'n dymhestloedd a chwalu'r holl antur. Tybiwn, am i mi danio'r fellten gyntaf, mai'r ffordd sicraf i dawelu'r storm oedd drwy ganu'n iach â'r bererindod a'i throi hi tuag adre. Siom fawr oedd methu â chyrraedd Moscow ...'

A dyna oedd diwedd y daith i Wynn. Talodd am ei daith adref 'ar awyren benthyg BEA' tra cerddodd y gweddill ymlaen yn fuddugoliaethus i Foscow. Taith na bu ei bath oedd hi, a chariwyd, drwy'r holl densiynau, yn ogystal â baneri, dystiolaeth o wrthwynebiad i fodolaeth ddisynnwyr arfau niwclear.

Methu â chyrraedd pen y daith oedd ei brofiad hefyd ym 1968, ond nid unrhyw anghydfod mewnol oedd y rheswm am hynny. Ag yntau bellach yn weinidog ar eglwys Carmel, Gwauncaegurwen, dechreuodd ei draed gosi eto. Gan ei fod yn olynu'r heddychwr annwyl, y Parchg Llewelyn C. Huws, ar y Waun, doedd ryfedd fod aelodau Carmel yn gwbl gefnogol i fwriad Wynn i fynd i Fiet-nam. Cafodd gefnogaeth frwd ei enwad, Undeb yr Annibynwyr Cymraeg a Chymdeithas y Cymod. Am yr eildro, cafodd gefnogaeth ei wraig hefyd. Erbyn hyn roedd ganddi hithau gwmni yn y tŷ gan fod Aled Tudur wedi ei eni.

O Wauncaegurwen i Fiet-nam

Gwelwyd pennawd yn *Y Cymro* ddiwedd Awst 1967: 'Nadolig yn Fiet-nam i arweinydd y Blaid.' Y bwriad gwreiddiol oedd anfon hanner cant o bobl i Ogledd Fiet-nam, y wlad lle bu lluoedd arfog America'n brwydro ers blynyddoedd. Amcan y daith oedd dangos fod Cristnogion yng ngwledydd Prydain yn barod i gyd-ddioddef â phobl Fiet-nam. Fe fyddai'r gynrychiolaeth honno hefyd yn cario nwyddau meddygol angenrheidiol i'r dioddefwyr brodorol ac yn cynorthwyo'r sawl oedd yn ceisio ymgeleddu'r cleifion lle roedd y bomio erchyll yn digwydd. Drwy fynd i'r wlad dramor byddai'r Prydeinwyr hefyd yn cyhoeddi, mewn ffordd ymarferol, eu hawydd i ddatgysylltu eu hunain oddi wrth bolisi rhyfel Americanaidd a gefnogid gan lywodraeth y dydd yn San Steffan. Trefnid y daith gan fudiad anwleidyddol 'Gweithredu Di-drais yn Fiet-nam' *(Non-Violent Action in Viet-nam)* ar gost o £15,000. Trwy'r byd roedd yr alwad yn cryfhau am heddwch yn Fiet-nam. Tri Chymro a fwriadai fynd ar y daith oedd Gwynfor Evans, Llywydd Plaid Cymru; Carwyn James, a ddaeth i amlygrwydd yn nechrau'r saithdegau drwy hyfforddi tîm rygbi'r Llewod (roedd Carwyn hefyd yn Ysgrifennydd y Tabernacl, Cefneithin), a Wynn. (Un arall a roddodd ystyriaeth lawn i fynd ar y daith hon ac a holodd am y posibilrwydd o ymuno am gyfnod byrrach ar sail ei ddyletswyddau fel gweinidog yn Abercynon, ond wedi derbyn galwad i Lerpwl, oedd D Ben Rees.) Roedd Esgob Llandaf, y Gwir Barchg Glyn Simon, yn gefnogol i'r fenter, ond yn rhybuddio yn erbyn y perygl o gael eu cam-ddefnyddio gan y Comiwnyddion.

Y mae yn fy meddiant nodyn a sgrifennodd Wynn yn crynhoi 'Fy argymhellion wrth fynd i Fiet-nam':

> 'Gweld fod Mr. Gwynfor Evans yn mynd yn tanio fy nghydwybod i – ymateb fel heddychwr Cristnogol ac nid fel aelod o'r Blaid. Heddychwr sy'n gweld nad yw Heddychiaeth 'cadair esmwyth' na Phasiffistiaeth pulpud yn ddigon. Gwerthfawrogiad o'r gwrando yng Ngharmel. Disgwylir pregethu Cristionogol yno. Pan ddaeth cyfle i bregethu i gynulleidfaoedd llai Cristionogol a di-Gristionogol [yn Fiet-nam] anghristnogol fyddai gwrthod. Felly'n bendant, cenhadu Cristionogaeth a ddymunaf ei wneud yn Fiet-nam. Nid cymhellion gwleidyddol a'm denfyn yno. Gwn nad dymunol yng ngolwg Crist yw'r lladd o bobl ddiniwed – a thrist i Grist yw mai Cristnogion sy'n gwneud y mwyaf o'r lladd. Gydag U Thant, Senator Robert Kennedy a Lord Avon rwy'n argyhoeddiedig mai methiant llwyr yw ymyrraeth filitaraidd America ac ni all ond arwain i ryfel byd. Creu Comiwnyddion wna'r polisi. Beth allwn i ei wneud? Helpu trueiniaid mewn ysbytai. Nid wyf mor ddall ag i dybio y byddwn, fel Mary Slessor, yn gallu gwneud i'r ddwy fyddin daflu i lawr eu harfau. Ond fe gredaf fod grym yn perthyn i arwydd ymarferol ... Mae hi bron â bod yn adeg 'lecsiwn yn America. Mae miloedd ar filoedd

> [yno] yn erbyn y rhyfel yn Fiet-nam. Mae miloedd ar filoedd trosto. Fe all llychyn droi'r fantol. Gyda'r Pab a De-Gaulle, fe allai Carmel (llychyn o 500) fod yn dystiolaeth mor bwysig â dim ... Sylweddoli a wnaf i mor ddychrynllyd o ffodus yr wyf bod Vera yn Gristion a'i bod yn barod ac yn falch i mi wneud yr hyn a wnaf yn enw Crist.

Ar doriad gwawr fore Iau, 4 Ionawr 1968, cychwynnodd Wynn ar y daith gan gyfarfod yn Llundain â gweddill y ddirprwyaeth a hedfan i Cambodia. Gorfu i Carwyn James dynnu'n ôl o'r fenter oherwydd ymrwymiadau eraill a byddai Gwynfor Evans yn hedfan rai dyddiau yn ddiweddarach. Hedfanodd o Stansted i Amsterdam, i Gaergystennin, i Karachi, i Bangkok ac i Phnom Penh, prifddinas Cambodia. Y peth cyntaf a'i trawodd yno oedd gwres yr haul. Ond roedd oerni o du yr awdurdodau yn Fiet-nam i ganiatáu mynediad iddynt i'r wlad honno, ar waethaf eu bwriadau dyngarol.

Yna, daeth caniatâd i dri pherson i fynd i Hanoi – Aelod Seneddol, Gweinidog yr Efengyl a Darlithydd. Er i Anne a Russell Kerr, dau o seneddwyr y Blaid Lafur, wirfoddoli, ar gyfrif ei frwdfrydedd dewiswyd Gwynfor Evans. Yn wreiddiol, gweinidog Carmel Gwauncaegurwen (Wynn) a ddewiswyd, ond gan fod yr heddychwr a edmygid o bedwar ban byd, y Parchg Michael Scott, wedi ei gysylltu ei hun â'r fenter, ef oedd yr un amlwg i'w gynnwys. Y ddarlithwraig mewn Diwinyddiaeth mewn coleg Pabyddol, Dr Cecily Hastings, oedd y trydydd. Dyna'r tri tebycaf i ddarbwyllo awdurdodau Fiet-nam y gellid mentro agor y drws i'r gweddill o'r Prydeinwyr.

Daethai gair i'r ddirprwyaeth oddi wrth y Tywysog Norodom Sihanouk, arweinydd gwleidyddol Cambodia:

> 'Your mission into our country, consisting of a group which would participate in the sufferings and partake of the dangers of the civilian population which is victim to the homicidal folly of the American invaders, is very moving. To our Buddhist, non-violent eyes this is an encouragement, coming from a country which, alas, maintains its support for the hateful politics of a Power, drunk with pride and power.'

Gwahoddwyd pawb o'r fintai i swpera gyda'r Tywysog. Ond drannoeth y wledd daeth diffyg traul o ddarllen colofn yn un o'r papurau dyddiol Ffrengig o'r enw *Cambodge* yn ceisio gwenwyno'r boblogaeth yn erbyn y 'shaggy hippies'. Honnid bod *Cambodge* yn cynrychioli barn swyddogol y Llywodraeth. Er i Sihanouk ei ddatgysylltu ei hun yn llwyr oddi wrth yr erthygl a chosbi'r papur drwy atal ei gyhoeddi am fis yr oedd cynrychiolydd swyddogol Prydain yng Nghambodia, naill ai'n fwriadol neu oherwydd anwybodaeth drychinebus, wedi cam-gynghori eraill mewn swyddi dylanwadol. Tybed a ddisgrifiwyd Gwynfor (a Wynn) erioed o'r blaen fel 'shaggy hippies'!

I Gwynfor ac Ifan Wynn: 'Colomennod Hedd'

Y Parchg Gerallt Jones a luniodd y soned 'I Gwynfor ac Ifan Wynn ein dau gennad i Fiet-nam':

> Ehedwch golomennod eon dras,
> Cludwch ein holewydden hyd y tir
> Lle rhwygir cenedl gan y fwltur bras
> A brwnt, lle na chaiff neb och'neidio'n hir
> Wrth wylied chwalu cartref a throi bro'n
> Feddrodau i'r byw, tomennydd brenin braw;
> Ewch yno'n glau a gwneud trugarog dro
> Lle 'disgyn mamau'n un â'r glaw',
> A Duw a'ch catwo yn y chwyrn oddeithio
> Heb wanio'ch gweld na deifio'ch adain gref,
> Nes darffo o'r Cristnogion â'u anrheithio,
> A dyfod yn gyfannedd, wlad a thref.
> A dowch drachefn â'r sbrigyn Heddwch main,
> G'lomennod Hedd, i'w blannu yng nghartre'r drain.

Bron union fis er gadael Gwauncaegurwen, dychwelodd Wynn i Brydain bnawn Mawrth, 6 Chwefror 1968. Hedfan ar awyren Al Italia i Heathrow a wnaeth a dal trên oddi yno i Gymru. Dywedais wrth fy nghyfeillion yn 'Heddiw' (rhaglen deledu ddyddiol BBC Cymru) am y trefniadau. Gwnaed cynlluniau iddo ymddangos ar y rhaglen y noson honno o'r stiwdio. John

Roberts Williams oedd Golygydd 'Heddiw' ar y pryd. Cytunais iddo fy nreifio i Gasnewydd i gwrdd â'r trên yn y fan honno, a thra byddai John yn dychwelyd i'n cyfarfod yng ngorsaf reilffordd Caerdydd fy nhasg i oedd dod o hyd i Wynn a'i ddarbwyllo i dorri ar ei siwrne i gymryd rhan yn y rhaglen. Deuthum o hyd iddo'n cysgu'n braf. Roedd wedi blino'n dwll ar ôl ei daith hir o'r Dwyrain Pell. Ar yr addewid o gael gwely yn ein tŷ ni y noson honno a theithio adre i Wauncaegurwen drannoeth, fe gytunodd. Taerai fod y daith yng nghar John Roberts Williams o'r orsaf i'r stiwdio yn brofiad llawer mwy peryglus na dim a wynebodd yn Fiet-nam!

Ni bu mwy o deithio tramor. Yr un oedd ei bregethu digyfaddawd yn erbyn rhyfel ble bynnag yr elai. Bu'n Ysgrifennydd ac yna'n Gadeirydd Cymdeithas Heddwch yr Annibynwyr Cymraeg am flynyddoedd. Un o'i gyfraniadau gwerthfawr fel Ysgrifennydd i'r Gymdeithas honno oedd cyfieithu pamffledyn *Peace News* am 'Ryfel Bomb-H' i'r Gymraeg. Cyflwynwyd yr adroddiad gan fod cyn lleied wedi ei wneud i hysbysu pobl gwledydd Prydain am wir effeithiau arfau niwclear a rhyfel bom-H. Ymdrech ganddo ydoedd y pamffledyn Cymraeg i ledaenu'r ffeithiau cywir 'cyn iddi fynd yn rhy hwyr'

.

Ond nid 'dyn y sefydliad' oedd Wynn. Roedd hi'n well ganddo encilio i unigrwydd y mynyddoedd, yn enwedig os byddai yno lyn i bysgota oddi ar ei lan. Yn blant, caem bleser yn taflu pry genwair i afon Iaen. Datblygodd Wynn yn gryn feistr, rhyfeddol o amyneddgar, ar daflu pluen. Treuliai oriau'r gaeaf yn cawio plu gan gyfri'r dyddiau at ddechrau'r tymor pysgota. Cawsai bleser ar lan afonydd Teifi ac Ogwr. Yn ei flynyddoedd olaf yn y weinidogaeth byddai'n sgota'n fynych gyda'r nos yn llynnoedd Gwyddïor a Chlywedog ym Maldwyn. Yr unig beth a'i cynhyrfai yno, ac fe fedrai wylltio fel matsien, oedd awyrennau'r RAF yn hedfan yn isel dros Glywedog er mwyn ymarfer bomio yn Irac. Wedi ymddeol i Langennech codai'n fore i gael y blaen ar bawb arall i daflu pluen ar ddyfroedd Llyn Lliedi, cronfa ddŵr Llanelli. Ymhen amser, mewn cornel o'r llyn hwnnw y gwasgarwyd ei lwch. Does yno ddim i nodi'r fan na neb i darfu ar ei dangnefedd.

Fe rown ni'r gair olaf i'w ffrind coleg, Viv – y dyfynnwyd o'i deyrnged eisoes:

> 'Y tu cefn i ddireidi Wynn (a chyda gwên mae pawb yn cofio amdano) yr oedd enaid un na olygai na phethau nac anrhydeddau ddim iddo. Nid oedd yn uchelgeisiol, nac yn gystadleuol, ac nid oedd yn eiddigeddus ... Bron nad oedd yn ddiniwed yn ei ddiffyg consýrn am ei hun. Os siaradai'n ysgafn ar dro fel pe bai raid bod yn Annibynnwr i fod yn Gristion, yn ei galon, ef oedd y mwyaf cynhwysfawr o blant dynion. Heddychwr o ran anian yn ogystal â'i argyhoeddiad.'

D. R. Thomas (1912-2004)

Pryderi Llwyd Jones

Yn D. R. Thomas y mae Cymdeithas y Cymod yn cyrraedd cyfnod arbennig yn ei hanes, oherwydd y mae DR (fel yr oedd pawb yn cyfeirio ato) yn perthyn i ail hanner yr ugeinfed ganrif. Dyna gyfnod ei weithgarwch, ond mae ei wreiddiau yn y dyddiau pan oedd Cymdeithas y Cymod ar ei chryfaf fel Cymdeithas, neu, yn hytrach ar ei mwyaf gweithgar. Oherwydd iddo gael ei eni ym 1912 yn Llangeitho a'i fagu yn y Rhondda, bu'r dylanwadau Cymreig Methodistaidd a gwleidyddiaeth Sosialaidd y Cymoedd yn drwm iawn arno. Tyfodd i glywed am heddychwyr dewr y Rhyfel Byd Cyntaf ac am arweinwyr llafur dylanwadol ac, yn y cyfnod hwnnw, roedd hynny yn ei wneud yn agored i ymdeimlo â galwad i weinidogaeth Efengyl y Deyrnas. Fe ddaeth DR i Gymru yr hyn fu Donald Soper i Loegr. Daeth yn lais proffwydol, yn heddychwr digymrodedd ac yn bregethwr dylanwadol iawn. Yn yr ystyr hwnnw fe ellir dweud amdano iddo fod yr olaf o'i fath ac iddo fod yn bont i genhedlaeth newydd o ymgyrchwyr heddwch.

D.R.Thomas

Gweinidog, pregethwr ac addysgwr

Mae'n ddiddorol y tebygrwydd oedd rhyngddo ef â'r Parchg John Morgan Jones, Merthyr (1861-1935) â fu'n amlwg yn ddylanwad mawr arno. O wreiddiau gwerinol, roedd y ddau yn alluog iawn a graddiodd y ddau yng Nghaergrawnt gydag anrhydedd. Yr unig wahaniaeth oedd i JMJ fynd i Gaergrawnt yn ddiweddarach yn ei fywyd ac ar ôl bod yng Ngholeg Trefeca ac i DR fod yn Mhrifysgol Caerdydd (a graddio mewn Hebraeg ac Athroniaeth) cyn mynd i Gaergrawnt, ac iddo ar ôl bod yno fynd i Goleg y Bala i baratoi ar gyfer y weinidogaeth gydag Eglwys Bresbyteraidd Cymru. Ond yn y bôn, yr un yrfa academaidd ydoedd. Bu JMJ yn weinidog yn eglwys Saesneg Hope, Merthyr – ar wahân i un flwyddyn – ar hyd ei weinidogaeth. Ar ôl chwe blynedd yn weinidog yn Aberdâr fe dderbyniodd DR hefyd alwad, i Eglwys Hope. Fe ystyriai DR hi yn fraint ac yn gyfle arbennig i adeiladu ar weinidogaeth gyfoethog JMJ. Bu Hope, ac fe barhaodd Hope, yn eglwys ble roedd y llais proffwydol i'w glywed yn gyson ac yn gadarn. Gwyddai DR am gysylltiad y dref a'r eglwys ag enwau fel Henry Richard, Keir Hardie a Bertrand Russell. Gwrthododd JMJ fwy nag un cyfle i fynd i'r byd academaidd, er bod y cymwysterau ganddo, ond – un gwahaniaeth rhyngddynt ac yn arbennig efallai y newidiadau yn y cyfnod – fe dderbyniodd DR wahoddiad, ar ôl 18 mlynedd yn Hope, i ddarlithio ar Athroniaeth ac Addysg Grefyddol yn yr Adran Addysg, Prifysgol Cymru, Aberystwyth. Ond ni pheidiodd â phregethu ac nid oerodd ei angerdd a'i argyhoeddiad. Fe gafodd weinidogaeth ddylanwadol iawn yn y blynyddoedd pwysig wedi'r rhyfel, ac er i'w ddylanwad ymledu ac ehangu yn y symudiad i'r byd academaidd, nid oes amheuaeth iddo hefyd lwyddo i bontio rhwng y byd hwnnw ac anghenion dyfnaf ei gyfnod. Cwestiwn arall yw a fu, wrth edrych yn ôl, yn hapus iddo wneud y penderfyniad iawn yn gadael Merthyr a'r weinidogaeth i fynd i'r byd academaidd.

Y pwyslais newydd yn nhystiolaeth heddychol DR oedd dechrau'r mudiad CND, a bu'n llais cyson yn y mudiad hwnnw yng Nghymru o'r dechrau. Ond fel gweinidog fe fu, wrth gwrs, yn rhan o'r dystiolaeth heddychol o fewn ei enwad ac Anghydffurfiaeth Cymru. Bu ar Bwyllgor Gwaith 'Mudiad Heddwch Eglwysi Cymru'; bu yn Ysgrifennydd Cymdeithas Heddwch Sasiwn y De pan oedd yn weinidog yn Aberdâr; bu'n frwd ynglŷn â gwaith arloesol y PPU; a bu ar bwyllgor Gwaith Cymdeithas y Cymod.

'Llais dros heddwch' a hyrwyddwr 'Adroddiad Brandt'

Ond efallai mai yn nhwf CND y cafodd y llwyfan a'i gwnaeth yn 'llais dros heddwch' yng Nghymru. Mor gynnar â 1950 roedd yn siarad mewn cyfarfod Gwrth Arfau Niwclear a drefnwyd gan fyfyrwyr Aberystwyth – ac yn benodol gan y diweddar David Morris. (Bu Dai Morris yn weinidog gyda'r Eglwys Bresbyteraidd, yn Aelod o Senedd Ewropeaidd dros y Blaid Lafur, yn Is-Gadeirydd CND Cymru ac yn ffrind ffyddlon i DR. Yn y blynyddoedd olaf roedd yn teithio filltiroedd yn wythnosol i'w weld, er nad oedd DR yn adnabod neb yn y blynyddoedd olaf hynny.) Yn yr un flwyddyn roedd wedi trefnu ymgyrch bythefnos yn erbyn Arfau Niwclear ym Merthyr oedd yn cynnwys Rali gyda – yn ôl y wasg – 5,000 yn bresennol a'r Aelodau Seneddol S. O. Davies a Tudor Watkins yn annerch. Bu DR yn rhannu llwyfan gyda Bruce Kent ar fwy nag un achlysur; yn brif siaradwr mewn sawl Gŵyl Heddwch ledled Cymru; ac fe fu ar daith ddarlithio a phregethu yn America, a hynny ar sail ei waith dros heddwch a materion rhyngwladol.

Mae hynny yn ein harwain i bwysleisio dau beth am gyfraniad arbennig D. R. Thomas. Yn wahanol i lawer o aelodau Cymdeithas y Cymod a fu o'i flaen, oherwydd datblygiad arfau niwclear a'i oblygiadau byd-eang, ac oherwydd ei bwyslais mawr ar addysg a swyddogaeth a diben addysg, roedd DR yn gweld heddwch fel rhan, ond rhan gwbwl ganolog, o bwyslais y 60au, y 70au a'r 80au, sef 'cyfiawnder, heddwch a chyfanrwydd y greadigaeth'. Roedd yn bwyslais rhyngwladol, gwleidyddol a diwylliannol, ond roedd hefyd yn rhan allweddol o raglen Cyngor Eglwysi'r Byd, 'justice, peace and the integrity of Creation'. Oherwydd y weledigaeth a'r pwyslais hwn, yr oedd y dystiolaeth dros heddwch yn golygu i DR fod ymgyrchu a chefnogi gwaith Cymorth Cristnogol, Oxfam, yr Ymgyrch Gwrth Apartheid, Amnest Rhyngwladol a mudiadau ymgyrchol eraill yr un mor bwysig. Yn gynnar yn yr 80au roedd DR yn teithio'r wlad yn cyflwyno ac

S.O.Davies

yn esbonio Adroddiad Brandt (1983). Yn ei gyfrol *Ehangu Gorwelion – Hanes Cymorth Cristnogol yng Nghymru* (2014), y mae Wynn Vittle, wrth gydnabod cyfraniad mawr DR, yn dweud hyn:

> 'Gwelai D. R.Thomas fod yn rhaid i eglwysi Cymru a Chymorth Cristnogol weithredu'n broffwydol a gwleidyddol, fel y dywed, "Mae Adroddiad Brandt yn dweud fod gennym yr adnoddau i ddifodi newyn yn llwyr mewn deng mlynedd. Yr unig beth sydd ei angen yw'r ewyllys boliticaidd." Cafwyd ffrwyth profiad DR fel gweinidog ac ysgolhaig mewn llyfryn, ond hefyd ei ymateb fel Cristion. Yn ei ragair i'r llyfryn dywed yr awdur mai ei fwriad oedd ennyn trafodaeth o safbwynt Gristnogol.' (t. 168)

Yn ei gyflwyniad i'r adroddiad, roedd Willy Brandt, cyn-Ganghellor yr Almaen, yn gofyn, 'Oni allwn ddechrau gosod sylfeini i gymuned fyd-eang newydd ... ac i adeiladu byd y bydd rhannu cyfiawnder, heddwch a rhyddid yn ffynnu?' Fe fu DR yn cyfrannu cyfres o erthyglau i'r *Cymro* yn dwyn yr holl faterion hyn i sylw Cymry Cymraeg, a'r cyfan yn tarddu o'i argyhoeddiad fod Teyrnas Dduw yn cyfannu byd a bywyd. Daeth yn awdurdod ac yn hyrwyddwr mawr ar Adroddiad Brandt mewn byd ac eglwys. Siom fawr iddo oedd gweld y pethau iawn yn cael eu dweud, ond nid yn cael eu gwneud. Siom hefyd oedd cael ei siomi gan wleidyddion a gwleidyddiaeth.

Efallai y dylid ychwanegu yma nad ydym yn y deyrnged hon i DR yn gallu rhoi sylw i'w gyfraniad i fyd addysg ac i'w argyhoeddiad o'r hyn y dylai addysg fod – argyhoeddiad a ddylanwadodd arno i dderbyn swydd yn Adran Addysg Coleg Aberystwyth, wrth gwrs. Mae ei erthyglau, ei draethodau a'i ddwy gyfrol, un ar Erich Fromm, yr athronydd, a'r llall yn *Ysgrifau ar Addysg* sydd yn parhau yn werthfawr iawn, yn ein hatgoffa o argyhoeddiadau sylfaenol ei fywyd. ('Mae'r ymchwil barhaus i ofyn 'Beth yw'r gwir ?' yn magu gostyngeiddrwydd sy'n amod i bob gwir wybodaeth', meddai mewn erthygl yn *Y Traethodydd*.)

Mae hyn yn dod â ni at brif gyfraniad D. R. Thomas i'r dystiolaeth heddwch yng Nghymru. Ni chyhoeddodd lawer o lyfrau, ond fe gyhoeddodd nifer fawr o bamffledi ac erthyglau. Rhwng y rhain a'i bregethu, ei anerchiadau a'i ddarlithoedd, nid ydyw yn anodd ei weld yn nhraddodiad y proffwydi a oedd yn barod i lefaru ar bynciau eu dydd, ac yn barod i herio'r eglwys a'i thystiolaeth. Mae teitlai rhai o'r cyhoeddiadau hyn yn gwneud hynny yn glir: *Y Dewis Olaf*; *Newyddion Da i'r Byd*; *Y Proffwyd ac Addoli*; *Tywysog Tangnefedd*; *Y Gwyddonydd a'r Diwinydd*; *Y Plentyn yn y Canol*; *Gwareiddiad yn Gwegian*; *Rhyfel a Newyn*; *Beth yw Dyn? Helbulon Heddychwr*; *Cenedligrwydd a Chrefydd*. Mae naws broffwydol i'r mwyafrif o'r teitlau hyn.

Y Dewis Olaf

Ar gyfer y gyfrol hon, fe ganolbwyntiwn ar ei her i'r eglwysi a sylwi, yn gyntaf, ar ran olaf ei lyfryn *Y Dewis Olaf* (1982). Is-deitl y llyfryn yw *Ymgadw rhag Armagedon* ac mae'n gofyn nifer o gwestiynau pwysig a threiddgar: A oes dyfodol? A oes ataliad? Gobaith? Arweiniad? Heddwch? Ffydd? Edifeirwch? Mae grym a her arbennig mewn cwestiwn, wrth gwrs, ac mae DR yn rhoi penodau byr i ofyn pob un yn eu tro.Yn gynharach yn y llyfryn roedd wedi cyfeirio at ymateb Cyngor Eglwysi Cymru i Ryfel y Malfinas fel 'embaras o amwys ac mor ddigynnwys nes bod yn ddiystyr ... ymddengys mai eu nod yw diogelu'r sefydliad a'i gadw'n barchus'. (t. 23) Brawddeg sydd ynddi ei hun yn crynhoi agwedd heriol a gonest DR at yr eglwysi ac unrhyw gyfundrefn barchus-grefyddol. Yna yn nes ymlaen mae'n dweud hyn:

> 'Tuedd eglwysi yw ymlochesu mewn ymgyrchoedd nad ydynt yn debyg o dramgwyddo'u haelodau. Ar ben hynny dywedwyd mai'r diwinydd yw'r mwyaf anodd ei droi. Tuedda i gredu fod 'sanction' arbennig i'w genadwri ac awdurdod yn tarddu o'i 'barchus arswydus swydd'. Gall ddethol o'i ysgrythur a'i draddodiadau, fel y Phariseaid gynt, i brofi ei bwynt, ac mae weithiau yn lladd ysbryd y gwirionedd trwy lythrenoli ei fynegiant. Os daw arweiniad fe ddaw, fel erioed, mewn ffordd annisgwyl, ac yn aml fel o'r blaen, er gwaetha'r sefydliadau.' (t. 34)

A allai Amos neu Eseia fod wedi dweud yn amgenach? Fe allai'r bennod hon, o *Y Dewis Olaf*, fod ynddi ei hun yn faniffesto i waith cyfoes Cymdeithas y Cymod.

Newyddion Da i'r Byd

Roedd ei ddarlith *Newyddion Da i'r Byd* (Darlith Goffa Alex Wood, Cymdeithas y Cymod, 1985) yr un mor broffwydol ei phwyslais. Newyddion Da, nid cynghorion da, yw'r Efengyl.

> 'Roedd y proffwydi yn greadigol, nid am eu bod yn amddiffyn crefydd y cyfamod – roedd yr offeiriad yn gwneud hynny ac roedd pawb yn derbyn yr egwyddor o gyfiawnder. Cyfraniad arbennig y proffwydi oedd tanlinellu yr union beth oedd cyfiawnder yn ei olygu mewn amgylchiadau arbennig. Mae hynny yn gofyn argyhoeddiad a dewrder. Dyna paham y maent yn sefyll allan, a dyna paham y'i herlidiwyd. A thrwy hyn ac yn hyn, yr oeddynt yn cyhoeddi gobaith a Newyddion Da am y Duw sy'n achub.' (t. 3-4) 'Nid cyfaill yr enaid neilltuedig yw Crist ond Casglwr dynoliaeth ar wasgar (Emmanuel Mounier). Chwalwyd dynoliaeth yn filiynau o ddarnau; rhaid achub pob un; nid yw'r gorlan yn llawn tra bo un ar goll. Ond rhaid i'r gorlan fod yn gymuned, nid yn gasgliad o ddefaid. Ond y mae gor-bwysleisio'r unigolyn wedi peri i ni golli perspectif. Nid i'r unigolyn yn unig mae'r newyddion da ond i ddynoliaeth gyfan. Rhaid adfer undod y teulu. Y *mae* bod dynol sy'n 'universal', medd Spinoza, a hwn yw'r dyn newydd yng Nghrist, lle nad oes Iddew na Groegwr, Barbariaid na Scythiaid, caeth na rhydd, gwryw na benyw.' (t. 8-9). Y mae achubiaeth y byd yn cynnwys achub y drefn y mae dynion yn byw ynddi ... Nid oes wir heddwch heb i ni feithrin cymdeithas nad yw'n dibynnu ar ryfel. Nid yw'n ddigon i mi ymwrthod â rhyfel. Mae hyn yn amlycach heddiw wrth i ryfel fod yn broses beiriannol, hollol amhersonol – lladd o bell a gwasgu botwm. Does dim o'r un arwyddocâd i'r gwrthwynebwr cydwybodol – i ymwrthod â rhyfel rhaid cael cymdeithas sy'n ymwrthod â rhyfel ac y mae hyn yn golygu newid y sustem sydd wedi ei seilio ar hunanoldeb a thrais.' (t. 11)

Y mae'r geiriau hyn yn crynhoi y newid anorfod yn nhystiolaeth Cymdeithas y Cymod. Mae rhyfela a pharatoi at ryfel wedi cyrraedd dimensiwn dychrynllyd. Ar ôl cyfeirio at SR Llanbryn-mair yn America yn cefnogi'n ddigyfaddawd achos y caethweision, ond yn erbyn y rhyfel i'w rhyddhau, aeth DR ymlaen i ddweud:

> 'Roedd yn safiad beiddgar ac fe'i camddeallwyd gan y ddwyblaid. Caled yw cwrs radical heddychlon. Mae'n hawdd bod yn radical ymladdgar neu yn heddychwr dof. Yr hyn sy'n anodd yw cyflwyno'r gwir mewn cariad a defnyddio moddion sy'n gyson â'r amcan.' (t. 14)

Geiriau proffwydol i Gymdeithas y Cymod a chan Gymdeithas y Cymod i Gymru a'r Byd ym 1985. Mae ymgyrchu dros heddwch bellach yn golygu ymyrryd mewn gwleidyddiaeth a chyfundrefnau grymus diwydiannol ac economaidd sy'n gwneud yr ymgyrch yn fwy anodd a chymhleth. Mae'r heddychwr, oherwydd hynny, mewn perygl o gael ei ystyried yn naïf ac yn anghyfrifol, ac fel mewn nifer o achosion diweddar o brotestiadau di-drais yn erbyn arfau niwclear yn America, yr Almaen a Phrydain yn arbennig, o gael eu cyhuddo o deyrnfradwriaeth ac o beryglu diogelwch gwlad. Caled yw cwrs radical heddychlon – os yw hi neu ef yn barod i gerdded llwybr unig. Efallai nad oedd gan DR brofiad personol o hynny, ond fe fu'n ysbrydoliaeth i eraill ac fe fu'n llais ac yn dyst i'r efengyl radical honno.

Proffwyd y ffordd ddi-drais

Bu farw D. R. Thomas ar 5 Mawrth 2004 yn 92 oed ar ôl blynyddoedd o gystudd Alzheimers, ond hyd yn oed yng ngwaethaf y clefyd hwnnw yr oedd cerddoriaeth Bach yn gysur iddo. Bu cerddoriaeth yn falm i'w enaid ar hyd y blynyddoedd. Daeth â harmoni i'w fywyd mewn byd a gollodd gymaint o *shalom* y Creawdwr. Bu ei blant, ac yn arbennig ei ferch, Rhiannon, yn ofalus iawn ohono ar ôl iddo golli ei annwyl briod, Arianwen, a fu'n cydweithio ag ef ar hyd y blynyddoedd. Yn Eisteddfod Casnewydd, y flwyddyn y bu farw, cyflwynodd Cwmni Cefncoed (Cwmni Wilbur a'r diweddar Alma Lloyd Roberts) raglen gyfoethog o deyrnged i DR, 'Proffwyd y ffordd ddi-drais', gyda chyfraniad hefyd gan ei ffrind David Morris a'i weinidog, Pryderi Llwyd Jones. Cyflwynwyd yr un rhaglen ym mis Tachwedd yn ei eglwys ei hun, sef Capel y Morfa, Aberystwyth.

Gwynfyd a Gwae: cyfrol o gerddi

Er y bu pwysau arno ar un amser i fod yn olynydd i Stephen O. Davies fel AS Merthyr (ac fe fyddai wedi ennill y sedd wrth gwrs), parhau yn ddi-blaid a wnaeth DR. Nid oedd, fel y proffwyd, am roi ufudd-dod llwyr i unrhyw gyfundrefn, gwleidyddol na chrefyddol, ond i Deyrnas Dduw yn unig. O gofio bod dylanwadau Llangeithio a Rhondda, diwylliant Cymraeg ac addysg Seisnig arno; o gofio hefyd, fel yr ydym wedi pwysleisio, fod y meddwl Cristnogol, proffwydol wedi ei ysbrydoli drwy ei weinidogaeth cyn ac ar ôl yr Ail Ryfel Byd; ac o ystyried wedyn ei bwyslais ar ystyr addysg sy'n greadigol ac adeiladol, nid yw'n syndod ei fod yn ŵr o ddiwylliant eang. O gofio hefyd mai ei alwad gyntaf a'r bwysicaf oedd i gyhoeddi'r Newydd Da i'r Byd, nid syndod oedd ymddangosiad cyfrol o gerddi ganddo ym 1987: *Gwynfyd a Gwae*. Roedd rhai o'r cerddi wedi ymddangos eisoes mewn cylchgronau. Ym mywyd proffwydi mawr eon yr etifeddiaeth Iddewig-Gristnogol yr oedd angerdd eu gweledigaeth yn esgor ar farddoniaeth. Mae'r gyfrol hon hefyd yn rhan o hanes Cymdeithas y Cymod.

Gwynfyd a Gwae

Gwynfyd a gwae yw gwead y cread;
o'u plethiad cywrain y nyddir profiad.

Ni bu unrhyw wae nad oedd ynddo wynfyd,
Nid llawn yw llawenydd nas profwyd mewn adfyd.

Pan welwn hyn a'i ddysgu'n iawn,
trwy helynt y byd yn ddiogel yr awn.

Pan fachluda'r haul a thywyllu'r nen,
fe welir gogoniant y sêr uwchben.

Araf yw cylchdro melinau rhawd,
ond sicr eu proses yn malu'r blawd.

Mae'r gwenyn wrth reibio'r blodau ysblennydd
yn eu ffrwythloni i fywyd newydd.

Na chwennych allu rhag iddo dy lygru;
try grym yn drais ac mae trais yn drysu.

Nid oes dim yn aros ond cariad,
cariad sy'n creu a chyfannu pob profiad.

Arfon Rhys (1941-2014)

Pryderi Llwyd Jones

Colled fawr iawn i Gymdeithas y Cymod yng Nghymru oedd marwolaeth sydyn David Arfon Rhys ar Sul y Pasg, yr 20fed o Ebrill, 2014. Yn ystod ei gyfnod o ddeng mlynedd fel Ysgrifennydd Cyffredinol fe fu'r wasg yn awyddus bob amser i gael ei ymateb a'i farn ar faterion ynglŷn â chyfiawnder a heddwch. Fe gododd broffil y Gymdeithas fel mudiad oherwydd ei fod yn cynnig barn gadarn a goleuedig ac, yn fwy na dim, fel Cymdeithas ag iddi hygrededd. Y rheswm am hynny oedd bod i Arfon ei hun bersonoliaeth addfwyn a thawel, ond craff a chadarn hefyd. Ymresymu cwrtais ac nid sloganau uchel oedd dull Arfon, a hynny gyda gwên ar ei wyneb. Dyna pam yr oedd ei gyfraniad i IFOR a Chymdeithas y Cymod Ewrop yn cael ei werthfawrogi. Roedd ar ganol trefniadau ar gyfer dwy gynhadledd – ym Mrwsels a Konstanz – i gofio canmlwyddiant Cymdeithas y Cymod pan fu farw. Yn wir, roedd ar ganol paratoi deunydd i'r gyfrol hon hefyd.

Roedd ei brofiad maith fel ymgyrchydd amgylcheddol ac ieithyddol (mae lluniau ohono yn protestio yn ymgyrchoedd cynnar Cymdeithas yr Iaith Gymraeg) yn golygu ei fod wedi deall natur sylfaenol y ffordd ddi-drais. Roedd nodweddion y bywyd di-drais i'w weld yn amlwg ynddo mewn ffordd nad oedd raid iddo ddweud mai 'trwy ddulliau di-drais' yn unig mae ymgyrchu a gweithio i greu gwell byd.

Roedd gan Arfon gymwysterau academaidd (Prifysgol Cymru, Abertawe a Llundain) ac ieithyddol, yn ogystal â phrofiad o weithio mewn gwahanol feysydd – cysylltiadau cyhoeddus, adnoddau dynol, byd busnes, darlithio a dysgu – oedd yn golygu bod popeth a wnâi yn raenus a gwybodus. Roedd darllen Cyfrif Trydar Arfon yn gloddfa o wybodaeth, a'i adroddiadau yn sylweddol a swmpus, ac y maent yn werth eu cadw oherwydd y maent yn datgelu ei ymateb a'i feddyliau wrth ystyried y twf mewn militariaeth a rhyfela. Er bod llawer yn ystyried mai 'dros dro' a 'diflanedig' yw'r cyfryngau digidol, y mae i drydaru a blogio Arfon ddigon o ddeunydd sylweddol i wneud cyfrol – boed ar y we neu mewn print.

Tu ôl i'w weithgarwch yr oedd ei gefndir yn Llanelli, a'r ysbrydolrwydd a'i harweiniodd o Ddosbarth Ysgol Sul yr heddychwr-athronydd, J. R. Jones (pan oedd yn y coleg yn Abertawe), i ymgartrefu yn y diwedd ymhlith y Crynwyr. Cofiwn yn annwyl hefyd am Ann John, chwaer Arfon, sy'n parhau i fyw yn Llanelli. Fe adroddodd beth o'i daith ysbrydol yn y gyfrol *Tua'r Tarddiad* a gyhoeddwyd gan y Crynwyr yn 2014. Yn wir, roedd y cyfarfod a gafwyd yng Nghanolfan Felinwnda i ddiolch am ei fywyd, yn gyfarfod ar ddull addoli y Crynwyr. Profiad arbennig iawn oedd bod mewn neuadd orlawn lle'r oedd mwy o dawelwch nag o siarad. Prin hanner dwsin gyfrannodd, a hynny am ychydig iawn o funudau, os nad eiliadau, ac er y byddai pawb yno wedi medru siarad, roedd dyfnder y diolch yn y tawelwch.

O safbwynt gwaith a chyfraniad y Gymdeithas yn ystod cyfnod Arfon fel Ysgrifennydd (a Guto ap Gwynfor yn bennaf fel Cadeirydd) rhaid pwysleisio mai Arfon (a'i bartner Marika a fu'n gweithredu fel cydlynydd cyntaf y Gymdeithas) oedd yn bennaf cyfrifol am ddatblygu gwefan y Gymdeithas. Bu hefyd yn amlwg ym mlynyddoedd cynnar dechrau sefydlu Academi Heddwch Cymru, a bu'r ymgyrch yn erbyn awyrennau di-beilot, yr 'adar angau', yn uchel ar yr agenda. Ond roedd hyn yn ogystal â rhaglen gyffredinol y Gymdeithas, sydd wedi datblygu dros y blynyddoedd. Ond er cymaint oedd ar ei blât fel Ysgrifennydd, roedd yn aelod ffyddlon o gell fechan Dwyryd a Glaslyn o'r Gymdeithas.

Ystrydeb yw dweud bod rhywun yn gadael 'gwacter ar ei ôl', ond yn hanes Cymdeithas y Cymod, a mwy o alw ac angen nag erioed am dystiolaeth a gwaith y Gymdeithas, mae hynny yn bryderus o wir am Arfon. *Mae* gwacter mawr. Ond fe fydd ei gyfraniad, ei ddylanwad a phersonoliaeth addfwyn y tangnefeddwr, yn aros.

Ch. Atgofion

Atgofion

Nia Rhosier

Hyd 1976, fel y mynegwyd eisoes yn y gyfrol hon, bu Cymdeithas y Cymod yng Nghymru yn rhan o'r *'Fellowship of Reconciliation'* Prydeinig, er bod ganddi ei Chyngor er 1951, ac arno gynrychiolaeth o gymdeithasau heddwch yr Annibynwyr a'r Bedyddwyr. Fodd bynnag, ym 1976, daeth yn Gymdeithas annibynnol Gymreig ac yn aelod o 'IFOR', Cymdeithas y Cymod Gydwladol, ynghyd â changhennau Lloegr, Yr Alban ac Iwerddon.

Gweithwyr yn y winllan

Deuthum ar draws pamffledyn Cymraeg Cymdeithas y Cymod yng Nghymru mewn cyfarfod gan y Crynwyr un bore Sul yng Nghaerdydd ym 1983, a bu darllen pum pwynt argyhoeddiad y Gymdeithas, gyda'u pwyslais ar ragoroldeb y cariad a welwn yn Iesu Grist a'i berthnasedd i holl fywyd dynolryw wrth ymwrthod â phob trais, yn drobwynt yn fy mywyd, ac yn achos imi ymaelodi ar unwaith a dod i adnabod pobl o'r un anian. Yr Ysgrifennydd Cyffredinol ar y pryd oedd y Parchg Gronw ab Islwyn, gweinidog gyda'r Annibynwyr yn Nhreorci, a chofiaf fynd gydag ef i lawer o gyfarfodydd yn Ne Ddwyrain Cymru, ac o dan ei arweiniad, ymgymryd â swydd wirfoddol fel Trefnydd y rhanbarth hwnnw. Ym 1985, dilynais Gronw fel Ysgrifennydd Cyffredinol y Gymdeithas, gan fwrw iddi i ychwanegu mwy o gelloedd lleol a chynyddu'r aelodaeth. Bu Orthin Thomas, Alun R. Edwards, Delwyn Phillips a Dyfed Elis Gruffydd yn eu tro yn gymorth mawr wrth geisio chwyldroi cyflwr ariannol y Gymdeithas, ac yn ogystal â chynnydd sylweddol yn nifer yr aelodau unigol wrth gynnal cyfarfodydd dros Gymru gyfan, cafwyd cefnogaeth gan yr enwadau anghydffurfiol ac ambell gapel unigol, sydd yn parhau hyd heddiw, gyda Gwyn Williams, Chwilog, yn Drysorydd gofalus; Arfon Rhys (hyd ei farw trist yn 2014) yn Ysgrifennydd Cyffredinol arbennig; Guto Prys ap Gwynfor yn Gadeirydd addfwyn a doeth; Robin Gwyndaf yn Is-Gadeirydd gweithgar a brwdfrydig; a Jane Harries yn gydlynydd effeithiol. Y mae Mererid Hopwood a Tudur Dylan Jones yn arwain Cell Caerfyrddin, a buont yn gyfrifol am y syniad o gyhoeddi

Llyfr Gwyn Caerfyrddin a'i gludo o le i le er mwyn i heddychwyr Cymru dorri eu henwau ynddo. Yr un modd y mae Cell Dwyryd a Glaslyn yn weithgar iawn, gyda Phryderi Llwyd Jones yn Gadeirydd ac Awel Irene yn Ysgrifennydd. Minnau, erbyn hyn, yn Llywydd Anrhydeddus, a mawr fy niolch am y fraint honno, a gyflwynwyd imi yng Ngorffennaf 2010 mewn gwylnos yn Ffald-y-Brenin, Sir Benfro, ar ffurf englyn gan Robin Gwyndaf, wedi ei lythrennu'n gain gan Tegwyn Jones, Bow street.

Ond yn ôl at yr atgofion cynnar ac at enwau eraill o aelodau brwd y Gymdeithas yn ystod fy nghyfnod i fel Ysgrifennydd Cyffredinol, ac a fu'n gefn i mi dros ymron i bymtheng mlynedd yn y swydd. Teyrnged iddynt yw eu henwi yma, ac mae'n bwysig eu cofio fel aelodau o'r un 'teulu' o heddychwyr Cristnogol Cymreig: Gwynfor Evans (yn enwedig yng nghyswllt ei gyfrol *Heddychiaeth Gristnogol yng Nghymru* a gyhoeddwyd gan y Gymdeithas ym 1991); D. Ben Rees (awdur toreithiog, golygydd *Reconciliation Quarterly* a *Peacelinks*); Annie Humphreys; Rachel Mary Davies; Iorwerth Cyfeiliog Peate (gweler ei gerdd 'Bwystfilod'); Gwilym R. Tilsley; Gwilym R. Jones; W. T. Pennar Davies; D. R. Thomas (awdur Darlith Alex Wood, 1985, ymgyrchydd diflino ac areithiwr huawdl); Aled ap Gwynedd, a'i briod, Lynwen; Emlyn G. Jenkins; D. E. Williams; Erastus a Lun Jones; Pierce a Catherine Jones; Cyril G. ac Irene Williams; Myfyr Davies Lewis, Croesoswallt, a'i briod, Rhiannon; Dewi W. Thomas (cyfaill annwyl a fu'n amlwg ar hyd ei oes faith yn nhystoliaethau heddwch Breudeth, Sain Tathan ac Epynt yn enwedig, ac yn aml yn gennad heddwch unig o gyfeiriad yr Eglwys Anglicanaidd); M. Islwyn Lake (cyn-Gadeirydd a llais cryf mewn pulpud a chymdeithas dros y ffordd ddi-drais, a wrthododd arwain angladd filwrol, a dioddef cryn ddirmyg gan rai yn sgîl hynny), a'i briod, Gwyneth; Ifanwy Williams (yn parhau i dystiolaethu dros dangnefedd ein Harglwydd yn ei nawdegau); Menai Williams; Awel Irene (Is-Gadeirydd IFOR am gyfnod, a threfnydd Gwynedd gyda Gwladys Price); Anna-Jane Evans (Ysgrifennydd dros dro, 1999-2003); Tudor Davies (lluniwr sawl emyn heddwch cofiadwy); J. E. Davies (cyn-Gadeirydd a chymeriad carismataidd, huawdl yn ei bregethau a'i dystiolaeth bob amser); Gareth Thomas (Cadeirydd cyntaf y Gymdeithas Gymreig annibynnol, trefnydd gwersyll ieuenctid Llangrannog), a'i briod, Annette (gwelir ffenestr goffa hardd i Gareth yng nghapel Hebron, Clydach); J. Ronald Williams (Ysgrifennydd Gwynedd ac arweinydd ysgolion undydd ar heddwch); Robin Griffith (ffotograffydd ac aelod gweithgar o gell Caerdydd); Ethni Jones (Trefnydd Cell Caerdydd); Emlyn Davies; Lona Roberts; W. Cynwil Williams; Ieuan Davies; Gwilym ap Robert; Huw a Huldah Ethall; Raymond Williams; Denzil John; D. Carl a Rita Williams; Olaf Davies; W. J. Edwards; Meredydd Evans; Rhian Evans; F. M. Jones (Abertawe); Richard Jones (Cwmgors); Dewi Myrddin Hughes; Herbert Hughes (awdur *Mae'n Ddiwedd Byd Yma* – hanes Epynt); Owen E. Evans (cyn-Gadeirydd), a'i briod, Margaret; Tecwyn Ifan; Dafydd Iwan; Angharad Tomos; Siân Howys; Siân ap Gwynfor; Rhodri Glyn Tomos; Robin Wynne Samuel; Alun Tudur; Alma a Wilbur Lloyd Roberts; Hywel Wyn Richards; R. Tudur Jones; Allan Pickard; Beti Wyn James; Jill Hailey Harries; Elizabeth Evans; Alun ac Eleri Davies; Lili Thomas; Angharad Roberts; Casi M. Jones; Dilys O'Brien Owen; D. Gerallt Jones; Noel Davies; Brenig Davies; Emyr Gwyn Evans; Aled Gwyn; Ioan Wyn Gruffydd (Trefnydd y Gogledd a chynadleddau ieuenctid Glan-llyn a chysylltydd â Phobl Heddwch Gogledd Iwerddon); Ifan Wynn Evans (ymgyrchydd brwd a gerddodd ar daith heddwch bron i Moscow, a chyda Gwynfor Evans aeth yn gennad heddwch i Cambodia yn y chwedegau); R. Alun Evans; Geraint H. Jenkins ac Ann Ffrancon; Harri Parri, Caernarfon; E. H. Griffiths, Rhuddlan; Gareth Watts; Meirion Lloyd Davies (Ysgrifennydd y Gogledd); E. R. Lloyd Jones (Ysgrifennydd y Gogledd); Gwilym H. Jones (awdur *Cymod yn yr Hen Destament*; cyhoeddwyd gan Gymdeithas y Cymod); David Protheroe Davies (awdur *Cymod yn y Testament Newydd*, cyhoeddwyd gan Gymdeithas y Cymod); Ieuan Gwynedd Jones (awdur llyfryn ar Henry Richard); Elfed ap Nefydd Roberts (aelod o Gell Wrecsam gyda'r offeiriad Pabyddol Owen Hardwicke); Rwth Tomos (aelod gweithgar o Gell Wrecsam a chyd awdur gyda minnau lyfryn ar weithredu di-drais); Carey Jones (awdur llyfr ar Henry Richard); Euryn Wyn Tomos; Mary Wickens; Rhys ab Ogwen Jones; E. J. Hughes; Eirian a Geraint Jones; Marian Lloyd Jones; Tom Wright; Phillip de la Haye; Marion Griffith Williams; Phillip Williams; Eirwyn Williams (Aberhafesb); Ifan Rh. Roberts (Ysgrifennydd Cell Dyffryn Clwyd); John Owen (Cadeirydd Cell Dyffryn Clwyd ac un o 'Bedwar Molesworth', ynghyd â John H. Tudor, Pryderi Llwyd Jones ac M. Islwyn Lake); E. Ffestin Williams; Ithel Davies; Ronwy a Dot Rogers; Richard Jones (Llanelwy); R. Bryniog Howells; J. Edward Williams;

Emlyn Richards (gohebydd cyson i'r wasg ar wagedd pob rhyfel ac areithiwr ysbrydoledig bob amser); Eleri Gwyndaf, Caerdydd; Rowena Thomas, Bwlch-gwyn (hithau'n enwog am ysgrifennu llythyrau di-rif i'r *Daily Post* a sawl un o bapurau dyddiol mawr Lloegr, yn ogystal â bod yn un o wragedd hynod Comin Greenham a phrotestiadau Aldermaston, Faslane, Menwith Hill a Molesworth); Lib Rowlands-Hughes, Llangollen (gohebydd cyson i'r wasg, casglwr diwyd toriadau papur newydd am faterion heddwch a chymod a'u dosbarthu ymysg heddychwyr eraill dros y byd, ymwelydd cyson, gyda'i pherthynas, Gwen Robson, nith George Davies, â gwersyll Maes-yr-Haf ym mro Morgannwg, ac ymgyrchydd diflino ymhell i'w nawdegau); Aled Williams (gweinidog Rehoboth, Llangollen, a fu'n weithgar iawn yn nhystiolaeth Cymdeithas y Cymod ar faes Eisteddfod Gerddorol Ryngwladol y dref yn y blynyddoedd cynnar); Joe Brown; Jill Gough; Harri Owain Jones; Trefor A. Jones; Ednyfed a Glenys Jones; Efa Wulle; Bryn Jones; Silas T. ac Eiddwen Jones; Stella Treharne; Cledan Mears; R. O. Roberts (Abertawe). Rhestr faith, ond yn llwyr haeddu lle yn yr atgofion hyn.

E.M.Bush

M.Islwyn Lake

Guto Prys ap Gwynfor a Mererid Hopwood

Robin Gwyndaf a Bruce Kent

Jill Gough

Emlyn Richards

Ifanwy Williams

Gwyn Griffiths

Angharad Tomos

Roeddwn yn byw yng Nghaerdydd pan gefais fy mhenodi'n Ysgrifennydd Cyffredinol y Gymdeithas, ac wedi ymweld â llawer o'n haelodau yn Ne Ddwyrain Cymru eisoes fel trefnydd y rhanbarth hwnnw, daliais ati i wneud hynny, a cheisio annog aelodau i drefnu gweithgareddau heddwch ar y cyd er mwyn gwneud ein tystiolaeth yn fwy gweladwy yn y gymdeithas. Bu cryn lewyrch ar hynny yng Nghaerdydd, a chysylltiadau pwysig gyda'r Deml Heddwch yn cryfhau wedi penodiad Stephen Thomas fel Cyfarwyddwr y Ganolfan Ryngwladol, ac yng Nghasnewydd, lle roedd Rowan Williams a Ruth Osborne yn trefnu oedfaon a chyfarfodydd heddwch. Cofiaf y wefr wrth ymateb i wahoddiad Rowan i annerch yn Eglwys Gadeiriol Sant Gwynllyw mewn oedfa heddwch. Ymwelais lawer gwaith â chelloedd yn Abertawe, Pontardawe, Pontyberem (dan arweiniad Wilbur ac Alma Lloyd Roberts, a gynhyrchodd sawl dramodig ar fywyd heddychwyr bröydd yr Eisteddfodau Cenedlaethol), Castell-nedd, Dyffryn Clwyd, Wrecsam, a Phorthmadog (Cell Dwyryd a Glaslyn). Yn y dyddiau hynny nid oedd y Gymdeithas mewn sefyllfa ariannol ddigon cadarn i dalu cyflog, ond roeddwn yn hapus i wneud y gwaith yn wirfoddol yn fy sêl dros y ffordd ddi-drais, a pharhau i geisio cynnydd yn yr aelodaeth er mwyn gosod y Gymdeithas ar seiliau ariannol mwy dibynadwy. Yn y man, cefais 'gydnabyddiaeth' a chostau teithio, yn gyntaf drwy law y Trysorydd, Delwyn Phillips, ac wedyn Dyfed Elis Gruffydd, Euryn Tomos a Gwyn Williams yn eu tro.

Y Gymdeithas yn yr Eisteddfod Genedlaethol

Eisteddfod Genedlaethol Caernarfon a'r Cylch ym 1979 oedd y gyntaf i mi fod yng ngofal pabell Cymdeithas y Cymod a drefnwyd gan J. Ronald Williams, ac mi fûm ym mhob Eisteddfod wedyn, gan gynorthwyo i drefnu tystiolaeth, un ai ar ffurf amgylchynu'r pafiliwn neu gyfarfod o flaen ein pabell, neu ym Mhabell y Cymdeithasau, gyda siaradwyr gwadd, yn ogystal â bod wrth law i gyfarfod ag aelodau. Mae'r Gymdeithas hefyd â gofal am yr oedfa ym mhabell Cytûn ar 6 Awst (Diwrnod Hiroshima) yn flynyddol; digwyddiad dwys a chofiadwy bob amser, a mawr fy niolch i Dr. D. Huw Owen, Aberystwyth, am y rhodd o lyfr am erchylltra Hiroshima a Nagasaki a dderbyniodd gan gyfaill yn Siapan, ac sy'n cael ei arddangos yn y Babell Heddwch i'n hatgoffa pa mor greulon y gall dyn fod tuag at gyd-ddyn.

Cofio 'SR' Llanbryn-mair

Un o ddigwyddiadau cyffrous fy mlwyddyn gyntaf fel Ysgrifennydd Cyffredinol fu trefnu pererindod i gofio canmlwyddiant marw yr heddychwr enwog, 'SR' ym 1985. Cerddodd cant o aelodau'r Gymdeithas, a minnau'n un ohonynt, o Hen Gapel Llanbryn-mair i'r Ddiosg, a chafwyd anerchiad afieithus gan Ifan Wynn Evans, yntau o Lanbryn-mair, a byth yn brin o'n hatgoffa o hynny! Un arall yn y cwmni oedd yr heddychwr a'r gwrthwynebydd cydwybodol amlwg, Ithel Davies.

O Gymru i Genefa

Ym mis Mai, 1987, clywais am fwriad Urdd Gobaith Cymru i anfon criw o bobl ifanc gyda brys-negeseuon ar Daith Heddwch i Ganolfan y Cenhedloedd Unedig yn Genefa ar Hydref 24 y flwyddyn honno, a chyfrannodd Cymdeithas y Cymod at y costau a hefyd rhoddodd becyn o lyfrynnau a phamffledi heddwch i bob person ifanc. Symudais i fyw i Langollen yn ddiweddarach y flwyddyn honno, a dod i adnabod aelodau

Cell Wrecsam a chefnogi eu tystiolaeth a'u cysylltiad agos â'r Ganolfan Heddwch a Chyfiawnder a'r Tad Owen Hardwicke. Ymunais â sawl cyfarfod protest yn erbyn rhyfeloedd a drefnwyd yn Sgwâr y Frenhines yn y dref, a threfnu cyfarfod cyhoeddus yn Yr Wyddgrug, ar ran Cell Clwyd, i glywed arweinyddion a phobl ifanc Aelwyd Y Parc, ger Y Bala, yn adrodd hanes eu hymweliad â Genefa. Cyhoeddwyd llyfryn am eu taith dan ofal Lona a Dan Puw a'r Parchg Bryn a Mrs Eirlys Elis, ac yn datgelu bod 20,000 copi o'u brys-neges wedi eu rhoi yn nwylo'r Cyfarwyddwr Cyffredinol, Jan Martensen. Un a'i dilynodd yn y swydd honno oedd David Atwood, cyn-gyfarwyddwr IFOR yn Alkmaar, Yr Iseldiroedd, Crynwr hoffus y deuthum i'w adnabod yn dda o'r adeg pan ymwelais â swyddfa IFOR ym 1986.

Cofio George M. Ll. Davies

Roedd 1987 yn flwyddyn pan benderfynodd y Gymdeithas gynnal sawl digwyddiad i gofio 'Heddychwr Mawr Cymru', George M. Ll. Davies. Cafwyd darlith yn Eisteddfod Genedlaethol Llanrwst gan ei gofiannydd, E. H. Griffiths, a phasiant ym Mhafiliwn Corwen a oedd yn bortread gan Harri Parri, dan yr enw 'Rhyw Ymarferol Frawd', ac a drefnwyd gan Pryderi Llwyd Jones a minnau. Bu trigain o ddisgyblion Ysgol Rhydfelen yn cyflwyno drama gerdd yn seiliedig ar fywyd George M. Ll. Davies yng Nghaerdydd hefyd, a phan fu'r Gymdeithas yn cofio hanner canmlwyddiant marwolaeth yr heddychwr mawr (1999), mi gefais i y fraint o blannu coeden er cof amdano yng ngardd y Deml Heddwch yn ein prifddinas. Flynyddoedd yn ddiweddarach, yn 2009, gyda chymorth Alison Layland, Llangynog, cyhoeddwyd fy nghyfieithiad o lyfr cyntaf E. H. Griffiths, *Heddychwr Mawr Cymru*, i'r Saesneg, i'w archebu dros y rhyngrwyd.

Cofio Henry Richard

Yn rhinwedd fy swydd fel Ysgrifennydd Cyffredinol, cefais gynrychioli cangen Cymru yng Nghyngor IFOR yn Assisi, ddechrau Awst 1988, Cyngor sy'n cyfarfod bob pedair blynedd. Profiad bythgofiadwy o fod yng nghwmni heddychwyr o bedwar ban byd, a chael cyfle i sôn am ein traddodiad heddwch ni yng Nghymru fach, a rhoi gwybodaeth iddynt am

Henry Richard, AS, a'n cynlluniau i gynnal cyfarfod coffa canmlwyddiant ei farwolaeth ar 21 Awst y flwyddyn honno, yn Nhregaron. Bûm wrthi ers tua blwyddyn yn trefnu'r achlysur hwnnw a phleser oedd croesawu'r Athro Emeritws Ieuan Gwynedd Jones i draddodi darlith goffa a gyhoeddwyd gan y Gymdeithas.

Cymru a Gogledd Iwerddon: gefeillio

Ym 1989 cafwyd tridiau yng Ngholeg Trefeca yng nghwmni'r *'Travelling Peace Workshop'*, dan arweiniad swyddog ieuenctid FOR Lloegr, pan ddaeth heddychwyr ifanc o bob cwr o Gymru i elwa o'i phrofiad, a mynd yn ôl i'w hardaloedd i annog plant a phobl ifanc i weithio dros heddwch. Cawsom wybod am 'Gynllun Chwarae Gogledd Iwerddon' sydd yn gwahodd pobl ifanc i wirfoddoli i gynorthwyo bob haf pan ddaw plant o ddwy ochr y trafferthion, Pabyddol a Phrotestannaidd, i gyd-chwarae a dysgu parchu ei gilydd yn Lurgan a Belfast. Da dweud bod Berian Lewis o Gymru wedi mynd gyda mi i Lurgan dan nawdd Cymdeithas y Cymod yng Nghymru y flwyddyn ddilynol, a phenderfynodd y Gymdeithas 'efeillio' gyda changen Gogledd Iwerddon o IFOR. Un o uchafbwyntiau fy nghyfnod fel Ysgrifennydd Cyffredinol cangen Cymru oedd trefnu pererindod heddwch a chymod i barhau am wythnos, ar y cyd â changen Gogledd Iwerddon, yn dechrau ar Ŵyl Sant Padrig, 17 Mawrth 1990, yn Aberystwyth, pan ddaeth yr aelodau Gwyddelig blaenllaw, David Bleakley a Denis Barritt, i annerch. Cawsom gyfraniadau hefyd gan gynrychiolwyr o FOR Lloegr a'r Alban, a braint arbennig fu croesawu David Atwood o IFOR a'i dywys o gwmpas lleoedd gyda chysylltiad â heddychwyr, megis Tregaron, lle cawsom groeso twymgalon gan ficer Eglwys Dewi Sant, Llanddewibrefi, Y Parchg Aled Williams, a'i briod, yntau'n nai i'r Canon Dewi Thomas, Rhydaman, Cadeirydd ein cangen ar y pryd.

Pererindod i Epynt

Un o weithgareddau cyson cangen Cymru yw ymweld â Chwm Cilieni ar Fynydd Epynt (yn flynyddol, hyd yn ddiweddar) a'm braint a'm cyfrifoldeb oedd cydlynu'r pererindodau hynny, gan wahodd heddychwyr i wasanaeth edifeirwch ac eiriolaeth ar safle Capel y Babell a ddymchwelwyd gan y fyddin ym 1940 wrth iddi droi allan drigolion y cwm o'u cartrefi a chodi pentref ffug, yn cynnwys eglwys, na fyddai neb byth yn addoli ynddi, a thai na fyddai neb byth yn trigo ynddynt, ond yn hytrach eu defnyddio ar gyfer 'sniping practice'. (Gweler *Mae'n Ddiwedd Byd Yma* gan Herbert Hughes, Gwasg Gomer, 1991). Roedd pob ymweliad ag Epynt yn ddirdynnol o drist, a run tristach na gweld enwau Saesneg neu Americanaidd ar safleoedd lle bu Cymry Cymraeg yn byw, gydag enwau Cymraeg hyfryd ar eu cartrefi, ond buom wrthi yn gwneud arwyddion gyda'r enwau gwreiddiol arnynt un flwyddyn, a chawsom ganiatâd y Weinyddiaeth Amddiffyn i'w gosod yn y lle priodol. Cofiadwy iawn hefyd oedd y flwyddyn pan ddringodd rhai aelodau i fyny tŵr yr eglwys ffug i osod baner heddwch, a blwyddyn cofio 75 mlynedd bodolaeth FOR (1994) pan ddaeth mwy o bobl nag erioed o'r blaen i dystiolaethu dros y ffordd ragorach – ffordd tangnefedd ein Harglwydd, Iesu Grist.

Ar ddechrau 1991, bu'r Gymdeithas yn hynod o weladwy mewn protestiadau yn erbyn Rhyfel y Gwlff, a minnau yn ail-ryddhau Datganiad i'r Wasg, dyddiedig Medi 1990, a gohebu â'r Prif Weinidog, arweinyddion y prif bleidiau ac aelodau seneddol, a hefyd yn anfon at Sadam Hussein, George W. Bush a Perez de Cuellar, ond heb unrhyw fath o ymateb. Bûm yn asiant cysylltu ar gyfer 'Tîm Heddwch y Gwlff', grŵp o heddychwyr rhyngwladol – rhai yn aelodau o IFOR – a oedd wedi ymsefydlu ar y ffin rhwng Irac a Saudi Arabia, gan annog pobl Cymru i'w cefnogi. Roedd llawer o aelodau'r Gymdeithas yn bresennol mewn ralïau ym Mhorthmadog, Blaenau Ffestiniog, Y Bala, Bangor, Wrecsam, Rhuthun, Y Trallwng, Abertawe, Rhydaman a Llundain, ar y cyd ag CND Cymru. Ar 21 Mehefin 1991, mewn cydweithrediad â Chell Dyffryn Clwyd o dan arweiniad y Parchg John Owen, cynhaliwyd 'Galwad i Edifeirwch wedi Rhyfel y Dwyrain Canol' ar sgwâr Rhuthun – yr un diwrnod â'r 'Victory Parade' bondigrybwyll yn Llundain – gyda nifer fawr wedi ymgynnull.

Cofio Thomas Wynne, Ysgeifiog

Ym mis Mawrth, 1992, trefnais gyfarfod i gofio trichanmlwyddiant marw Thomas Wynne, y Crynwr a'r heddychwr o Ysgeifiog (1627-1692), yng nghapel y Presbyteriaid, Caerwys. Cafwyd anerchiad gan yr Athro Geraint H. Jenkins, a chyfle i brynu copïau o'i ddarlith ar Thomas

Wynne a gyhoeddwyd gan Bwyllgor Cymreig Cymdeithas y Cyfeillion. Yng Ngorffennaf y flwyddyn honno, trefnais bererindod yng nghwmni aelodau o Gell Clwyd, i gartref Thomas Wynne, sef 'Fronfadog'. Yn yr un flwyddyn, cefais gynrychioli cangen Cymru yng Nghyngor IFOR ym mhrifddinas Ecuador, Quito, a chael y fraint fawr o gyfarfod ag Adolfo Perez Esquivel o'r Ariannin, enillydd Gwobr Heddwch Nobel, 1988, a bod yn ei grŵp trafod, lle y dysgais gymaint am waith, aberth a thystiolaeth heddychwyr dros y byd. Deuthum i adnabod cynrychiolwyr yr Alban yn dda, a bûm mewn sawl cyfarfod o'u cangen hwy yn y blynyddoedd wedyn yn Glasgow, Caeredin, a Dundee, a hwythau'n ymweld â Chymru yn eu tro.

IFOR yn dathlu

Cynrychiolais gangen Cymru yn nathliadau pen-blwydd IFOR yn 75 oed ar Ynys Iona ym 1994, a chael y fraint o ddarllen neges Hildegard Goss-Mayr, Llywydd Anrhydeddus y Gymdeithas Gydwladol, mewn oedfa yn yr abaty enwog. Cyfarfûm â llawer o heddychwyr amlwg o dros y byd ac adnewyddu cyfeillgarwch rhai a fu yn Quito yr un pryd â mi ym 1992. Bu cymuned Corrymeela yng Ngogledd Iwerddon hefyd yn dathlu'r pen-blwydd yn ddiweddarach yn y flwyddyn, ac euthum i a Rowena Thomas; Owen E. a Margaret Evans, ac Elfed Lewys yno ar ran cangen Cymru. Cawsom ninnau yng Nghymdeithas y Cymod yng Nghymru ein dathliad hefyd ar Fynydd Epynt ym mis Medi yng nghwmni rhai o gyn-drigolion Cwm Cilieni, a Herbert Hughes, Llan-ddew, yn siaradwr gwadd. Roeddem wedi paratoi baneri gyda'r geiriau 'IFOR 75 oed' arnynt, ac aeth Rowena Thomas a minnau â hwy i Sgwâr Trafalgar yn Llundain i ymuno ag aelodau o FOR Lloegr mewn rali fawr fis ynghynt. Wedyn, yn Nhachwedd 1994, cynrychiolais gangen Cymru ar achlysur dathliad canghennau Ewrop yn Nhŷ Martin Niemoller yn Berlin. Anghofiaf byth ein hymweliad â phencadlys y Gestapo a'r byncar enwog yn Potsdam a'r 'wal' erchyll rhwng Gorllewin a Dwyrain y ddinas.

Cynhadledd: 'Torri'r Cylch Cythreulig'

Bu blynyddoedd 1995/96 yn rhai hynod o brysur pan gefais y cyfrifoldeb dros drefnu cynhadledd ryngwladol, fwrw'r Sul, 28-30 Mawrth 1996, yng ngholeg Llanbedr Pont Steffan o dan y teitl 'Torri'r Cylch Cythreulig', pan ddaeth Hildegard Goss-Mayr atom yn westai. Roeddwn wedi ei chyfarfod hi a'i diweddar ŵr, Jean Goss (un o freintiau mwyaf fy mywyd) yng Nghyngor IFOR yn Assisi ym 1988, a hithau, drachefn, yn Awstria, ei gwlad enedigol. Dysgais am waith enfawr y ddau fel heddychwyr Cristnogol yn nwyrain Ewrop a'r Affrig. Talodd y paratoi dros flwyddyn a hanner ar ei ganfed, oherwydd daeth tua 70 heddychwr ynghyd, gan gynnwys cynrychiolwyr canghennau yr Alban, Lloegr a Gogledd Iwerddon, a phawb yn tystio mai 'da oedd iddynt fod yno'. (Am hanes Hildegard a Jean, gweler y llyfr *A Nonviolent Lifestyle* gan Gerard Houver (1991), ac am Hildegard, *Marked for Life*, gan Richard Deats, New City Press, 2009.)

Yn hydref yr un flwyddyn, cynrychiolais gangen Cymru mewn seminar yn Dundee ar Gymod o dan nawdd FOR Yr Alban. Cafwyd croeso dinesig gan y Maer, a Marie-Pierre Bovy o Ffrainc, Llywydd IFOR, oedd y siaradwr gwadd carismataidd a'n hysbrydolodd i ddal ati heb ddiffygio. Cefais hefyd gyfle i adnewyddu cyfeillgarwch rhai a fu yn Llanbedr Pont Steffan, ac i sôn am waith cangen Cymru.

'Cwlwm Cymod Cymru – Corrymeela'

Wedi i gangen Gogledd Iwerddon ddod i ben ddiwedd y nawdegau, penderfynais barhau ein cysylltiad drwy sefydlu 'CWLWM CYMOD CYMRU-CORRYMEELA' ym 1999, a threfnu gwasanaeth 'Sul Corrymeela' bob mis Mawrth yng Ngogledd a De Cymru bob yn ail, a bu'r oedfaon hyn yn Llanelwy, Aberystwyth, Bangor, Caerffili, Wrecsam, Caerdydd (ddwywaith), Pennant Melangell, Caerfyrddin, Y Bala a Llandysul. Defnyddir rhan o'r casgliad yn yr oedfaon i gefnogi gwahanol brosiectau yn Corrymeela, gyda'r gweddill yn mynd i gyfrif banc ar gyfer cynorthwyo pobl ifanc Cymru i ymweld â'r lle unigryw hwn yng ngogledd swydd Antrim.

[Y mae Nia Rhosier yn parhau i drefnu'r gwasanaethau gwerthfawr hyn. Gol.]

Llythyru, ymgyrchu, a rhannu'r neges i'r byd

Collais gownt o nifer fy llythyrau i'r wasg (*Daily Post*, *Western Mail*, *Y Faner*, *Y Cymro*, a'r cylchgronau enwadol yn bennaf) ar faterion fel hedfan isel; y fasnach arfau; militareiddio Cymru; gwarth y troad allan yn Epynt; tystiolaeth Cymdeithas y Cymod, ac ati, ac erbyn hyn daeth llythyru'n fwy canolog wrth i mi fedru gwneud llai o waith corfforol. Diolch i Dduw am yr aelodau canol-oed ac ifanc sydd wrth y llyw heddiw ac yn codi llais, er enghraifft, yn erbyn yr awyrennau di-beilot, 'adar angau', yn Aber-porth, a'r militareiddio cynyddol o Gymru. Y mae Cell Caerfyrddin yn arbennig o weithgar yn y cyswllt hwn mewn sawl ffordd, yn cynnwys paratoi ac ariannu hysbyseb heddwch ar gyfer S4C, er i honno gael ei gwrthod. Annhegwch a rhagfarn tuag at safbwynt heddychwyr ar yr un pryd â chefnogi militariaeth sydd i'w weld yn ddiflas o aml mewn hysbysebion recriwtio ar y teledu. Y mae Cell Dwyryd a Glaslyn hefyd yn cynnal protestiadau yn erbyn yr 'adar angau' yn Llanbedr, ger Harlech.

Yn Sweden y cynhaliwyd Cyngor IFOR ym 1996, a chefais gyfle unwaith eto i gyfarfod â llawer o heddychwyr o dros y byd yr oeddwn wedi dod i'w hadnabod yn ystod fy amser fel Ysgrifennydd Cyffredinol cangen Cymru. Bûm yn gohebu'n rheolaidd gyda rhai ohonynt a oedd yn ymddiddori yn yr hyn roeddem ni yng Nghymru yn ei wneud ynglŷn â'r militareiddio o'n gwlad yn Y Fali, Sain Tathan, Epynt, Aber-porth, Llanbedr, a mannau eraill.

Braint oedd cynrychioli'r Gymdeithas yn yr Ail Gymanfa Ecwmenaidd Ewropeaidd yn Graz, Awstria yn haf 1997, ac adnewyddu fy nghyfeillgarwch â Hildegard Goss-Mayr a Pete Hammerle o FOR Awstria, ac aelodau o ganghennau Ewropeaidd eraill. Clywais anerchiad ysbrydoledig gan y Canon Paul Oestreicher a chael mynychu llawer o gyfarfodydd diddorol. Braf hefyd oedd gweld arddangosfa am Gymru oherwydd fod 'Cytûn' yno. Gan mai 'Cymod' oedd prif destun y Gymanfa hon, yr oedd cynrychiolaeth gref gan ganghennau IFOR, 'Church & Peace' a Chymdeithas y Cyfeillion (Crynwyr).

Yng Nghyngor Blynyddol cangen Cymru ym Mai 1998, a gynhaliwyd yn Eglwys Minny Street, Caerdydd, drwy garedigrwydd y gweinidog,

Y Parchg Ieuan Davies, a'r diaconiaid, roeddwn wedi gwahodd Rob Fairmichael o Ogledd Iwerddon, sefydlydd INNATE *(Irish Network for Nonviolent Action, Training and Education),* i annerch, a chawsom weithdy heriol ac addysgiadol iawn yn ei gwmni, a hwb i'n hymdrechion ni i fynd i'r afael ag addysg a hyfforddiant didreisedd i bobl ifanc Cymru.

Yn hwyrach y flwyddyn honno, cynrychiolais ein cangen yng Nghynhadledd fawr 'Peacefest' yng Nghadeirlan Coventry, lle bu David Harding, cyn-gadeirydd ac ymddiriedolwr FOR Lloegr, yn annerch ar 'Your Call to Nonviolence'. Bu ef a'i briod, Christine, yn gyfeillion ac yn gydweithwyr â'r Parchg Ddr D Ben Rees ac â llawer o aelodau ein Cymdeithas, yn enwedig yn y dyddiau cynnar wedi iddi ddod yn annibynnol ar Loegr, ac o'u cartref yn Exmouth maent yn parhau i gadw mewn cysylltiad â mi bob Nadolig. Buont yn gyfeillion agos i E. R. Lloyd Jones, a'i briod Margaret Jean, ac yn ymweld â hwy'n achlysurol. Da dweud bod Margaret Jean yn parhau'n weithgar dros heddwch a chymod a hithau wedi ymddeol erbyn hyn ac yn byw yn Rhuthun. Trefnodd sawl cyngerdd 'Cân o Gariad' yng ngogledd Cymru. Yr Aelod Seneddol o Gymru yr oedd gan David Harding feddwl mawr ohono oedd Cynog Dafis.

Ymddeol ond parhau i gerdded 'ffordd tangnefedd'

Erbyn 1999, teimlais ei bod yn bryd imi feddwl am ymddeol fel Ysgrifennydd Cyffredinol am fy mod yn gweld bod y Gymdeithas mewn dwylo da, ac Anna-Jane Evans, heddychwraig frwd a gweithgar, yn barod i gymryd y swydd, dros-dro o leiaf, mewn cydweithrediad ag Awel Irene, heddychwraig amlwg yng Nghymru a thu hwnt.

Trysoraf lythyr caredig gan Gwynfor Evans, yn diolch imi am fy ngwaith dros ymron i 15 mlynedd, a'r fraint o gael traddodi 'Darlith Goffa Lewis Valentine', gyda'r teitl 'Daearu Cariad Crist', ar wahoddiad Cymdeithas Heddwch y Bedyddwyr ym mis Gorffennaf 1999. Cynhaliwyd Cyngor Cymdeithas y Cymod 1999 yn Hen Gapel John Hughes, Pontrobert, Sir Drefaldwyn, fy nghartref ers 1993 fel Ceidwad y Ganolfan Undod ac Adnewyddiad Cristnogol, ym mhresenoldeb llawer o'm cyd-heddychwyr. Fy nghyfaill annwyl, M. Islwyn Lake, oedd y Cadeirydd ar y pryd, ac ni fyddaf byth yn anghofio ei eiriau grasol wrth gyflwyno anrheg imi. Addunedais yn ddibetrus i barhau fel aelod o'r pwyllgor gwaith, a dal ati i dystiolaethu dros ffordd tangnefedd fy Arglwydd ymhob modd y medrwn, gan gynnwys gosod arddangosfa o bamffledi a llenyddiaeth Cymdeithas y Cymod yn y Ganolfan. Er na lwyddais i sefydlu cell ym Maldwyn, rwyf yn mynychu cyfarfodydd y Crynwyr yn Nhŷ Cwrdd Dolobran, Pontrobert, ac yn cydweithio â'r Grŵp Heddwch gweithgar yng Nghroesoswallt sydd yn bwriadu cynhyrchu llyfryn Saesneg am heddychwyr ardal y ffin ym mlwyddyn cofio dechreuad y Rhyfel Byd Cyntaf.

Yn ystod 17-23 Mai 2014, fel rhan o ddathliadau canmlwyddiant FOR, treuliodd Elizabeth Evans a minnau amser cofiadwy iawn ar Ynys Iona, gyda chefnogaeth Cymdeithas y Cymod. Mawr oedd y fendith. Mawr iawn hefyd oedd y bendithion lu a brofais wrth wasanaethu Cymdeithas y Cymod, a llinell gyntaf emyn mawr John Roberts (1731-1806), Llangwm, a ddaw i'm cof wrth derfynu'r atgofion hyn: 'Braint, braint yw cael cymdeithas gyda'r saint ...'

'Diolch byth a chanmil diolch.'

Y Fyddin ar Epynt

Gwau ym mhabell y Gymdeithas yn yr Eisteddfod Genedlaethol

Rhai o Atgofion Ysgrifennydd y Gymdeithas yng Ngogledd Cymru

Ioan W.Gruffydd

Bod yn wrthwynebydd cydwybodol

Mis Ionawr 1956 oedd hi, bedair blynedd cyn i orfodaeth filwrol a fu mewn grym ers 1939 ddod i ben yng ngwledydd Prydain. Gwysiwyd fi i fynd i swyddfa arbennig yn Stryd Penlan, Pwllheli. Yn ôl y drefn bryd hynny, gofynnwyd i mi – yn Saesneg – i ba un o'r Lluoedd Arfog y dymunwn i fynd. Atebais innau nad oeddwn am fynd i'r un ohonynt, gan fy mod yn Wrthwynebydd Cydwybodol. Achosodd clywed hynny gryn gynnwrf yn y swyddfa recriwtio. Nid oedd neb yno wedi disgwyl ymateb felly i'w cwestiwn. A bu'n rhaid chwilio'n ddyfal i ddod o hyd i'r ffurflenni priodol ar gyfer y fath berson. Rhoddwyd dewis imi, fodd bynnag, i gwblhau'n gyntaf fy nghwrs addysg mewn ysgol, coleg a phrifysgol. Cyn imi orffen y cwrs hwnnw, daethai gorfodaeth filwrol i ben ar Ragfyr 31, 1960.

Nid am yr un rhesymau y mae pawb yn galw'u hunain yn Wrthwynebwyr Cydwybodol. Mae rhai yn dewis bod felly am resymau cenedlaethol. Nid eu dymuniad fyddai bod â rhan yn hyrwyddo buddiannau ymerodrol Prydeindod mewn modd yn y byd. A rhagorach ganddynt wynebu cosb a charchar na bradychu eu hegwyddorion. Un y bu gorfod arno i dreulio deuddeng mis o garchar am iddo wrthod cymryd ei orfodi i ymuno â'r lluoedd, am resymau cenedlaethol, oedd Chris Rees, aelod mewn eglwys Annibynnol Gymraeg. Roedd eraill yn Wrthwynebwyr Cydwybodol, a minnau yn eu plith, ar sail eu hymlyniad Cristionogol. Mae pob person yn gyfwerth, yn blentyn i Dduw – ni waeth pwy fyddo – ac ni ellir cymaint ag ystyried derbyn hyffordiant i ladd, na hwyluso'r ffordd i ladd yr un o blant Duw. Cynhaliodd Cyngor Eglwysi Efengylaidd Gogledd Cymru gyfarfod yn Ninbych i wrthwynebu'r arfer o orfodi pobl ieuainc i ymuno â'r Lluoedd Arfog – cyfarfod lle bu Lewis Valentine, Hywel D. Lewis a Ted Lewis Evans yn annerch – gan wrthdystio ar sail eu heddychiaeth Gristionogol. Mab i rieni o heddychwyr cadarn a fagwyd fel Bedyddiwr, ond a droes at fod yn Grynwr, oedd y bardd, Waldo Williams. Cawsai ei gynhyrfu'n enbyd gan ryfel Corea a chan orfodaeth filwrol. Wrth sefyll o flaen y Tribiwnlys yng Nghaerfyrddin fis Chwefror 1942, mynegodd ei gred yn Saesneg (Saesneg oedd iaith y llysoedd bryd hynny):

> 'I believe all men to be brothers and to be humble partakers of the Divine Imagination that brought forth the world ... War, to me, is the most monstrous violation of this spirit that society can devise. I consider all soldiering to be wrong, for it places other obligations before a man's first duty, to his brother, a brother he cannot regard as a cipher to be wiped off the other side ... I believe all men possess [Divine sympathy] obscurely and in part, and that it has attained its perfect expression in the life and teaching of Jesus ...'

Mae cerdd Waldo Williams, 'Brawdoliaeth,' (Rhif 280 yn Caneuon Ffydd) fe gofiwn, yn dechrau â'r pennill:

> Mae rhwydwaith dirgel Duw
> Yn cydio pob dyn byw;
> cymod a chyflawn we
> myfi, tydi, efe;
> Mae'n gwerthoedd ynddo'n gudd,
> Ei dyndra ydyw'n ffydd;
> Mae'r hwn fo'n gaeth yn rhydd.

Y mae'n gorffen â'r geiriau,

> pa werth na thry yn wawd
> pan laddo dyn ei frawd?

Sefydlu Cymdeithas y Cymod

Mae Cymdeithas y Cymod bellach yn gant oed. Ym 1914, cynhaliwyd cynhadledd ecwmenaidd yn yr Yswisdir gan Gristionogion oedd â'u bryd ar geisio rhwystro rhyfel ar gyfandir Ewrop. Cyn bod y gynhadledd honno drosodd, fodd bynnag, roedd y Rhyfel Byd Cyntaf wedi dechrau ac roedd yn rhaid i fynychwyr y gynhadledd ddychwelyd adref i'w gwledydd gwahanol. Ar orsaf reilffordd yn yr Almaen, cyfarfu dau a fu yn y gynhadledd, Henry Hodgkin, Crynwr o Sais, a Friedrich Sigmund-Schultze, Almaenwr Lwtheraidd, a chytunodd y ddau i geisio ffordd i hyrwyddo heddwch, er bod eu gwledydd gwahanol mewn rhyfel â'i gilydd. O'r cytundeb hwnnw, cyfarfu rhai Cristionogion yng Nghaergrawnt fis Rhagfyr 1914 a ffurfio Cymdeithas y Cymod. Dyma hanes cyfarwydd sy'n werth ei ailadrodd. Dros y blynyddoedd, tyfodd Cymdeithas y Cymod yn fudiad rhyngwladol a rhyng-grefyddol gyda changhennau mewn rhagor na 50 o wledydd a hynny ar bob cyfandir. Bellach mae'r Gymdeithas yn cynnwys ymysg ei haelodau Iddewon, Cristnogion, Bwdiaid, Mwslemiaid, arddelwyr crefydd y Baha'i, a phobl o draddodiadau crefyddol eraill, yn ogystal â rhai nad ydynt yn arddel unrhyw ymlyniad crefyddol.

Ambell atgof cynnar

Ni allaf gofio pa bryd y clywais i gyntaf am Gymdeithas y Cymod. Cofiaf yn fachgen ysgol fod mewn cyfarfod heddwch a gynhelid ym Mhen-lan, capel yr Annibynwyr, ym Mhwllheli. Yn annerch yno yr oedd Max Parker, cyn heddwas gyda'r heddlu, a oedd ar y pryd yn Ysgrifennydd Cyffredinol Cymdeithas y Cymod, a'i swyddfa ar gyrion Llundain, a gwnaeth gwrando ar ei neges a chael rhannu o'i gwmni a'i gyfeillgarwch gryn argraff arnaf.

Roedd Cynhadledd Annibynwyr y Byd yn cyfarfod yn yr Iseldiroedd ym 1962 a chefais innau'r fraint o fod yn un o'r cynrychiolwyr ifanc yno. Er bod amryw faterion gwahanol yn cael eu trafod, cofiaf i'r ieuenctid a oedd yno o wahanol rannau o'r byd lunio petisiwn ar i wledydd mawr y byd ymatal rhag defnyddio ac arbrofi eu harfau niwcliar. Cafodd y petisiwn hwnnw ei anfon yn ddiweddarach i Lundain, Mosgo a Washington. Cofiaf ysgrifennu llythyr, wedi dychwelyd adref, yn adrodd am betisiwn y bobl ifanc yn Rotterdam ym mhapur newydd Saesneg y *British Weekly*. Un o ganlyniadau cyhoeddi'r llythyr oedd imi dderbyn gair oddi wrth weinidog o Annibynnwr yn Llundain a oedd yn awdur nifer o lyfrau, Albert D. Belden wrth ei enw. Soniai wrthyf am fudiad y *Pax Christi* (Heddwch Crist) a sefydlwyd ganddo.

Heddwch Crist

Ni ddylid camgymryd y mudiad hwnnw â mudiad o'r un enw yn perthyn i'r Eglwys Babyddol. Roedd dechreuadau *Pax Christi* y Pabyddion ym 1945. Canlyniad oedd hynny i arweiniad Marthe Dortel-Claudot, gwraig o athrawes yn ne Ffrainc, a ddechreuodd ymgyrch weddi am gymod yn yr ymrafael rhwng Ffrainc a'r Almaen bryd hynny. Daeth yr Esgob Pierre Marie Théas, o Montauban, yn Llywydd cyntaf y mudiad. Cawsai ef ei garcharu ar gyfrif ei brotestio yn erbyn yr erlid ar yr Iddewon, ac am iddo weddïo ar ran preswylwyr yr Almaen ac annog eraill i wneud yr un modd. Ehangwyd bwriad gwreiddiol *Pax Christi* i fod yn 'grwsâd o weddi ar ran y cenhedloedd'.

Pax Christi arall, a gwahanol, fodd bynnag, oedd eiddo'r Annibynnwr, Albert D. Belden, a gyflwynodd imi gopi o'i lyfr yn rhodd. Yn ei lythyr ataf, dyddiedig 19 Medi 1962 (sydd yn fy meddiant o hyd), soniai am lwyddiannau ac anawsterau ei fudiad, a bod arweinwyr Cymdeithas y Cymod, bryd hynny, fel arweinwyr y *Peace Pledge Union* hwythau, wedi bod – yn ôl ei dystiolaeth ei hun – ymysg ei bennaf gwrthwynebwyr. Ymgais oedd *Pax Christi* (Albert Belden), o'i roi'n syml, i geisio cael yr Eglwys i fod yn Eglwys yn y byd cythryblus o'i chwmpas yn ystod y blynyddoedd helbulus hynny.

E. Ffestin Williams

Cefais wahoddiad i fynd i gynhadledd a drefnwyd gan Gymdeithas y Cymod yn Llandudno unwaith. Ni allaf gofio'r dyddiad. Ni allaf gofio pwy oedd yn annerch. Ni allaf gofio beth ddwedwyd yno. Gwn mai cynhadledd ar gyfer pobl ifanc oedd hi, a'r trefnydd oedd ysgrifennydd Cymdeithas y Cymod yng Ngogledd Cymru ar y pryd, y cyfaill hynaws ac annwyl, y Parchg E. Ffestin Williams (1901-90). Mae gennyf lun o aelodau'r gynhadledd honno yn sefyll yng ngolwg y camera, ac E. Ffestin Williams, y gŵr tal ag oedd o, yn gorwedd ar draws gwaelod y llun, a Max Parker – Max Parker oedd ysgrifennydd y Gymdeithas yng ngwledydd Prydain – ar draws yr ochr arall!

Fel yr awgryma ei enw, yn Ffestiniog y ganwyd y Parchg Emlyn Ffestin Williams. Bedyddiwyd ef, serch hynny, yn 'Emlyn Williams', ond am fod

Cynhadledd Cymdeithas y Cymod yn Llandudno. Ioan Gruffydd yw'r ail o'r chwith yn y rhes uchaf, a gwelir E. Ffestin Williams yn gorwedd ar ei hyd.

cyfaill arall o'r un enw yn y Coleg, mabwysiadodd ef yr enw 'Ffestin,' ac wrth yr enw hwnnw yr adnabyddid ef oddi ar hynny. Ac yntau tua phump oed, symudodd ei deulu i'r De, gan ymgartrefu yng Nglynrhedynog (Ferndale) yn y Rhondda. Yn dilyn ei gyfnod ysgol yno, dechreuodd weithio fel clerc yn un o byllau glo'r ardal. Ac yno y bu nes penderfynu mai i'r weinidogaeth y dymunai fynd. Aeth i golegau Trefeca a'r Bala am hyfforddiant. Perthyn i enwad y Wesleaid yr oedd ei deulu, ac fel nai i'r Dr. E. Tegla Davies, am fod yn weinidog Wesla yr oedd yntau. Ar y pryd, yr oedd cymaint o weinidogion yn adran Gymraeg yr enwad hwnnw fel y dywedwyd wrtho mai i'r adran Saesneg y byddai'n rhaid iddo fynd. Yn hytrach na gwneud hynny, trodd at y Presbyteriaid. Cafodd ei ordeinio ym 1928, a rhoes flynyddoedd o wasanaeth cymeradwy i eglwysi Gerlan, Bethesda; Maenofferen, Blaenau Ffestiniog; Llannerch-y-medd; Caerwys, a Weston Rhyn, cyn ymddeol i Ddolgellau ym 1970. Tystia ei weinidog yno, y diweddar Barchg Dewi W. Williams, i'r Parchg E. Ffestin Williams fod 'am flynyddoedd yn Ysgrifennydd yr Eglwysi Rhyddion yn y Gogledd a bu'n trefnu llawer o wasanaethau i rannu Medalau Gee ... Fe fu'n weithgar iawn gyda mudiadau Heddwch a Dirwest a Phurdeb, a bu i Gymdeithas y Cymod le amlwg yn ei weinidogaeth.'

J.T. Williams

Cyfaill oedd yn gymydog i mi yn ystod fy nghyfnod fel gweinidog ym Mhantycrwys, Craig Cefn Parc, oedd Ysgrifennydd Cymdeithas y Cymod yn Ne Cymru, a chyfaill triw oedd yn hanu o'r ardal lle dechreuais i fy ngwaith fel gweinidog. Rhoes y Parchg J. T. Williams (1914-2007), gweinidog Carmel Clydach ar y pryd, flynyddoedd o wasanaeth gwerthfawr i Gymdeithas y Cymod oddi ar ddechrau'r 1950au. Pwy felly oedd J. T. Williams?

Cafodd John Thomas Williams ei eni ym Mhenmaen-mawr. Collodd ei fam pan nad oedd ond tair wythnos oed, a maged ef gan ei ddwy fodryb ar fferm Tŷ'n Ffridd, cyn symud yn ddeuddeg oed i Blas-y-Foel, a daeth ei nain i fyw yno hefyd. Cafodd ei godi i'r weinidogaeth yn Horeb, Dwygyfylchi, mam-eglwys Annibynwyr y cylch, lle cefais i fy ordeinio, ond, ysywaeth, eglwys nad yw'n bod mwyach. Wedi cyfnod yng Ngholeg Bala-Bangor ac ennill gradd, aeth yn weinidog i Ros-lan a Llanystumdwy yn Eifionydd, a threulio chwe blynedd yno, cyn symud i Garmel, Clydach, am gyfnod o ugain mlynedd. Wedyn, treuliodd ddeunaw mlynedd yn eglwys hynafol Mynydd-bach, ar gyrion Abertawe. Treuliodd ddeuddeng mlynedd wedi hynny fel un o'm holynwyr i ym Mhantycrwys, Craig Cefn Parc. Yno y mae ei fedd. Tystia'i gyfaill, y diweddar Barchg Sion Alun, fel hyn amdano:

> 'Glynodd wrth ei egwyddorion ar hyd y blynyddoedd. Cynhaliodd ddosbarthiadau allanol a fu'n gyfrwng i addysgu llawer. Cynhaliodd gyfarfodydd Cymdeithas y Cymod yn ei gartref. Safodd etholiad dros Blaid Cymru yng Nghlydach pan fyddai'r rhan fwyaf o weinidogion wedi ofni ymateb yr aelodau. Ni fu pawb yn garedig wrth y gŵr bonheddig hwn, ond byddai J.T. yn eu trin fel petai'n cyfarch ei ffrind gorau ...'

Rhai o weithgareddau mwyaf gwerthfawr Cymdeithas y Cymod dros y blynyddoedd a fu'r cynadleddau ieuenctid llewyrchus a drefnwyd yn y De a'r Gogledd. Cafodd y gyntaf ei chynnal yn y De ym 1952 – yn union wedi i J. T. Williams ddod yn Ysgrifennydd. Cafodd cynadleddau eu cynnal o'r bron yn flynyddol. Trefnodd y diweddar Barchg Gareth Thomas a'r Parchg Guto Prys ap Gwynfor rai yn Llangrannog. Bu gweithdai i bobl ifanc yn Nhrefeca o dan ofal ac arweiniad Nia Rhosier. A bu'r gwahanol ysgrifenyddion a fu'n gwasanaethu yng Ngogledd Cymru hwythau'n trefnu cynadleddau ieuenctid yng Ngwersyll Glan-llyn.

Meirion Lloyd Davies

Dilynwyd y Parchg E. Ffestin Williams fel Ysgrifennydd y Gogledd gan y diweddar Barchg Meirion Lloyd Davies (1933-2014). Brodor o Ddinbych ydoedd, lle dylanwadodd yr heddychwr, sef ei weinidog yn y Capel Mawr, y Parchg J. H. Griffith, yn drwm arno. Collodd ei dad yn ifanc, a bu am gyfnod yn gweithio mewn swyddfa cyfreithiwr. Yn ystod ei gyfnod yng Ngholeg y Brifysgol ym Mangor, daeth yn ymwybodol iawn o werth a phwysigrwydd y Gymraeg y bu'n lladmerydd iddi gydol ei fywyd. Gwasanaethodd fel Llywydd y Myfyrwyr ym Mangor. Bu'n llwyddiannus iawn yng ngholegau Bangor ac yng Ngholeg Westminster, Caergrawnt. Ordeiniwyd ef ym 1959. Ei ofalaeth gyntaf oedd capeli Gorffwysfa a Phreswylfa, Llanberis, hyd 1964 (ac yn y cyfnod hwnnw y bu'n gwasanaethu fel Ysgrifennydd y Gogledd i Gymdeithas y Cymod). Yna derbyniodd alwad i gapeli Salem ac Ala Road, Pwllheli, gan ychwanegu capeli Penrhos, Llannor ac Efailnewydd yn ddiweddarach, lle bu hyd ei ymddeoliad ym 1998. Rhoes wasanaeth mawr i Gyngor Eglwysi Cymru a Chyngor Eglwysi'r Byd. Bu'n olygydd *Y Goleuad* a'r cylchgrawn *Cristion.*

Bu'n ymgynghorydd rhaglenni crefyddol ar bwyllgor CRAC gydag ITV Prydain. Barnai fod a fynno'r Efengyl â bywyd yn ei gyfanrwydd. Roedd yn aelod brwd o Blaid Cymru, Yr Ymgyrch Dros Ddiarfogi Niwcliar, ac Amnest Rhyngwladol. Cefnogai'r ymdrechion a wnaed i uno'r enwadau yng Nghymru. Am gyfnod bu'n aelod o'r Cyngor Sir ac ar Gyngor Tref Pwllheli, ac ef oedd y gweinidog Ymneilltuol cyntaf i fod yn Faer y Dref.

Harri G. Parri

Olynydd y Parchg Meirion Lloyd Davies fel Ysgrifennydd y Gogledd i Gymdeithas y Cymod oedd y Parchg Harri G. Parri, brodor o Langian, Llŷn, a ddechreuodd ei yrfa fel gweinidog yn ardal Llangwm a Llanfihangel Glyn Myfyr, cyn symud i Borthmadog, ac wedyn i Gaernafon cyn ymddeol. Mae'n awdur toreithiog a bu'n olygydd *Y Goleuad.*

Evan Richard Lloyd Jones

Trosglwyddodd y Parchg Harri G. Parri ysgrifenyddiaeth Cymdeithas y Cymod yng Ngogledd Cymru i'r diweddar Barchg Evan R. Lloyd Jones (1937-2009), a aned yr ieuengaf o dri brawd ym Mrynffynnon, Y Rhosfawr, ger Pwllheli. O Ysgol Ramadeg Pwllheli, aeth i Goleg y Brifysgol ym Mangor, gan raddio mewn Cymraeg ac Astudiaethau Beiblaidd, ac mewn Diwinyddiaeth. Yn ddiweddarach, fel myfyriwr allanol, enillodd radd M.Th. Bu'n weinidog tair eglwys yn ardal Betws Gwerfyl Goch yn Nwyrain Meirionnydd, cyn symud ym 1972 i Landudno a Deganwy. Gwasanaethodd ei enwad fel Ysgrifennydd Materion Cymdeithasol Cymanfa Gyffredinol a Chymdeithasfa'r Gogledd. Bu'n olygydd *Y Goleuad* a chyfrannodd nifer o erthyglau dros y blynyddoedd. Roedd yn genedlaetholwr a gredai mai cwbl anghyfiawn a gwarthus oedd y modd y trinid bywyd, iaith a diwylliant Cymru. Ac un o'r ffurfiau mwyaf dieflig ar anghyfiawnder oedd rhyfel.

Evan oedd yn traddodi'r Ddarlith Davies ym 1999, darlith a gyhoeddwyd yn *Llais Tros Ddyfodol y Byd – Seiliau Diwinyddol Heddychiaeth*, llyfr a gyflwynwyd ganddo i goffadwriaeth ei dad, John Lloyd Jones, 'Gwrthwynebydd i'r Rhyfel Mawr'. Cyfeiria yn y ddarlith at bum pwynt sylfaen Cymdeithas y Cymod:

1. Bod cariad fel y cafodd ei ddatguddio a'i ddehongli ym mywyd a marwolaeth Iesu Grist, yn cynnwys mwy nag yr ydym wedi ei weld eto, mai dyma'r unig rym a all orchfygu drygioni a'r unig sylfaen ddigonol i gymdeithas ddynol.
2. Ei bod yn rhwymedig ar y rhai sy'n derbyn yr egwyddor hon, er mwyn sefydlu trefn fyd-eang wedi ei sylfaenu ar gariad, i'w derbyn yn llawn ar eu cyfer eu hunain ac mewn perthynas ag eraill, a derbyn y fenter mewn byd nad ydyw hyd yn hyn wedi ei derbyn.
3. Ein bod felly, fel Cristnogion, yn cael ein gwahardd rhag rhyfela, a bod ein hufudd-dod i'n gwlad, i ddynoliaeth, i'r eglwys yn gyffredinol, ac i Iesu Grist, ein Harglwydd a'n Hathro, yn ein galw'n hytrach i fywyd o wasanaeth i orseddu cariad yn y bywyd personol, cymdeithasol, masnachol a chenedlaethol.
4. Bod nerth, doethineb a chariad Duw'n ymestyn ymhell y tu hwnt i ffiniau'r profiad presennol, a'i fod yn disgwyl yn wastad i dorri allan yn newydd a helaethach ym mywyd dyn.
5. Gan fod Duw yn ei amlygu ei Hun yn y byd drwy ddynion a merched, ein bod yn cyflwyno'n hunain iddo Ef a'i bwrpas achubol ym mha ffordd bynnag y bydd Ef yn ei datguddio inni.

Mae cofnod yn fy nyddiadur, ar gyfer 23 Hydref 1973, yn adrodd imi dderbyn llythyr oddi wrth y Parchg E. R. Lloyd Jones, fy nghyfaill ysgol a choleg, yn fy ngwahodd i'w ddilyn fel Ysgrifennydd Gogledd Cymru i Gymdeithas y Cymod. Gweinidog yr Annibynwyr yng Nghaergybi oeddwn i yr adeg honno. Yn nyddiau coleg ym Mangor ym 1960, cofiaf i'r ddau ohonom – Evan a minnau – ymuno mewn pererindod i wylio drama'r Croeshoelio yn Oberammergau. Cyfeillion Saesneg oedd gweddill y cwmni, ac wrth ein clywed ni'n ymgomio'n ffraeth yn yr iaith Gymraeg yng nghefn y bws, tybiasant ar y dechrau mai dau Almaenwr

Evan R. Lloyd Jones ac Ioan W. Gruffydd ar wyliau yn Awstria yn nyddiau Coleg

oeddem! Cofiaf yr adeg honno fynd ein dau i ardal Bafaria i ymweld â thref Berchtesgaden, lle'r arferai Adolf Hitler dreulio misoedd y gaeaf. Clywsom rai o'n cyd-bererinion Saesneg yn datgan nad oedd yn eu bwriad mewn modd yn y byd i wario'r un geiniog goch y delyn yn y lle hwnnw, gan nad oedd arnynt eisiau cynorthwyo'r Almaenwyr i ail-adeiladu eu gwlad wedi erchylltra'r Rhyfel Mawr. A ninnau, fel dau heddychwr o Gymro, yn wfftio'n lân o'u clywed yn meddwl ac yn siarad felly!

Ioan W. Gruffydd

Yn fuan wedi cytuno i fod yn Ysgrifennydd Cymdeithas y Cymod yng Ngogledd Cymru, cefais lythyr oddi wrth David J. Harding, Ysgrifennydd gwledydd Prydain Cymdeithas y Cymod, yn datgan ei lawenydd ac yn dymuno'n dda i mi. A chefais wahoddiad i ymweld â swyddfa'r Gymdeithas yn New Malden, ac i gyfarfod ei briod a'i blant a threulio noson ar eu haelwyd.

Ymysg cyfrifoldebau fy swydd newydd, byddwn yn teithio i gyfarfodydd Cyngor Cymru Cymdeithas y Cymod – yn yr Amwythig fel arfer. Yno, byddai rhyw hanner dwsin neu ragor ohonom o Dde a Gogledd Cymru (heb anghofio'r hynaws a'r annwyl ddiweddar Orthin Thomas, a oedd yn Drysorydd y Gymdeithas ar y pryd, ac yn frodor o Flaenau Ffestiniog, ond oedd â'i gartref yn Nhrethomas, nid nepell o Gaerffili). Cofiaf aros ar ei aelwyd unwaith yn trin a thrafod gwahanol agweddau ar waith y Gymdeithas. Yn rhai o'r cyfarfodydd hynny y trefnwyd i gyhoeddi'r llyfrau *Herio'r Byd* a *Dal i Herio'r Byd,* a *Dal Ati i Herio'r Byd* o dan olygyddiaeth y Parchg Ddr D. Ben Rees. Yn y cyfrolau hynny y mae hanes bywyd deugain ac un o heddychwyr Cristionogol Cymraeg. Cefais innau lunio pennod ar y gweinidog dall o heddychwr, J. Pulston Jones, a fu am gyfnod yn weinidog ym Mhwllheli. Wrth baratoi'r bennod honno, tybiwn beth fyddai gweinidog Capel Pen-mount, Pwllheli, yn ei ysgrifennu yn adroddiadau'r eglwys yn ystod blynyddoedd blin y rhyfel. Cyfarwyddwyd fi i fynd i gartref arbennig o ddeall fod gwraig y tŷ wedi bod yn cadw'n ddiogel y gwahanol adroddiadau hynny dros y blynyddoedd. 'Mae nhw i gyd mewn blwch yn y lloft,' meddai wrthyf. A chymerodd y wraig dda ei ffon. Curo pared y drws nesaf er mwyn galw'i chymdoges i gyrchu'r blwch oedd yn cadw'r adroddiadau hynny cyn eu rhoi imi!

Cofiaf am gyfarfod yn Aberystwyth fis Gorffennaf 1975 gyda'r diweddar Barchg J. T. Williams a'r diweddar Barchg Gareth Thomas i ystyried datganoli Cymdeithas y Cymod yng Nghymru. A digwyddodd hynny ym 1976, pan beidiodd Cymdeithas y Cymod yng Nghymru â bod yn rhan o'r *Fellowship of Reconciliation,* a bod yn Gymdeithas annibynnol Gymreig a oedd yn gyfrifol am ei chyllid a'i gweinyddiaeth ei hun. Fel y Gymdeithas yn Lloegr, yr Alban a'r Iwerddon, daliai Cymdeithas y Cymod yng Nghymru i berthyn i Gymdeithas y Cymod Ryngwladol, yr IFOR, a sefydlwyd yn Bilthoven, pentref yn nhalaith Utrecht yn yr Is-Almaen, wedi'r Rhyfel Byd Cyntaf, pan ymgynullodd hanner cant o heddychwyr Cristionogol â'i gilydd o tua dwsin o wledydd. Bellach y mae'n bod mewn degau o wledydd.

Fis Mawrth 1976, bu galw am i mi gywiro fersiwn Gymraeg pamffled Cymdeithas y Cymod ar Ogledd Iwerddon – pamffled oedd yn cynnwys

85 awgrym o ffyrdd i hyrwyddo cymod yn Chwe Sir Gogledd Iwerddon. Tua'r adeg honno hefyd bûm mewn cysylltiad â Phobl Heddwch Gogledd Iwerddon gyda'r bwriad o drefnu taith yng Nghymru i Mairead Corrigan, gwraig y cyflwynwyd iddi Wobr Heddwch Nobel ym 1977. Roedd yn fy mryd i fynd o Gaergybi i Felffast i'w chyfarfod a threfnu iddi yn ystod y daith yng Nghymru annerch y Gynhadledd Ieuenctid yng Nglan-llyn. Diau y byddai hynny i gyd wedi digwydd oni bai am resymau cwbl bersonol. Hysbysodd Mairead fi – yn gyfrinachol ar y pryd – drwy ddweud y byddai'n priodi ar yr union adeg y dymunwn iddi ddod i Gymru. Yn ddiweddarach, drwy weithgarwch amrywiol Nia Rhosier, byddai'r berthynas rhwng Cymdeithas y Cymod yng Nghymru a Chymdeithas y Cymod yng Ngogledd Iwerddon yn datblygu ymhellach. Byddai'r ddwy Gymdeithas yn efeillio. Byddai Pererindod Heddwch yn cael ei chynnal, a chymorth yn cael ei roi i hybu cynnal gwersylloedd rhwng Protestaniaid a Chatholigion.

Mairead Corrigan

Cynhaliodd Cymdeithas y Cymod ddadl yng Nghapel y Bedyddwyr ym Mangor un tro ar beryglon arfau niwclear, a gwahoddwyd Cymro a Chymraes enwog ac adnabyddus i ddadlau â'i gilydd. Y ddau hynny oedd Dr Eirwen Gwynn a Dr Glyn O. Phillips.

Pan fyddai'r Eisteddfod Genedlaethol yn ei thro yn ymweld â'r Gogledd, cyfrifoldeb Ysgrifennydd y Gogledd fyddai llunio arddangosfa i'w gosod ym mhabell Cymdeithas y Cymod ar y maes. Yn y modd hwnnw y byddai Cymdeithas y Cymod yn gwneud ei thystiolaeth bwysig o blaid heddwch. A byddai hynny'n digwydd drwy ymroad swyddogion y Gymdeithas yn y De hefyd.

Rhan bwysig a rhan ryfeddol o bleserus o'm gwaith i fel Ysgrifennydd Gogledd Cymru o Gymdeithas y Cymod yn ystod y blynyddoedd hynny oedd cael parhau gwaith fy rhagflaenwyr yn y swydd o drefnu llu o gynadleddau ieuenctid blynyddol yng Ngwersyll Glan-llyn. Byddai Cymanfaoedd y Bedyddwyr, Cyfundebau'r Annibynwyr, a Henaduriaethau Presbyteriaid gwahanol y Gogledd yn deyrngar iawn yn anfon a noddi eu pobl ifanc i fynychu'r cynadleddau, ac yn amlwg yn credu bod budd a gwerth o wneud hynny. Deuai rhai o oreuon pobl ifanc eglwysi ac ysgolion siroedd y Gogledd yn eu tro i'r cyfarfyddiadau hynny. Ac mae rhai ohonynt bellach mewn swyddi cyfrifol ym mhob rhan o'n gwlad.

Braint oedd cael gwahodd cyfeillion i ddod i annerch. Daeth y Parchg E. H. Griffith, cofiannydd yr heddychwr mawr, George M. Ll. Davies, atom unwaith. Ymwelsom â chapel y Presbyteriaid yn Nolwyddelan i wrando arno'n adrodd wrthym am hanes gwaith a bywyd yr heddychwr, cyn ymweld â llecyn ei fedd ym mynwent y pentref. Daeth Ann Clwyd atom un flwyddyn, a bu'n ymdrin â safle'r ferch yn y byd oedd ohoni bryd hynny. Daeth y nofelydd, Marion Eames, atom i gynhadledd arall a bu'n sôn am hanes a dylanwad y Crynwyr yn y fro, cyn ein tywys yn ystod y prynhawn i fannau a oedd yn gysylltiedig â'r Crynwyr yn ardal Dolgellau. Bu'r Dr Gwynfor Evans yn brif siaradwr y Gynhadledd Ieuenctid un flwyddyn ac yntau ar y pryd yn nesu at derfyn ei daith fawr drwy Gymru yn ei ymgyrch o blaid sianel deledu Gymraeg. Cofiaf gymryd y Prifathro D. Eirwyn Morgan gyda mi o Fangor i annerch mewn un Gynhadledd, a minnau ar y ffordd i Wersyll Glan-llyn, yn mynd ag ef i olwg Llyn Tryweryn – y llyn a wnaed yn bosibl drwy foddi pentref Capel Celyn a dinistrio'r gymuned Gymraeg arbennig oedd yn preswylio yno. Nid oeddwn wedi sylweddoli nad oeddwn yn gwneud unrhyw gymwynas â'r Prifathro drwy ei gymryd yno, gan nad oedd yn ddymuniad ganddo o gwbl i weld y fath le! Ymysg eraill a wahoddwyd i fod yn brif siaradwyr y Gynhadledd yr oedd Dr R. Tudur Jones, Meirion Lloyd Davies a Dafydd Elis Thomas. A byddai gweinidogion lleol fel y Parchedigion R. Gwilym Williams, W. J. Edwards ac R. Gareth Huws yn barod iawn i arwain yr Astudiaethau Beiblaidd. Roedd yn anrhydedd fawr i gael dod i adnabod, a bod yng nghwmni'r bobl ifanc hynny a ddeuai – rai ohonynt – yn flynyddol i Lan-llyn i Wersyll Ieuenctid Cymdeithas y Cymod.

Cymry Lerpwl ger cartref George M.Ll. Davies yn Devonshire Road, Lerpwl.

Robin Gwyndaf yn annerch ar risiau'r Senedd, Caerdydd.

D. Her yr Yfory

Cydgerddded Ffordd Tangnefedd: Ddoe, Heddiw ac Yfory

Robin Gwyndaf

Gwahoddiad caredig sydd gennyf yn gyntaf oll. Wedi dysgu llawer o ddarllen y gyfrol hon a chael ein hysbrydoli o'r newydd, dewch gyda mi ar fore o Ragfyr, yr unfed ar hugain, 1991, i orsaf drenau Caerdydd. Yno cawn gwrdd â Mehdi Zana, cyn faer tref Diyarbakir, Twrci. Mae'n brasgamu tuag at Eleri, fy mhriod, a minnau, gyda'i gyfaill o Ganolfan y Kurdiaid ym Mharis. Mae ganddo un rhosyn coch yn ei law; mae'n ein cofleidio, ac mae'n cyflwyno'r rhosyn hardd inni'n rhodd.

Daeth Mehdi Zana i Gaerdydd i ddiolch i fudiad Cristnogion yn Erbyn Poenydio ac i bobl Cymru am weithredu; cyflawni un weithred fechan, ond gweithred fawr yn ei olwg ef. A beth oedd honno? Ysgrifennu ar ei ran i ddweud wrth y byd am ei ddioddefaint, a dioddefaint ei gyd-garcharorion Kurdaidd. Yn ddiweddarach y diwrnod hwnnw, yng nghyfforddusrwydd ein cartref, soniodd, a dagrau yn ei lygaid, fel y bu iddo gael ei orfodi i wrando ar gri ei gyfeillion a hwythau'n cael eu harteithio'n greulon, rhai ohonynt mor ddrwg fel y buont farw o'u clwyfau.

Ond daeth Medhi Zana i Gymru gyda rhosyn coch yn ei law, yn symbol o brydferthwch a diolchgarwch. Paham rwy'n dweud hyn? Oherwydd mai dyna un o brif amcanion cyhoeddi'r gyfrol hon: atgoffa'r darllenwyr fod rhywrai yng Nghymru ac Ewrop a thu hwnt, aelodau ffyddlon Cymdeithas y Cymod, yn ystod y can mlynedd ddiwethaf hyn, ac eraill ar hyd yr oesoedd, am gofleidio'r byd a chyflwyno i'r ddynoliaeth rosyn roch: rhodd brydferth iawn, iawn, sef cyfiawnder a heddwch, gwirionedd a rhyddid. Ac rwy'n fwriadol yn dweud 'cyfiawnder a heddwch', oherwydd heb gyfiawnder, nid oes heddwch parhaol.

A rhaid wrth y rhodd brydferth hon, heddiw, fel erioed. Meddai'r Salmydd gynt: 'Fy llinynnau a syrthiasant mewn lleoedd hyfryd, y mae i mi etifeddiaeth deg.' Ond, fel y gwyddom ni'n dda, mae dyn wedi difwyno'r etifeddiaeth deg hon. Mae yna ryfela a dioddefaint wedi bod ddoe; mae yna ryfela a dioddefaint mawr heddiw. Oherwydd hynny, ar hyd yr oesoedd, y mae pobl yn nwfn eu calonnau wedi hiraethu am heddwch a thangnefedd. Tangnefedd: tanc (yr hen air Cymraeg am heddwch); tanc y nefoedd; heddwch mewnol; heddwch y galon.

Y mae'r hiraeth hwn am heddwch a thangnefedd yn rhedeg fel llinyn arian drwy'r Beibl. Meddai'r Salmydd: 'Tro oddi wrth ddrygioni a gwna dda; cais heddwch a'i ddilyn.' Ac eto mewn salm arall: 'Bydd teyrngarwch a ffyddlondeb yn cyfarfod, a chyfiawnder a heddwch yn cusanu ei gilydd.' Meddai Eseia yntau: 'A hwy a gurant eu cleddyfau yn sychau, a'u gwayffyn yn bladuriau; ni chyfyd cenedl gleddyf yn erbyn cenedl, ac ni ddysgant ryfel mwyach.' Ac eilwaith meddai Eseia: 'Mor weddaidd ar y mynyddoedd yw traed yr hwn sy'n efengylu, yn cyhoeddi heddwch ac yn mynegi daioni.'

'Tangnefedd yn esgidiau am eich traed ...'

Geiriau Eseia, geiriau oedd yn her fawr i'r gwrandawyr ganrifoedd yn ôl; a geiriau sydd yr un mor heriol i ni heddiw. Yn y Testament Newydd cawn ddarllen geiriau cofiadwy Paul yn ei Epistol at yr Effesiaid: 'Safwch, felly, a gwirionedd yn wregys am eich canol, a chyfiawnder yn arfwisg ar eich dwyfron, a pharodrwydd i gyhoeddi Efengyl tangnefedd yn esgidiau am eich traed.' '... traed yr hwn sy'n efengylu', meddai Eseia. '... tangnefedd yn esgidiau am eich traed', meddai Paul. Mor gwbl addas yw'r geiriau hyn. Efengyl ar gerdded yw efengyl tangnefedd. Cariad a heddwch ar waith. A dyna efengyl y gwŷr a'r gwragedd a fu'n aelodau teyrngar o Gymdeithas y Cymod ar hyd y blynyddoedd ac y cofiwn amdanynt yn y gyfrol hon.

Yn fwy na dim daw i gof eiriau'r Arglwydd Iesu, Tywysog Tangnefedd ei hun: 'Gwyn eu byd y tangnefeddwyr, canys hwy a elwir yn blant i Dduw.' A sylwn yn arbennig, nid dweud y mae'r Iesu: 'Gwyn eu byd y rhai sy'n caru tangnefedd (*eirene*)', mae hynny'n fendigedig. Nid dweud: 'Gwyn eu byd y rhai sy'n pregethu tangnefedd', mae hynny eto yn ardderchog iawn. Ond dweud mae'r Iesu: 'Gwyn eu byd y rhai sy'n gweithredu tangnefedd (*eirenopoia*).' A daw i gof hefyd un o hoff eiriau Mahatma

Gandhi: *satyagraha*, gair a fathwyd ganddo, yn arbennig, oherwydd nad oedd yn gwbl hapus gyda'r term 'gwrthwynebiad di-drais'. Ei ystyr, yn ôl Gandhi, yw 'grym cariad, neu rym enaid ... grym mawr y gwirionedd, sy'n drech na drygioni celwydd'. (*Houseman's Peace Diary*, 6 Ebrill 2009) 'Dioddef drwy ddioddef goddefol.' Goddef drwy aberth, cariadus. Bod o ddifrif yn ein cariad tuag at eraill. Caru hyd at boen. Hyn, dybiaf fi, a arweiniodd Gandhi i ddweud, er cymaint ei edmygedd o Tagore, bardd mawr yr India: 'Rhowch i ni weithredoedd, nid geiriau.'

'Y mae pob gweithred o gariad', meddai'r Fam Teresa, 'yn weithred o heddwch. Does dim angen bomiau na gynau arnom i fod yn wneuthurwyr heddwch.' Pan oedd yn Israel un tro ac yn croesi'r ffin i Gaza, gofynnwyd iddi a oedd hi'n cario arfau, a dyma'i hateb: 'Ydw, fy llyfr o weddïau.' Bob dydd pan oedd hi ar daith, roedd Y Fam Teresa hefyd yn cario cardiau gyda'i chyfeiriad arnynt a'r geiriau cofiadwy hyn:

> Ffrwyth ymdawelu yw gweddi;
> Ffrwyth gweddi yw ffydd;
> Ffrwyth ffydd yw cariad;
> Ffrwyth cariad yw gwasanaeth;
> Ffrwyth gwasanaeth yw heddwch.

'Iôr, gwna fi'n offeryn dy hedd', oedd eiriolaeth fawr Sant Ffransis yntau.

> Da yw dweud,
> Gwell yw gwneud.

A dyna a wnawn ninnau yn y gyfrol hon: cofio, diolch, a gweddïo. Cofio a diolch am y cwmwl tystion, yn arbennig yng Nghymru, a fu'n weithredwyr y Gair, yn rhoi cariad a heddwch ar waith, o ddyddiau Sant Illtyd a'i Academi ym Mro Morgannwg yn y chweched ganrif, hyd at gymwynaswyr ein hoes ni. Cofio a diolch ... Hefyd gweddïo y bydd i ninnau gael ein hysbrydoli o'r newydd i ddyblu a threblu ein diwydrwydd, gan ddilyn yn ôl eu troed: heddychwyr ymroddedig mewn eglwys a chymdeithas; arweinwyr bro a chenedl; mamau a thadau na chofiwn eu henwau mwy. Ar garreg fedd Henry Richard, yr Apostol Heddwch, ym Mynwent Parc Abney, Llundain, byddwn yn cofio i eiriau o Lyfr Esther gael eu cerfio, geiriau sy'n cyfeirio at Mordecai, yr Iddew. Boed i'r geiriau ardderchog hyn fod nid yn unig yn gofeb deilwng i aelodau ddoe Cymeithas y Cymod, ond boed iddynt hefyd fod yn her o'r newydd i bob un ohonom ninnau. A dyma'r geiriau: 'Canys yr oedd yn fawr gan ei genedl ac yn gymeradwy ymysg lluaws ei frodyr, yn ceisio daioni i'w bobl ac yn dywedyd am heddwch i'w holl diriogaeth.'

'... ac yn dywedyd am heddwch.' Mor fawr yw'r angen. Mor ingol wir hefyd yw geiriau Martin Luther King: 'Oni ddysgwn fyw gyda'n gilydd fel brodyr a chwiorydd, mi fyddwn farw fel ffyliaid. Cariad yw'r unig rym sy'n abl i droi gelyn yn gyfaill.' Meddai Bruce Kent yntau, yr ymgyrchydd brwd dros heddwch o fudiad 'Dim Rhyfel Mwy' *(No More War Movement):* 'Y mae rhyfel yn drosedd yn erbyn y ddynoliaeth.' A'r un modd, nac anghofiwn ddatganiad dirdynnol, mewn cwpled ardderchog iawn, o eiddo'r diweddar John Penry Jones, y bardd a'r crydd o'r Foel, Dyffryn Banw, ym Mhowys:

> Taenu trais ar drais yn drwch
> Yw lladd i ennill heddwch.

Ar daflen wybodaeth gyfredol Cymdeithas y Cymod, ysgrifennwyd y geiriau herfeiddiol hyn:

> 'Pe byddai rhyfel yn creu heddwch, fe ddylai'r byd fod yn baradwys heddychlon ers canrifoedd. Ymladdwyd pob rhyfel [bron] er mwyn creu heddwch. Ond wedi miloedd o flynyddoedd o ryfela, mae'r byd yn y cyflwr mwyaf peryglus y bu ynddo erioed! Y gred mewn rhyfel sy'n gyfrifol am hyn. Rhyfel yw'r broblem, nid yr ateb. Oes yna ateb? Oes. Newid ein ffordd o feddwl ... Dilyn ffordd tangnefedd ... Dilyn ffordd cariad. Dilyn ffordd maddeuant.'

A ffordd ragorol iawn yw'r ffordd hon. A dyfynnu o linell agoriadol R. Geraint Gruffydd yn ei soned ar ddechrau cyfrol ardderchog o'i ysgrifau ar 'lên a chrefydd': 'ffordd gadarn dros ir feddalwch y gors' ydyw. (*Y Ffordd Gadarn*, gol. E. Wyn James, Gwasg Bryntirion, 2008)

Y mae un peth, fodd bynnag, yn sicr. Fe wyddoch chi, ac mi wn innau: ni fu'n rhwydd erioed i dramwyo ffordd cyfiawnder a heddwch. Gall fod yn unig a charegog, yn llawn rhwystrau. Mor rhwydd yw digalonni; mor anodd yw dyfalbarhau. Credaf a mawr edmygaf ddatganiad Mahatma Gandhi: 'Canlyniad llygad am lygad a dant am ddant yw gwneud y byd i gyd yn ddall.' Ond ceisiaf gofio hefyd bob amser y geiriau doeth a ganlyn a lefarwyd ganddo yn fuan wedi diwedd y Rhyfel Byd Cyntaf: 'Gall fod yn amser hir cyn i ddeddf cariad gael ei chydnabod gan wledydd y byd. Y mae peirianwaith llywodraeth yn rhwystr ac yn cuddio calonnau pobl oddi wrth ei gilydd.' (*Quotes of Gandhi*, Cyhoeddwyr UBS, New Delhi, 1994, tt. 1, 10)

Er hynny, neges ganolog y gyfrol hon yw cyhoeddi i'r byd fod Cymdeithas y Cymod, a phob cymdeithas a mudiad rhagorol arall sy'n gweithredu i hyrwyddo cyfiawnder a heddwch, yn fynegbost hollbwysig ac yn garreg filltir hanfodol ar y ffordd anodd, ffordd faith a throellog yn aml, tuag at gydnabod a pharchu 'deddf cariad', y cyfeiriwyd ati gan yr enaid mawr o'r India. A'r ddeddf honno yw'r rheol aur sy'n rhychwantu cyfandiroedd, yn cysegru pob crefydd a chredo, ac yn toddi'r galon garreg: 'Gwnewch i eraill fel y dymunech i eraill ei wneud i chwi.' Ac os anodd yw'r ffordd i'w thramwyo, y mae cymorth ar gael: nerth gweddi; ysbrydoliaeth y rhai a droediodd y ffordd o'n blaenau, a chwmni'n gilydd. Dyna paham y dewisais bennawd arbennig yr ysgrif hon. Y mae'n rhaid i bob un ohonom ar adegau gerdded rhan o'r daith ar ein pennau ein hunain. Ffordd cydwybod ydyw. Y mae yna benderfyniadau anodd i'w gwneud, a ni, a neb arall, sy'n gorfod gwneud y dewis. Ond eto i gyd, ar rannau helaeth o'r daith cawn gwmni'n gilydd. Cydgerdded. Cyd-ddyheu. Cydymgyrchu. A chydobeithio y cyrhaeddwn ben y daith.

Cofio Ddoe – Creu Yfory

A dyma ni yn y flwyddyn 2014, blwyddyn cofio'r golled a'r dioddefaint arswydus gan mlynedd yn ôl. A blwyddyn sefydlu Cymdeithas y Cymod yn Ewrop mewn gobaith na welid fyth eto y fath ddinistr, y fath drasiedi fawr, ddianghenraid, yn hanes y byd. Beth yw'r her sy'n wynebu aelodau'r Gymdeithas heddiw?

Y mae'r ateb yn lled amlwg: y mae'n rhaid inni barhau, ond gyda mwy o ymroddiad nag erioed, i geisio argyhoeddi'r byd, ond gan ddechrau gartref gyda'n cymunedau ein hunain yng Nghymru, fod pob arf rhyfel; pob arf niwclear; pob awyren ddi-beilot, 'adar angau', yn Aber-porth, Epynt a Llanbedr; pob bom; pob tanc; pob llong danfor; pob gwn – fod y cyfan yn symbol o ryfel a thrais, dioddefaint a phoen; yn symbol o'r barbareiddiwch sy'n flotyn du yn hanes y ddynoliaeth. Ac eithrio America a Tsieina, Prydain yw'r drydedd wlad yn y byd o ran ei gwariant ar arfau niwclear. A phaham? Er mwyn amddiffyn. Ond amddiffyn pwy? Amddiffyn beth? A gwario'r fath arian pan fo cymaint o'i angen yng Nghymru a'r byd. Cymaint o dlodi a newyn. Cymaint o angen yr arian i hyrwyddo addysg, gwasanaethau cymdeithasol, a datblygiadau ym myd meddygaeth. Oni wyddom, oni chlywsom, fod cost adfer Trident yn 100 biliwn o bunnoedd. Nid can miliwn, ond can miliwn o filiynau. Am bris un awyren ryfel, gallwn adeiladu un ysbyty.

Gwae ni oni chodwn ein llef yn wyneb y fath anwarineb; y fath ymddygiad ymerodrol; y fath wastraff cywilyddus; y fath ffolineb. Y mae Llywodraeth Cymru'n dweud nad oes â wnelo hi ddim byd â hyn oll oherwydd mai Llywodraeth Prydain sy'n gyfrifol am faterion amddiffyn. Dyna ni, dyna'r drefn. Ond cyhoeddwn y gyfrol hon am weithgarwch Cymdeithas y Cymod i ddweud yn groyw wrth bob aelod o'r Cynulliad fod ganddynt gyfrifoldeb. Digon yw digon. Cyhoeddwn wrth Lywodraeth Prydain a'n Llywodraeth ni ein hunain ym Mae Caerdydd, nad ydym ni yng Nghymru mwyach am fod yn rhan o'r polisi gwallgof o gynhyrchu'r fath domenni o arfau, a gwerthu rhan helaeth ohonynt i bedwar ban y byd; nid ydym ni yng Nghymru mwyach am gael ein clymu, fel ci bach, wrth gwt Llywodraeth Prydain a'n llusgo'n anorfod i fod â rhan mewn rhyfeloedd ym mhellteroedd daear.

Y mae gan Lywodraeth Cymru gyfrifoldeb. Ond neges y gyfrol hon yw dweud bod gan bob Cyngor Sir a Chyngor Bro yng Nghymru hefyd gyfrifoldeb. Y mae gan aelodau eglwysig, aelodau pob cymdeithas a mudiad yng Nghymru – y mae gan bawb, yn cynnwys pob un ohonom ni – ein rhan hollbwysig er mwyn sicrhau ein bod, yn lle hyrwyddo diwylliant rhyfel a thrais, yn hyrwyddo diwylliant cyd-drafod, cydddeall, cyd-faddau, cyd-fyw. Mewn un gair: diwylliant tangnefedd. A'r canlyniad? Rhoi i Gymru – ie, Cymru, gwlad fechan yn ddaearyddol, y cyfle i wireddu breuddwyd llawer un ohonom y bydd y wlad fechan hon ryw ddydd, a hynny'n fuan, yn arwain yn Ewrop a'r byd i chwifio baner cyfiawnder a heddwch.

'Wedi'r dweud, gwneud ...'

Ond mor rhwydd i mi yw sgrifennu'r geiriau hyn. Mor rhwydd yw cael ein denu i ramanteiddio, breuddwydio a delfrydu wrth sôn am heddwch. Mor rhwydd yw siarad a phregethu. 'Hawdd yw dwedyd dacw'r Wyddfa, nid eir trosti ond yn ara', medd yr hen air. Wedi'r pregethu, rhaid gweithredu. Wedi'r dweud, gwneud. A daw geiriau doeth Martin Luther King i'r cof: 'Rhaid i'r rhai ohonom sy'n caru heddwch drefnu ein gweithgarwch mor effeithiol â hebogiaid rhyfel. Fel y maent hwy yn lledaenu eu propaganda o ryfel, felly rhaid i ni ledaenu ein propaganda o heddwch.'

Helen Keller ddywedodd: 'Un yn unig wyf i, ond yr wyf yn un. Ni allaf wneud popeth, eto fe allaf wneud rhywbeth. Ac oherwydd na allaf wneud popeth, ni pheidiaf â gwneud rhywbeth y gallaf ei wneud.' Beth, felly, y gallwn oll ei gyflawni? Yn gyntaf, taer erfyniaf ar i bawb sy'n darllen y gyfrol hon i ymuno â Chymdeithas y Cymod, onid ydynt eisoes yn aelodau. Ac y mae croeso i bawb sy'n credu mewn cariad. 'Duw, cariad yw', medd yr adnod gofiadwy. A dyna yw cymod: dolen aur o gariad sy'n clymu'r byd a'i holl drigolion yn un. Drwy ymuno â'r Gymdeithas cawn ddarllen ein cylchgrawn, *Cymod*, a gyhoeddir deirgwaith y flwyddyn. Cawn wybodaeth a chyfarwyddyd yn gyson mewn cylchlythyrau ac ebyst am ymgyrchoedd y gallwn fod â rhan ynddynt. A chawn ein cydysbrydoli i waith.

A dyna, felly, yr ail awgrym, i ni sy'n aelodau eisoes ac i eraill, yr ydym yn mawr obeithio, fydd yn ymuno am y tro cyntaf: apêl garedig i ymroddi o'r newydd yn ymgyrchoedd cyfredol y Gymdeithas. Dyma rai ohonynt: yr ymgyrch i ddifilitareiddio Cymru ac i wrthwynebu Trident, awyrennau di-beilot ac arfau rhyfel eraill; gwrthwynebu i'r Fyddin i ymweld ag ysgolion; gwrthwynebu i'r Fyddin a'r Llynges i hysbysebu ar y teledu; gwrthwynebu gwerthu ac arddangos chwaraeon cyfrifiadurol sy'n hyrwyddo a phoblogeiddio rhyfel; ac ymgyrchu'n daer ar ran Cymdeithas y Cymod, ac unrhyw gymdeithas neu fudiad heddwch arall, i gael yr hawl i hysbysebu ar y radio a'r teledu.

Yn drydydd, parhau cefnogaeth Cymdeithas y Cymod i'r ymgyrch i sefydlu Academi Heddwch Cymru, academi ar batrwm y Sefydliadau Heddwch sy'n bodoli eisoes mewn rhannau o Ewrop, megis Fflandrys, ond heb fod yn union yr un fath. Fel aelod o'r Pwyllgor (yn cwrdd, gan amlaf, yn y Deml Heddwch yng Nghaerdydd) i wrthwynebu datblygu Academi Filwrol Sain Tathan, Bro Morgannwg, ac mewn mwy nag un anerchiad, fy mraint i oedd awgrymu yn 2007 y dylem ni yng Nghymru weld sefydlu, nid Academi Filwrol, ond, yn hytrach, Academi Heddwch. O'r dechrau, roeddwn i'n awyddus i'r enw Academi gael ei ddefnyddio, yn y fersiwn Gymraeg a Saesneg, nid Sefydliad Heddwch (*Peace Institute,* fel yr enw ar y sefydliadau heddwch yn Ewrop). Yna yng Ngŵyl Heddwch Cymru ym Mangor, 2008, cynigiodd Jill Evans, ASE, y dylai Academi / Sefydliad Heddwch gael ei sefydlu yng Nghymru, a bu hi, fel eraill, megis Dr John Cox, Jill Gough, Jane Harries, a Stephen Thomas, ar flaen y gad gyda'r ymgyrch bwysig hon. Y nod yw i'r Academi fod yn sefydliad uchel ei barch, yn annibynnol ar Lywodraeth Cymru, ond yn alluog i gynghori'r Llywodraeth ar faterion heddwch, cyfiawnder a hawliau dynol; yn cynhyrchu ymchwil annibynnol ac o safon ar y pynciau hyn, ac yn darparu adnoddau addysgol yn yr un meysydd ar gyfer ysgolion a cholegau.

Yn bedwerydd, mewn cydweithrediad â'r Cyd-Bwyllgor Addysg, yr Academi Heddwch, yr Urdd, a mudiadau eraill, rhoi pwys o'r newydd ar gyflwyno astudiaethau cyfiawnder, heddwch, a hawliau dynol, fel rhan greiddiol o'r Cwricwlwm Cenedlaethol yn ysgolion Cymru. Pwysig hefyd fydd creu cyfleon i'r plant gael rhan mewn gweithgarwch yn eu cymunedau ac, o bosibl, dramor, sy'n ymwneud ag adeiladu heddwch.

Llwybrau Heddwch ...

Nid oes modd gorbwysleisio pwysigrwydd addysgu ac ail-addysgu. Cofio ddoe er mwyn creu gwell yfory. Ond nid yn yr ysgolion yn unig y mae mawr angen gwneud hynny. Yn bumed, felly, carwn gyfeirio at gynllun a fyddai'n eithriadol o werthfawr ar gyfer plant ac oedolion, petai Cymdeithas y Cymod, eto drwy gydweithrediad â mudiadau eraill, yn llwyddo i'w wireddu. Gellid galw'r cynllun yn 'Llwybrau Heddwch'. Taith drwy Gymru gyfan, ar lafar ac ar gân, i ddwyn i gof y mannau a'r personau sy'n rhan annatod o hanes heddwch ein gwlad, gan wneud defnydd o amrywiol gyfryngau, traddodiadol a chyfoes, megis posteri, mapiau, DVD, a'r Ap. Y mae'r gwaith ardderchog a wnaed eisoes gan Gell Caerfyrddin o'r Gymdeithas, 'Heolydd Heddwch Caerfyrddin' yn ysbrydoliaeth. (Ap a gyhoeddwyd gan Moilin Cyf.)

Addysgu. A'r un modd, rhoi cyfle o'r newydd i drigolion Cymru fod yn fwy ymwybodol nag erioed o bwysigrwydd gorseddu cyfiawnder a heddwch ym mhob rhan o'r byd, gan ddechrau yn eu cymuned leol hwy eu hunain. A dyma'r chweched awgrym i'w ystyried: trefnu Gŵyl Heddwch genedlaethol flynyddol. Y nod: pob cymuned drwy Gymru gyfan ar un diwrnod neu wythnos arbennig o'r flwyddyn i ddod ynghyd mewn cerdd, dawns a chân, a phlethu dwylo mewn symbol o gwlwm cariad. Gellid gosod cystadleuaeth i gyfansoddi cân, gyda geiriau Cymraeg a Saesneg, i'w chanu drwy Gymru. Ond pob cymuned hefyd i drefnu eu gweithgareddau eu hunain, boed yn yr awyr agored neu o dan do. Cofio a dysgu; diolch a dathlu; ysbrydoli ac ymroddi o'r newydd i waith. Eithriadol o bwysig hefyd fyddai rhoi gwybod i weddill y byd am yr Ŵyl, gan ddefnyddio pob cyfrwng posibl, megis y radio a'r teledu; ffôn, trydar a gweplyfr; papur newydd a chylchgrawn. Anfon neges i'r byd fod un wlad fechan ym Mhrydain ac Ewrop yn dymuno ei huniaethu ei hun â heddwch.

Afraid dweud, byddai gwireddu cynllun uchelgeisiol o'r fath yn golygu cydweithio'n agos iawn â nifer o fudiadau eraill yng Nghymru, a thu hwnt i Gymru hefyd, o bosibl. Er enghrifft, Senedd Ewrop. A dyma fy arwain at y seithfed awgrym, sef pwysigrwydd cydweithio. Er mor arbennig ac unigryw yw Cymdeithas y Cymod, y mae'n bwysicach nag erioed ei bod yn dal ar bob cyfle i gydweithio gyda chymdeithasau, mudiadau a phartneriaethau eraill o gyffelyb fryd. Cyfeiriwyd eisoes at Academi Heddwch Cymru a'r Urdd. Gellid nodi hefyd, er enghraifft: Grwpiau Heddwch a Chyfiawnder; CND Cymru; Canolfan Materion Rhyngwladol Cymru (Y Deml Heddwch); Cymdeithas y Cenhedloedd Unedig yng Nghymru (Y Deml Heddwch); Cytûn; Cymdeithasau Heddwch yr Annibynwyr a'r Bedyddwyr; Canolfan Undod ac Adnewyddiad Cristnogol, Hen Gapel John Hughes Pontrobert (o dan ofal Nia Rhosier); Cymdeithas Dydd yr Arglwydd yng Nghymru (o dan ofal yr Ysgrifennydd, D. Ben Rees); rhai adrannau mewn prifysgolion a cholegau yng Nghymru; ac Amnest (Cymru). O blith sefydliadau a mudiadau cydwladol, gellid enwi: Adran Astudiaethau Heddwch, Prifysgol Bradford; Cwlwm Cymod Cymru Corrymeela (Gogledd Iwerddon); Canolfan Atal Gwrthdaro Ewrop (Utrecht, Yr Iseldiroedd); a Sefydliad Tutu y Deyrnas Unedig: Cyfathrebu er Mwyn Newid (gyda'r arwyddair ardderchog: 'Dim ond drwy fod gyda'n gilydd y gallwn fod yn ddynol').

Y mae enwi'r Archesgob Emeritws Desmond Tutu yn ein hatgoffa o un o'i ddywediadau treiddgar, mor gwbl nodweddiadol o'i ffraethineb a'i ddynoliaeth fawr. Ym maes heddwch, fel yn ein crefydd bob dydd, gwyddom o'r gorau nad oes lle i niwtraliaeth, dim lle i amhendantrwydd ac i oedi mewn ansicrwydd. Pan fyddwn yn simsanu ac yn penderfynu gwneud dim, gwae ni, yr ydym ninnau, er mor haeddiannol ein bwriadau, yn euog o ochri gyda'r gormeswr. Ac fel hyn y mynegodd Desmond Tutu y neges ganolog hon yn gofiadwy iawn: 'Pan fydd eliffant yn sathru ar gynffon llygoden, a chwithau'n dweud nad ydych yn siŵr beth i'w wneud, ni fydd y llygoden yn gwerthfawrogi eich amhendantrwydd.' Wrth i ninnau, aelodau a charedigion Cymdeithas y Cymod, ddechrau ar gyfnod newydd, dyma o blith fy sylwadau blaenorol, o bosibl, y pwysicaf un: bod o ddifrif, heb anwadalu mwy.

Y mae bywyd pob person yn gysegredig. Y mae gan bob person yn y byd yn grwn yr hawl i fyw. Fy mreuddwyd yw y byddwn ni, aelodau Cymdeithas y Cymod, ac eraill a ddaw yn fuan i'n rhengoedd, yn cael rhan ganolog mewn chwyldro newydd – chwyldro'r meddwl a'r galon.

Rwy'n dymuno gweld Cymru'n arwain yn Ewrop a'r byd i ailorseddu sancteiddrwydd bywyd. Boed inni geisio sicrhau bod Cymru yn gwneud tro pedol llwyr yn y cysyniad o beth yw gwir sancteiddrwydd. Y gwir sancteiddrwydd – y tangnefedd pur – fel grym sy'n drech nag ysfa hunanol dyn i dra-arglwyddiaethu, gan arwain i ryfel a thrais. (Cefais y fraint o fanylu ymhellach ar y pwnc pwysig hwn yn y gyfrol, *Rhyfel a Heddwch a Sancteiddrwydd Bywyd*, 2008. Gw. hefyd gyfrol ardderchog Guto Prys ap Gwynfor: *Gweddïau Heddwch a Chyfiawnder*, 2012.)

Ond yr un modd, cofiwn eiriau heriol Harri Williams yn agoriad emyn Seymour Miller a Jill Jackson: 'Heddwch ar ddaear lawr, gan ddechrau'n fy nghalon i ...' Cyn y gallwn argyhoeddi eraill, rhaid i bob un ohonom ni groesi 'bwlch yr argyhoeddiad'. Gweld o'r newydd. Teimlo o'r newydd. Edifarhau o'r newydd, gan gofio bod y gair Hebraeg am edifeirwch, sef *shwf*, yn golygu yn llythrennol 'newid cyfeiriad'.

Un newid cyfeiriad y carwn i ei weld yn fuan yw newid yn ein hoedfaon ar y Sul. Mawr ddiolch i weinidogion a ffyddloniaid ein heglwysi am eu tystiolaeth o blaid heddwch. Ond wedi pregethu'r Gair, wedi'r bregeth ar heddwch, carwn weld mwy o bwys cyn gadael man yr addoliad ar roi'r Gair ar waith. 'Deled Dy deyrnas ...' Estyn gwahoddiad caredig i'r sawl sydd am wirfoddoli i weithredu. Cyfle i ninnau, gyda'r gweinidog ac eraill, i gynorthwyo, cynnig arweiniad, ac ysbrydoli. 'Oes yna ddeiseb i'w llofnodi – ar bapur neu ar y We? 'Oes yna rif ffôn y gallwn ei ddeialu?' 'Oes yna lythyr, neu gerdyn, y gallwn ei anfon?' 'Oes yna gyfarfod neu wylnos y gallwn eu trefnu?' 'Oes yna bwnc arbennig y carai rhywrai roi sylw iddo?' 'Trais yn erbyn plant a merched'; 'Dileu'r gosb eithaf'; 'Prinder dŵr glân yn y byd' ...

* * *

Fy nghyfeillion annwyl sydd wedi fy nilyn bob cam o'r daith yn yr ysgrif hon, diolch o galon am eich cwmni ac am y cyfle i gyfrannu i'r gyfrol. Agorwyd fy ysgrif drwy gyfeirio at ŵr o Gwrdistan, Twrci. Cyn cyflwyno'r gerdd i Gymdeithas y Cymod rwy'n cloi drwy gyfeirio at wraig o Wlad Pwyl. Ym mis Mehefin, 2010, roedd Eleri, fy mhriod, a minnau yn Auschwitz. Wedi rhai oriau o gael ein hatgoffa yn ddwys a diffuant iawn am y dioddefaint dychrynllyd, gofynnais i'r ferch garedig oedd yn ein harwain ers sawl blwyddyn roedd hi wedi bod yn gwneud y gwaith.

'Pymtheg mlynedd', atebodd.
'Pymtheg mlynedd?', holais.
'Ie', meddai hithau, 'mae'n rhaid i rywun ddweud yr hanes.'

A daeth y geiriau o Lyfr Eseia i'r cof: 'Pwy a anfonaf? Pwy a â drosom ni?' A'r ateb: 'Wele fi, anfon fi.'

Cymdeithas y Cymod
1914 – 2014

Ắ'r Rhyfel Mawr yn bygwth chwalu'r holl fyd,
Tydi gynigiodd ffordd i ddwyn y darnau ynghyd;
Ac eto eilwaith pan oedd Ewrop ar dân,
O'th galon di daeth newydd gân:
'Nid bwled na bom yw'r ateb i drais;
Nid cau dwrn yn gas, ond gwrando ar lais
Tywysog Tangnefedd sy'n troi'r marw yn fyw,
Y gras maddeuol sy'n sy'n rhoi balm ar friw.'

Diolchwn ninnau am ddewrion y Ffydd
Fu'n dystion i'r gras o ddydd i ddydd,
Gan ddwyn cyfeillion o un i un,
Yng nghwlwm brawdgarwch yn gymdeithas gytûn.

Rwyt heddiw yn dathlu dy ganmlwydd oed,
A heddiw mae d'angen yn fwy nag erioed.
Am hynny, cydgerddwn ninnau mewn ffydd
Hyd lwybrau tangnefedd bob awr o'r dydd.
Cans heddiw mae'r neges yr un mor glir,
Megis cân aderyn ar y brigyn ir;
A dweud mae'r gân wrth y cenhedloedd ynghyd
Mai cymod a chariad sy'n achub y byd.

Robin Gwyndaf

Dd. Cerddi a Gweddïau

Cerddi

Y Llwybr at y Coed
Er Cof am Arfon Rhys

Fel dilyn llif y nant neu'r afon chwim,
mor hawdd yw dilyn torf o gwt y cefn,
a hawdd yw gweiddi'n groch, heb feddwl dim
ond dyblu geiriau'r gweddill - dyna'r drefn;
mae'n hawdd i rai, er cuddio, gorddi'n llwyr
y dorf â siant a sŵn sloganau trais,
gan wybod reit o'r cychwyn, Duw a ŵyr,
fod ergyd gwn yn dechrau gyda llais;
peth anodd wedyn codi, clirio llwnc
a naddu blaen ysgrifbin yn y lli',
a thraethu'n ddyfal, dawel am hen bwnc
nad ydyw'n rhan o gerrynt ein hoes ni -
ond gydag amser dyma'r llais a all
agor y clustiau byddar, llygaid dall.

Ac un o'r lleisiau hynny oedd y gŵr
a safai ym mhob storm heb fraw na brys -
un âi i'r blaen, heb dynnu sylw'n stŵr,
ond mynd er mwyn y lleill wnâi Arfon Rhys;
waeth pa mor gryf oedd llif yr afon ddofn,
waeth pa mor dywyll oedd y dyrfa ddu,
ni ildiodd hwn un cam i fwgan ofn,
ni wyrodd oddi ar daith y galon gu.
Mae'i lwybr heddiw'n galw yn ddi-gŵyn,
y llwybr sydd yn torri'n groes i'r drefn,

yr un sy'n dilyn graen y greddfau mwyn,
yr un all dreulio'r drain yn feidir lefn;
a phe dilynem, Gymry, ôl ei droed,
caem ddod yn wyn ein byd ac at ein coed.

Mererid Hopwood

Arfon Rhys
(1941 - 2014)

Er cof annwyl am David Arfon Rhys, Rhostryfan. Bu farw ar fore Sul y Pasg, 20 Ebrill 2014. Cefnogwr y Gymraeg; Crynwr; Heddychwr; ac Ysgrifennydd Cyffredinol Cymdeithas y Cymod yng Nghymru. Llefarwyd y geiriau isod yn ystod gwasanaeth, yn null y Crynwyr, i gofio Arfon, a gynhaliwyd yng Nghanolfan Melinwnda, Llanwnda, 3 Mai 2014.

Fy annwyl Arfon,
Ti oet addfwyn iawn, ac eto'n gryf;
Cannwyll yn llosgi,
Yn cynhesu calonnau
Ac yn goleuo llwybrau.
Troediaist ar ffordd tangnefedd;
A'th oleuni di fydd eto'n tywynnu
I'n harwain ni.
Am hynny, fy Arfon annwyl, diolch;
Diolch o galon i ti.

Robin Gwyndaf

I Nia Rhosier

Ysgrifennydd Cyffredinol Cymdeithas y Cymod: 1985 - 99;
Is-Lywydd: 2007 - 10;
Llywydd Anrhydeddus: 2010.

Rhennaist dy fawr serennedd, - a herio
Yn ddewr bob anwiredd;
Ti yw nef ein tangnefedd;
Wyt haul y difachlud hedd.

Robin Gwyndaf

Yr Hen Allt

Wele, mae'r hen allt yn tyfu eto,
A'i bywyd yn gorlifo ar bob tu
Serch ei thorri i lawr i borthi uffern
Yn ffosydd Ffrainc trwy'r pedair blynedd ddu.

Pedair blynedd hyll mewn gwaed a llaca,
Pedair blynedd erch mysg dur a phlwm-
Hen flynyddoedd torri calon Marged,
A blynyddoedd crino enaid Twm.

Ond wele mae'r hen allt yn tyfu eto
A'i chraith yn codi'n lân oddi ar ei chlwy...
A llywodraethwyr dynion a'u dyfeiswyr
Yn llunio arfau damnedigaeth fwy.

O'r hen allt fwyn,fe allwn wylo dagrau,
Mor hyfryd-ffôl dy ffydd yn nynol-ryw,
A'th holl awyddfryd,er pob gwae, yn disgwyl,
Yn disgwyl awr datguddiad Meibion Duw.

Waldo Williams

(allan o *Dail Pren* : Cerddi (Gwasg Aberystwyth, 1956)

Epigramau

Wrth ollwng y bom ar Hiroshima a Nagasaki,
Fe droesom Asia i ni yn elyn:
Ac fe ddaw dydd eu dialedd hwy arnom rywbryd,
Dydd y dial dychrynllyd, melyn.

'Diolch mai i ni, ac nid i'n gelynion, meddai Truman,
'Y rhoddodd Duw y Bom'; ac ar y ddwy dref
Efe a'n harweiniodd i'w gollwng, a'u llosgi a'u difa
Er mwyn ein democratiaeth a Theyrnas Nef.

Yn y distawrwydd rhwng ffrwydro'r bom uwch Hiroshima
A gollwng y bom nesaf,ni allwn ond mwynhau'r byd:
Carafana ar y meysydd, picnica ar ochr yr hewlydd
A bola-heulo ar y traethau yn ein hyd

Ar ôl dinoethi dy holl falchder a'th wareiddiad
Nid oes ond hunanladdiad neu edifarhau;
Canys o'r gwaelod fe ddaeth erbyn hyn i'r golwg
Y Bwchenfeldi a'r Hiroshimâu.

Gwenallt

(Allan o *Gwreiddiau* : Cyfrol o farddoniaeth gan Gwenallt Jones, Gwasg Aberystwyth,1959).

Croesi Epynt

Wrth imi groesi neithiwr tua'r saith
nesaodd llanc o filwr ugain oed
a'm hatal am ryw awr rhag cwpla 'nhaith
am fod ymarfer brwd ei leng ar droed.
Rhuai y gynnau gorffwyll tua'r nef
nes bod adfeilion Hirllwyn oll ynghyn,
a lle bu chwiban bugail rhwygai llef
hirgras rhyw ringyll hud y rhosydd hyn.
Druan â hwy yn eu hanwybod bas!
Aethant yn llywaeth, 'debyg, dan yr iau
heb neb i'w tywys yn eu hiengoed glas
heibio i'r slogan a'r posteri gau
i weld nad yw y cledd na'r bomiau chwim
yn setlo, gwella na therfynu dim.

John Edward Williams

(*Allan o Epynt a Cherddi Eraill* : Cyfrol o farddoniaeth gan y Parchedig John Edward Williams).

Bwystfilod

Cân er cof, adeg y rhyfel '39-'45.

Cyhyraeth ddreng Cŵn Annwn
A'u hubain ym mhob bwth,
Bwystfilod y ffurfafen
Yn canu anhyfryd grwth:
Plant bychain llon yn crynu
Rhag milain balfae'r gwae
Sy'n hela erwau'r nefoedd
Am bob diniwed brae.

A'r Angau, a genhedlwyd
Gan eu rhieni ffôl,
Yn ymdaith i'w hanwesu
Yn ei anghynnes gôl.
Dihangodd hen ddiddanwch
Mynydd a maes a môr
Rhag llu'r bwystfilod rheibus
Sy'n safnrhwth ger pob dôr.

Bomiau a thân a gynnau,
Malais a dig a chas,
Y gwirion yn ei dlodi
A'r cyfrwys yn ei blas;
A draw ar Fryn y Cymod,
Yn grwm dan faich er loes,
Y Gŵr a ddug ein gofid
Yn angof ar ei groes.

Iorwerth C. Peate

TERFYSG

1. 'MOD ABER-PORTH'

Mae 'na fan
lle mae'r arwydd
yn ei lifrai sgarlad
yn gwanu gwyrdd y gwrych –

man ansad
ger talcen bwthyn Gwndwngwyn,
ddecllath cyn i'r ffordd
droi'n gwcwll coed –

man 'sgeler
lle caiff echel car
ei sigo'n sydyn
gan y cambr croes –

disgyrchiant y drôm
tu hwnt i'r drum.

---

1. Dyma ymateb y bardd Damien Walford Davies i'r thema 'Terfysg', teitl ar gyfer cerddi cystadleuaeth y Coron Eisteddfod Genedlaethol Cymru (Dinbych), 2013.

2. ADARWR

Rown i ar Y Rofft,
lle tonna'r dalar
        lawr i'r ogofâu,
trai'r bore'n agor goror trist
rhwng tir a thon.

Yr ast fach sylwodd gyntaf.

Ymsythodd, ysgyrnygu –
holl egni'r corff
                yn herio awyr goeg

Ac yna clywais –

tôn ddifwyn, fain
                ar awel feinach,
grŵn peiriant yn ymrithio'n
fwgan deryn drycin,

deryn corff

yn disgyn tua llain y byw.

3. MAP (AROLWG ORDNANS, RHIF 198)

Uwch cilgant deudraeth
taenaf fap uwchben y môr

a gosod pedair carreg ar ei gyrion
rhag y gwynt.

Mae map yn blingo gwlad
hyd esgyrn ei chlogwyni,
hyd rydweli ffordd,
    gwythïen meidr.

Dyma lawfeddygaeth tir,
trem farwol o'r entrychion;
    fertigo.

Ar y tipyn papur hwn
mae cyfrinachau:

i'r gorllewin, tu hwnt i'm gorwel,
yr orynys
    sydd mor gudd â Gwales;

ac o Graig Filain fwyn hyd Bencribach –
i fyny at ororau'r map –
rhes o byramidiau coch
yn parthu'r bae'n
    faes perygl,

lle'r arferai'r Pheasant
a'r Eliza Jane
dorri cwys â'u cargo calch,

llwyth cwlwm eu carennydd.

4. ADAR RHIANNON

Yn dy salwch olaf, daethom yma droeon
i eistedd ar y fainc uwchben y môr.
Lle teg, dywedaist; *ein huchel gaer*,
ein harlech – fel petaet yn clywed
côr Rhiannon rywle dros y bae.

Fis cyn iti 'madael, roeddet yma'n
tynnu cudyn ar ôl cudyn aur o wallt
o'th ben, heb ddicter a heb ofn,
a'u rhoi imi i'w plethu'n dorchau brau.

Ar y ffordd i'r tŷ, fe'u rhoddaist
gyda gofal gwych yn nwfn pob llwyn,
pob gwrych, i'r adar fedru nyddu nyth.

5. HADAU

Ernes haf:

yng nghilfan Tre-main,
y gwerthwr mefus –

rhuddemau llathr
dan fondo cist ei fan.

Dad! Gawn ni? Gawn ni?

Yn y bwlch amhosibl
rhwng car a charafán,
crymana'r wennol nôl i'w nyth
â chyfandiroedd ar ei chof.

A rhywle uwch pennau'r plant –
eu genau'n ffrydio'n goch –

adar angau
yn dwyn cyrch,
eu cof yn gamerâu.

Gyrrwn adref; had mefus
yn feini tramgwydd
yn y geg.

6. XBOX

Taro'r fargen ddyddiol
gyda'r mab: hanner awr
o chwarae rhyfel rhwng y sêr,

cyn ildio i gadoediad cwsg.
Fin nos ar YouTube,
gwyliaf innau gemau'r oes:

trem drôn dros dai
yn Datta Khel
a Lashkar Gar; y taniad mud;

a therfysg sydyn y picselau.
Peidia'r ffrwydro
o ystafell wely'r mab.

Fe'i caf ynghwsg
yng ngwawr y sgrîn,
pensowldiwr y planedau.

7. TRYDAR

Darllenaf Douglas1 eto
ar sut mae lladd.

Yn ffwrn ei danc
ar dywod Tiwnis,
mor hawdd, medd ef,
oedd cosi corff o bellter
â'r blew croes. Un gair,

a milltir gron i ffwrdd
try dyn, mor syml a di-stŵr,
    yn darth.

    Heno dan leuad heliwr
mae'r byrnau yng Ngha'r Odyn
yn danciau du,
    y sofl yn fetelaidd;

a thu hwnt i glyw
ar donfeddi clo Parc-llyn,
y nos yn trydar ei thrais.

2. Keith Castellain Douglas (1920-44), Cadlywydd Tanciau yng ngogledd Affrica; un o brifeirdd yr Ail Ryfel Byd; awdur y gerdd 'How to Kill'.

8. UWCH DRAIN BYD

Hyd yn oed wrth ollwng
pwysau prin dy gorff i'r pridd
yng nghrud y rhaffau,

doedd dim dianc rhagddynt.
Hyd yn oed ym mynwes
mynwent, hyd yn oed

ar ddiwrnod ein ffarwél,
yn sŵn y canu brau, di-diwn
a gipiwyd ar gyfeillion

gan gyfeiliant gwynt;
hyd yn oed yng nghoflaid
ceraint, gwasgfa'r cwlwm du

o gylch y gwddf; hyd yn oed
y diwrnod hwnnw,
gwylient uwch fy mhen.

9. DIHAREB[3]

Drwg aderyn faeddo'i nyth ei hun
oedd tiwn fy nhaid . . .

Gwyliais y cwbl o ffenestr y llofft:
ar heglau main, gwalch gwyn

yn ceisio codi'n glir o'r llain,
chwiban yr hebogwr cudd

tu hwnt i'm clyw. Giamocs
yn yr awyr, yna plymio'n ôl,

taro pistyll aur o lwydni'r lôn,
a gorwedd yno'n gandryll.

Ydw, rwy'n cofio tiwn fy nhaid –
Drwg aderyn faeddo'i nyth ei hun.

3. Ar 29 Medi 2009, plymiodd awyren – *Falco,* a adeiladir gan gwmni Selex – i'r llawr yn Aber-porth.

10. TYTO ALBA

Dy weld, wrth gwrs,
ym mhobman:

ar drum, ar draeth,
    yn osgo'r plant;

terfysg dy bersawr
    ym mhob ystafell wag.

Heno, fe'th regais –

gwin coch
yn duo ac yn datod tafod
a fu'n gwlwm yn rhy hir.

O'r coed ar ffin y clos,
daeth sgrech:
    dyn a deryn yn rhannu cri.

11. GLASACH EI GLAS

Bob haf,
dilynem hynt yr afon Saith
o'i mabinogi yn y ffos o byllau brag
ym Mlaensaith Fawr

  i'w phrifiant yng nghysgodion Dyffrynsaith

hyd foment fawr ei hymwacáu
yn bistyll ger y traeth –
  dŵr
  yn torri'n darth
    ar ddŵr,

naid afon
  nôl i goflaid môr.

Trwy gryndod golau Awst
galwaf ar y plant, a chodi llaw;

tynnu'r sbectol haul
i brofi syndod,

dyfnder, bendith
  awyr wag.

Damian Walford Davies

Gweddi: O, Iesu, Dywysog Tangnefedd …

O, Iesu, Dywysog tangnefedd;
Ein pen gynhaliwr, ein cofleidiwr, ein câr;
Tydi â'r dwylo caredig a'r traed tosturiol,
A gerddodd bob cam o Fethlehem dref i Galfaria fryn,
Yn rhannu â'r sychedig o ffynnon ddwfr y bywyd,
Ac â'r newynog o'r bara nad yw'n darfod,
Rho i minnau heddiw ronyn o'th ras rhyfeddol,
I nerthu fy nhraed a'm dwylo,
Fel y gallaf innau fod yn gefn i'r gwan,
Yn weithredwr heddwch,
Ac yn fodd i ryddhau'r difreintiedig
O bob artaith, tlodi a chaethiwed.

O, Iesu, Dywysog Tangnefedd;
Cynheuwr y fflam sy'n puro pob aflendid,
A'r berth sy'n llosgi heb ei difa;
Tydi a droes wirionedd dy eiriau yn weithredoedd hardd;
Brenin cyfiawnder a hyrwyddwr pob rhyddid;
Dewr hyd derfyn y daith;
Ail-gynnau dân yn fy enaid innau heddiw,
Fel y bo i minnau, er mor llesg a gwael fy llun,
Roi fy hun yn llwyr yn aberth byw ar allor gwasanaeth;
I fod yn un ddolen yn y gadwyn o gariad;
I oleuo un gannwyll,
Ble bynnag y bo tywyllwch a chasineb;
I orseddu tangnefedd ble bynnag y bo trais.

O Iesu, Dywysog Tangnefedd;
Cyfryngwr yr ysbryd glân cariadus, creadigol,
Sydd o oes i oes
Yn troi pob Gwener y Groglith yn Basg ac yn Bentecost;
Tydi, y Diddanydd, yr Eiriolwr anghymharol,
Sydd beunydd beunos yn curo wrth ddrws ein calon,
Boed i minnau o'r newydd heddiw,
Yng nghanol rhuthr fy mynd a'm dod i ymdawelu,

Fel y gallaf, drwy nerth yr ysbryd dwyfol,
Gael eto fy adfywhau a dyblu diwydrwydd,
Profi'r heddwch sy'n dangnefedd, a'r ennaint,
Sydd, megis y balm o Gilead, yn wynfyd yn wir;
Ac o'i brofi, ei rannu â'r byd ac â'r enaid blin.

O, Iesu, Dywysog Tangnefedd;
Ffynhonnell y ffydd sy'n troi pob marw yn fyw,
A'r haul di-fachlud sy'n goleuo pob ogof dywyll;
Tydi sy'n tawelu pob ofn;
Y cariad sy'n cracio concrid yr hunan balch,
Ac a gyflwynodd i'r byd orchymyn newydd:
I garu gelyn, ac i wneud i eraill
Fel y carem i eraill ei wneud i ni,
Pan fo raid i minnau wynebu Gardd Gethsemane,
Boed i minnau o'r newydd heddiw brofi o Air y Bywyd
Sy'n symud ymaith y maen
Oddi ar fedd fy marweidd-dra a'm hofnau lu,
Ac yn fy llenwi â gorfoledd y Trydydd Dydd,
Fel na foed i mi byth mwy gau dwrn,
Ond estyn fy llaw mewn gweithred o ffydd.

Robin Gwyndaf

Bydd yn Basg i Ni

(gweddi W. Bruggemann Mawrth 1994.)
Addaswyd gan John Owen.

Ti Dduw a wnaethost i`r dyfroedd grynu,
a wnaethost i`r daran chwalu,
ac a ddychrynaist fyd a oedd yn afluniaidd a gwag.
Ti Dduw â`th fraich gadarn a achubaist dy bobl
trwy wyrth, rhyfeddodod a gweithred ysblennydd.
Ti yw`r Duw hwnnw y trown ato,
trown atat mewn dyddiau helbulus ac ar nosweithiau anesmwyth;
ceisiwn gariad di-sigl a chawn ein siomi,
arhoswn wrth dy addewidion, ond arhoswn mewn blinder,
ystyriwn dy anghofrwydd a`th ddiffyg cyd-ymdeimlad, ac
awn yn fud.
Mae i`n bywydau, o droi atat ti, flas chwerw-fylus
gorfoledd y gwyrthiol a gwewyr yr amheuaeth.
Am hynny fe ddeuwn atat mewn dryswch ac mewn rhyfeddod,
yn llaes ein hymddiriedaeth ac eto`n ofni gor-ymddiried,
yn angerddol ein dyhead, ac eto`n swil o or-ddyheu,
yn frwd ein gobaith, ond yn rhy flinedig i or-obeithio.
Edrych arnom yn ein hangen dwfn,
clustnoda glwyfau ein brodyr a`n chwiorydd,
sylwa ar y dryswch yn ein bywydau ac ym mywydau ein teuluoedd,
ystyria`r bwlch anweddus sydd rhwng y tlawd a`r cyfoethog, a`r
anghyfiawnderau brawychus sydd ar waith yn ein byd
bugeilia`r dicter afreolus, dicter a gyfiawnheir gan
ddadleoli, dicter a aeth yn wallgof gan absenoldeb, distawrwydd ac
amddifadrwydd.
Wnei di fesur y dioddef,
cyfrif y dioddefwyr,
a rhifo`r clwyfau;

Ti ddofwr pob gwylltineb a chyfannwr pob rhwyg yng nghanfas y cread.
Ystyriwn dy ddioddefaint.
dy goron ddrain
dy wisg a dynghedwyd i hap,
dy fywyd dirmygedig.
A`r funud hon fe luchiwn ar dy waradwydd dioddefus holl ddioddefaint y byd.
Ti orchfygwr angau, gan na allodd ei rym dy ddal yn gaeth,
tyrd yn dy Basg,
tyrd yn dy fuddugoliaeth ysgubol,
tyrd yn dy fywyd newydd, gogoneddus.
Gwna ni yn Basg i ti,
iacha glwyfau,
dryllia anghyfiawnder,
dwg heddwch,
gwaranta gymydog,
Gwna ni yn Basg i ti yn dy lawenydd ac yn dy nerth.
Bydd i ni`n Dduw, yn ti dy hun, yn arglwydd bywyd,
Yn dorfol tro ein bywyd i gyfeiriad dy fywyd di
ac oddi wrth ein diffyg brawdgarwch a`n hunan gasineb marwol.
Gwrando ein Haleliwia diolchgar, gwerthfawrogol a digywilydd! Yn enw Iesu a`n dysgodd,
Weddi'r Arglwydd: Ein Tad, yr hwn wyt yn y nefoedd, sancteiddier dy enw; deled dy deyrnas; gwneler dy ewyllys, megis yn y nef, felly ar y ddaear hefyd.
Dyro i ni heddiw ein bara beunyddiol.
A maddau i ni ein dyledion,
fel y maddeuwn ninnau i'n dyledwyr.
Ac nac arwain ni i brofedigaeth, eithr gwared ni rhag drwg.
Canys eiddot ti yw'r deyrnas, a'r nerth, a'r gogoniant yn oes oesoedd.
Amen.

Gweddi Heddwch

A baratowyd gan John Owen

O Dduw, cariad ydwyt,
ac ohonot ti y daw cyfiawnder, maddeuant a chymod,
fel y ceir tangnefedd ar y ddaear
ac ewyllys da ymysg meidrolion.
Tydi yw ein heddwch ni.

O! Dduw, yn Iesu, tywysog tangnefedd,
Mae gennym un all ein tywys ni i heddwch
ar hyd ffordd ragorach na ffordd y byd,
ffordd cariad;
y ffordd sy`n ceisio cariad trwy garu,
sy`n ceisio gobaith trwy obeithio,
sy`n ceisio cyfiawnder trwy fod yn gyfiawn,
sy`n ceisio maddeuant trwy faddau,
sy`n ceisio cymod trwy gymodi,
ac sy`n ceisio heddwch trwy wneuthur heddwch.

O! Dduw, felly, cynorthwya ni i garu er mwyn lladd gelyniaeth,
i obeithio er mwyn concro anobaith,
i ymddiried er mwyn symud amheuaeth,
i fod yn gyfiawn, er mwyn diddymu gormes,
i faddau er mwyn goresgyn camwedd,
i gymodi er mwyn dileu anghydfod,
ac i wneuthur heddwch, er mwyn gwasgaru rhyfel.

O! Dad, gwna ni yn bererinion y ffordd ragorach
ac yn weision cyfiawnder, maddeuant a chymod,
fel y daw`r byd i wirionedd, bywyd a heddwch
trwy`r hwn a`n gwna ni yn un ynot ti
ac a wna dy fyd yn un ynom ni;
Iesu a`n dysgodd i weddïo fel hyn / Ein Tad…

E. Awyrennau Di-beilot neu Adar Angau

Adar Angau

Damian Walford Davies

Sut yr ymatebodd y meddwl a'r dychymyg llenyddol Cymraeg i bresenoldeb sefydliadau milwrol ar dir Cymru – a hynny y tu hwnt i absoliwtiaeth y safiad pasiffistaidd a dadleuon gwleidyddol-ddiwylliannol 'Rhyfel Cymreictod'? Dyma gategori o lên rhyfel nad yw eto wedi'i ddiffinio a'i archwilio'n fanwl – rhan annatod o brofiad 'sifil' y Cymry. Beth yw natur perthynas ein llenorion â'r meysydd tanio, y gwersylloedd arbrofi rocedi, y cytiau Nissen, y gwersylloedd carcharorion a'r meysydd awyr? Ar ba lun y treiddiodd yr erodrôm, er enghraifft – nid yn unig fel haniaeth ideoloegol ond yn ei holl ddiriaeth ymarferol – i ymwybyddiaeth ein hawduron (cymerer 'comedi mewn tair act' John Ellis Williams, *Yr Erodrôm* (1937) fel esiampl)? Beth yw hyd a lled y corff o waith llenyddol sy'n ffurfio cartograffi aflonyddol o lenyddiaeth 'seicoddaearyddol' a aiff i'r afael â'r gwersylloedd milwrol a'r tiroedd atafaeledig helaethach, o Gastellmartin i Dre-cŵn, o Landyfái i'r Fali, o Fynydd Epynt i Benrhos/Penyberth, o Aber-porth i Sain Tathan? Beth yw natur y profiad twristig ar 'deithiau tywys' o amgylch rhai o'r safleoedd hyn? Ac ymhellach, sut yr awn ati i driongli'n feirniadol 'y dymp a'r drôm', chwedl Waldo Williams, er mwyn dadlennu'r hyn a eilw Gerwyn Wiliams (sy'n Cymreigio term Jeff Hill) yn 'olwg galeidosgopaidd' – hynny yw, holistig – ar brofiad rhyfel?

A beth am y safleoedd damweiniau awyrennau – 'mannau Waterlŵ' ein plwyfi, a dyfynnu Dic Jones – sy'n britho ein tir, ac a ysbrydolodd gerddi o bwys gan lenorion Saesneg Cymru fel Brenda Chamberlain ('Poem for Five Airmen', 1944)? Eisoes, dechreuodd yr archeolegwyr, y cyrff cadwraethol a'r haneswyr cymdeithasol fapio'r safleoedd haenog hyn. Wrth gwrs, bu ymgyrch 1946-8 i ddiogelu'r Preseli yn gymhelliad i feirdd a llenorion (Waldo yn fwyaf amlwg yn eu plith) ddatblygu rhethreg lenyddol amddiffynnol-frwydrol, ond daeth yr amser i gloriannu'r amryfal ffyrdd y daeth canolfannau milwrol yn rhan annatod o ystyr ac arwyddocâd darn arbennig o dir, ac o'n hymwneud siecolegol-emosiynol â'r lle hwnnw.

Yn rhannol, cynnig ateb *creadigol* i'r cwestiynau hyn oedd fy mwriad wrth ymateb i'r thema 'Terfysg' a bennwyd yn deitl ar gyfer cerddi cystadleuaeth y Goron yn Eisteddfod Dinbych yn 2013. Â'r cerddi i'r afael â phresenoldeb milwrol newydd, hynod ddadleuol, yng Nghymru. (Dylem gofio ffyrniced oedd ymateb nifer o Gymry ar ddechrau'r Ail Ryfel Byd i dechnoleg 'the bombing aeroplane as an instrument of war'– geiriau Saunders Lewis yn mis Chwefror 1939.) Ar yr un pryd, saif y cerddi mewn olyniaeth – gweithiau sy'n archwilio arwyddocâd cymdeithasol a diwylliannol sefydliadau milwrol yng nghyd-destun cysyniadau o berchentyaeth a hunaniaeth. Ond fy mwriad i oedd cynnig 'archeoleg' seicolegol, ac archwilio ein perthynas â'r drômau ar lefel bersonol, leol ac emosiynol. Ymhellach, ymgais yw'r un ar ddeg cerdd a luniais i gwestiynu rhai o ragdybiaethau a chyweiriau'r traddodiad a etifeddwyd.

Y safle a hawliodd fy sylw yw'r 'parc' 550 acer yn Aber-porth yn ne Ceredigion a reolir gan gwmni QinetiQ ar ran y Weinyddiaeth Amddiffyn. Yn union fel y bu i ryfel feddiannu tir Castellmartin yn ne Sir Benfro ddiwedd y tridegau – yr hyn a symbylodd gywydd Waldo Williams, 'Daw'r Wennol yn ôl i'w Nyth' – daeth (teipiais y gair hwnnw'n *death* ar gam) gwersyll tanio i Aber-porth ar ddechrau'r Ail Ryfel Byd. Cyn diwedd y rhyfel, trodd yn faes arbrofi rocedi a adwaenir yn lleol fel 'y Pennar'. Fel y dywed Clive Aslet yn *Villages of Britain* (2010), cyfrol lle'r hawlia Aber-porth le (amwys) fel un o'r *Five Hundred Villages that Made the Countryside*:

> the village was woken by the firing of a Thunderbird missile in 1951 ... The Thunderbird – a.k.a. Red Shoes– was a guided anti-aircraft rocket, 6.4 metres long. Bloodhound followed. Sea-slug and Blue Sky were also trialled.

Fel y cawn weld, enynnodd y safle hwn ymateb grymus (a phroblemus, efallai) mewn cerdd eisteddfodol arall, hanner canrif yn ôl. Yn Aber-porth bellach (yn wir, o'r arfordir hyd at y Bannau, mewn coridor uwch ein pennau) arbrofir â'r awyrennau di-beilot, yr UaVs (*Unmanned Aerial Vehicles*) neu'r drones – yr adar angau, ar lawr a llafar gwlad bellach. Gwelir peiriannau fel y Selex Falco yn codi o'r llain yn feunyddiol. Er nad yw awyrennau Aber-porth yn cario arfau, yma y caiff technoleg ehangach yr UaVs ei datblygu; gan hynny, naïf fyddai haeru nad oes cysylltiad rhwng y gwaith a wneir ar Ben Cribach, Ceredigion, a'r hyn sy'n ymrithio fry – yn dwyn enwau fel *Reaper* a *Predator*, ac yn tanio taflegrau *Hellfire* – yn Afghanistan a Phacistan. Tân ar groen nifer, wrth gwrs, yw presenoldeb y fath beiriannau ar ddaear Cymru. ('Daear Cymru': darn o rethreg emosiynol sy'n cuddio daliadau *essentialist* ynghylch cydymdreiddiad tir ac iaith, y materol a'r metaffisegol...?)

Rhestru: dyma un o'r prif dechnegau a ddefnyddiwyd gan lenorion i fynegi eu hymateb i ddyfodiad y gwersylloedd milwrol. Try'r weithred o restru yn arf gwleidyddol yn y frwydr heddychol a diwylliannol. Ddiwedd Mawrth 1939 yn y *Faner*, cynigiodd Waldo Williams beth cefndir yn achos ei gywydd 'Daw'r Wennol yn ôl i'w Nyth' drwy ddewis rhestru (a Chymreigio), yn syml ond yn ddeifiol, enwau tir a gwlad ar ffurf litwrgi o golled:

> *gobeithir achub rhan o Crickmail eto ... Perchenogir Linney, Pennyholt, Bulliber (Pwll Berw?), Brownslade, Chapel, Mount Sion, Pricaston, Flimston a hanner Longstone. Cedwir yn ôl rannau o Ferion, Loveston, Heyston, Trenorgan, Crickmail.*

Hanner canrif yn ddiweddarach, dyma Dic Jones yn ei hunangofiant, *Os Hoffech Wybod* (1989) yn dwyn i gof yr atafaelu a fu ar diroedd Aberporth ddechrau'r Ail Ryfel Byd:

> *Cymerwyd dros bedwar can erw o dir, siŵr o fod – erwau lawer o dir uchaf Trecregyn, a Phennar Isaf a Phennar Uchaf i gyd, ond gadawyd tŷ fferm Pennar Uchaf i sefyll fel rhyw oasis yn yr anialwch; yr holl dir rhwng y ffordd o Barc-llyn i Lainmacyn a chraig y môr o Draeth Cribach i Draeth y Gwyrddon ... Ym Mlaenannerch aeth daear Maes-y-Deri, Pen-bryn, Pen-cnwc a Phen-lan, tua chan erw a hanner i gyd, i wneud maes awyr ...*

Waldo Williams

Y Golygydd a Dic Jones

Fel yn achos Waldo, nid *gazetteer* ffeithiol yn unig a gawn yma, ond cartograffeg alarnadol, cerddoriaeth goll – *daearyddiaeth emosiynol.* Dilynir hyn gan bortread dwysbigol o'r gost ddynol. Caiff erwau ac enwau'r tir, craig y môr, yr anheddau bychain, a'r unigolyn a'i gymdeithas eu rheibio gan rymoedd ehangach y wladwriaeth:

> *rhoddwyd mis i John Henry Jones adael Pennar Isaf. Mis – wedi cenedlaethau o amaethu uwchben y môr. Byr iawn fu ei ateb i drahauster y swyddogion hynny, ac nid ei brinder Saesneg oedd yr unig reswm chwaith – 'You are taking my home' ... Ni ddaeth i lawr dros risiau ei gartref newydd ond unwaith wedi hynny, a'i gario a gafodd y pryd hwnnw. Un o gelanedd cyntaf yr Ail Ryfel Byd.*

Diddorol fan hyn yw'r modd y mae atgof Dic Jones yn pendilio rhwng iselfannau ac uchelfannau – symptom llenyddol o'r gwyrdroad a ddisgrifir. Wedi'i yrru o Bennar Isaf, uwchben y môr, John Henry Jones biau'r tir uchel moesol yn wyneb y swyddogion ffroenuchel, ond carcharor ydyw yn dihoeni mewn goruwch ystafell anghyfarwydd, cyn iddo gael ei gario lawr stâr, a'i ollwng i'r pridd.

Â Dic Jones rhagddo i ddisgrifio'r profiad o fyw-a-bod ar gyrion y maes awyr ym Mlaenannerch. Dyma hanes cymdeithasol hunangofiannol sydd hefyd yn rhychwantu prifiant y dychymyg llenyddol. Mae'n cynrychioli un o destunau anhepgor unrhyw astudiaeth o effeithiau seicolegol y cyd-fyw amwys a ddatblygodd rhwng y gwersyll a'r gymdeithas, y Weinidogaeth a'r werin, yr awyren a'r awen. Pwysleisia Dic fod dyfodiad y gwersylloedd yn Aber-porth a Blaenannereh wedi creu cyfleoedd yn ogystal a chyflafan, er mai 'Klondyke newydd' (ei ddisgrifiad yn y gerdd 'Porth yr Aber' o *Storom Awst* (1978)) digon amwys a gafwyd. Disgrifia'r 'batri o fagnelau trymion' yn Aber-porth a fyddai'n tanio 'at dargedau arbennig a dynnid wrth gwt awyrennau' – '*Hurricanes* gan fwyaf'. Llieiniau coch o 'ddefnydd gwyn a oedd yn rhyw groesiad rhwng sidan a neilon' oedd y targedau hynny, ac o gael eu dryllio, disgynnent yn glytiau 'ar bennau'r coed ac ar hyd y caeau', lle casglwyd hwy gan y pentrefwyr a'u troi – oherwydd prinder yr oes – yn ddillad gwely a nicyrs. Medd Dic: 'nid un na dwy briodas wen a gysegrwyd o dan fantell sbarion y llywodraeth'. Dyma fanylion sy'n ein cosi a'n hanesmwytho yr un pryd. Caiff defnyddiau rhyfel eu troi at ddibenion domestig, aelwydol, plwyfol, *priodasol*; try sbarion yn lloffion. Ond dyma *wisgo* rhyfel, ei lapio'n dynn amdanom nes bod terfysg, tir a chorff yn un endid (erotig?). Tyn Dic ein sylw at y ffaith y cai'r 'sgidiau a'r trowsus a'r crys a'r siaced gaci', ynghyd a'r 'got fawr a'r siaced ledr' a roddwyd i 'lasfilwyr gwladaidd' yr 'Hôm Gard' (gyda'r siars i beidio â'u gwisgo 'ar unrhyw esgus' ond ar berwyl milwrol) eu gwisgo fel 'iwnifform' gan y gweision fferm pan oeddent 'allan ar y tir yn 'redig, neu ar dywydd mawr yn dyrnu'. Dyna olygfa arall sy'n anesmwytho: cad-amaethwyr, bwganod brain byddin y tir.

Nid âi dim yn wastraff. Roedd darnau eraill y targedau drylliedig ('y pen a'r pwysau plwm') 'yn werth y byd fel coesau picwerchi'. Caiff proffwydoliaeth apocalyptaidd, filenaraidd Eseia ('a hwy a gurant eu cleddyfau yn sychau, a'u gwaywffyn yn bladuriau') ei gwireddu yn llythrennol. Ond o ongl arall, gellir synied am yr ailgylchu hwn mewn termau tywyllach, wrth ddychmygu taclau rhyfel yn ymdreiddio'n ddwfn i'r pridd ac yn cael eu cymhathu'n declynnau amaeth. Cawn hefyd ein hatgoffa o'r cyfeiriad enwocaf at 'bicwerchi 'yn ein llenyddiaeth: hwnnw yn y gerdd ryfel (ie, y gadgerdd ganolog) honno, 'Mewn Dau Gae', lle mae'r ymadrodd 'cyrch picwerchi' yn enghraifft o'r modd y tanlinella Waldo gyd-destunau milwrol y profiad a ddarlunnir – Y Rhyfel Mawr (cyfnod y profiad ffurfiannol a gafodd y Waldo ifanc yn y ddau gae), yr Ail Ryfel Byd (cyfnod y *psychosis* a barodd iddo gredu fod y pridd yn llythrennol wedi'i wenwyno), a Rhyfel Corea (1950-3, a symbylodd ei safiad yn erbyn gorfodaeth filwrol). Try tir ffiniol, amwys Weun Parc y Blawd a Parc y Blawd yn faes rhyfel; ni ellir bodloni bellach ar ddarllen 'Mewn Dau Gae' fel bugeilgerdd fetaffisegol yn unig, a buddiol fyddai gweld cerdd Waldo fel rhan o gynhysgaeth a chyd-destun ehangach profiad Dic Jones yn ei gynefin ef. Daw hefyd i gof y poster recriwtio hwnnw ar gyfer y 'Women's Land Army', sy'n dangos dynes ifanc yn sefyll mewn cae ŷd neu farlys yn dal picwarch fel reiffl 'at ease', a chwysi cymen y dalar yn ymestyn y tu ôl iddi. A'r cartŵn hwnnw sy'n dwyn y slogan '*Cor! Paratroops!!*', lle mae hen ffermwr yn sbecian o'r tu ôl i lwyn ar fwgan brain yn dal ambarel; yn llaw chwith yr amaethwr syn – eto megis reiffil – y mae picwarch; yn y llall, megis grenâd, ceir meipen – ffrwydryn priddlyd sy'n rhoi min tywyll ar hiwmor y darlun.

A beth am yr awyrennau di-beilot? Nid y *Selex Falco* a blymiodd i'r llain yn Aber-porth ar 29 Medi 2009 oedd yr awyren gyntaf i wneud hynny. Cofia Dic Jones sut y bu i dechnegwyr y Pennar a swyddogion Blaenannerch ddechrau '[ll]ywio awyrennau drwy gyfrwng radio, hynny yw, heb beilot o gwb l' yn ystod y rhyfel. 'Ac yn nyddiau cynnar techneg o'r fath', medd Dic,

> *... 'roedd damweiniau yn anochel. Prin yr ai wythnos heibio nad oedd un ohonynt yn cwympo fel brân wedi ei saethu ar gae rhyw fferm neu'i gilydd: Llwyn-coed, Pen-lan, yr Hendre, Tan-yr-eglwys – y ffermydd agosaf at y Drôm ... Parc Pwdwr yr Hendre, Parc Corn Tan-yr-eglwys, Gweirglodd Hir Llwyn-coed, Parc Gweun'rafon Cwmhowni, Parc Capten y Rhos, a llawer eraill.*

Dyma eto'r cymhelliad i restru – y tro hwn yn gofnod o'r ffordd y gwreiddiwyd galanas yn naear hen y pentir. Rhydd difodiant tanllyd pob *Tiger Moth* (a adwaenid gan Dic a phlant yr ardal fel y 'Cwin Bî') haen newydd o ystyr emosiynol aflonyddol i'r tir. Nid damwain yw'r ffaith fod rhestr caeau Dic Jones yn cynrychioli cwilt o diroedd amaethyddol amrywiol: y parc 'pwdwr' (hynny yw, dwstlyd, ond gyda 'phwdwr' bellach yn lledawgrymu – onid yw? – ryw ddiwerthedd yn sgil y difrod), parc y 'corn', y weirglodd, a'r cae cleiog ger yr afon. Hynny yw, pwysleisio y mae'r atgof, ar ffurf map holistig, fod rhyfel wedi treiddio i bob agwedd o fywyd, ac i ystyr pob acer ac erw. '[F]el darlun cyfansawdd safed yr enwau, onide', ys dywedodd Waldo ynghylch ei restr o diroedd atafaeledig Castellmartin. (Ac yma, i ategu'r pwynt, dylid pwysleisio nad rhyw fonws cartograffig pert yw'r map *fold-out* o gaeau fferm Y Cilie (ynghyd â'u henwau) a gynhwysir yng nghyfrol Alun Cilie, *Cerddi Pentalar* (1976) y tu cefn i goeden deuluol y cyff enwog hwnnw a fu'n gymaint rhan o brifiant Dic Jones yntau; o Barc Pant-y-ci hyd Barc-Chwerw-isa, mae teithi'r tir yn rhan annatod o ystyr a ffurf y cerddi sy'n dilyn.)

Un diwrnod, wrth iddo 'helpu Nhad i garthu'r ydlan', gwelodd y Dic ifanc un 'Cwin Bî' yn disgyn; 'Mae'n rhaid gen i fod ein llygaid cyn amled yn yr awyr y dyddiau hynny ag oeddent ar y llawr'. A yw profiad trigolion de Ceredigion wedi newid? Dan yr amodau a ddisgrifir, digon hawdd fyddai i fab yr Hendre fod wedi cael ei ladd fel *collateral damage*. Defnyddiaf y term cyfredol, erchyll hwnnw yn llwyr ymwybodol o'r gagendor, yn ogystal â'r cysylltiadau diymwad, rhwng cefn gwlad Ceredigion ar y naill law a Lashkar Gar a Datta Khel ar y llall.

Ni all y dychymyg dderbyn yn llwyr fod tir Cymru wedi'i wanu fel hyn. Un amddiffynfa yw eironi a hiwmor:

> *Y mae'n rhaid ei bod yn olygfa ddigon chwerthinllyd i weld dau sentri, yn cynrychioli holl adnoddau urddasol militariaeth y Deyrnas Unedig, fixed bayonets a chwbl, yn sefyll yn eu sbats mewn rhyw gae bach di-nod yng Ngheredigion yn gwarchod carn o sgrap rhag bwriadau dieflig a chynllwynion teyrnfradwrus hanner dysen o blant ysgol ceg-agored.*

Ond mewn gwirionedd, nid '[c]ae bach di-nod' yw'r cae hwn, na'r un cae arall, i'r bardd-amaethwr sy'n dwyn hyn oll i gof. I'r gwrthwyneb: dyma, efallai, Weun Parc y Blawd neu Parc y Blawd y dychymyg – cyfesurynnau'r gwreiddio, y gwreiddioldeb, y gwareidd-dra ... Rhaid i'r cof creadigol osod eironi yn rhagfur rhyngddo ac ystyron dyfnach (a dolurus) yr olygfa yn y cae: daeth plentyndod i ben, a chyda hynny daeth i ben un wedd ar Gymreictod, ynghyd ag un agwedd ar ein perthynas â'n gilydd

('Cymdeithas Rhwng Dau Gae' neu 'sosialaeth orfodol' yr ardal, yng ngeiriau Dic) – ac â'r tir ('Ymleddid brwydrau ffug [gan yr Hôm Gârd] yn y caeau cyfagos'). Dro arall, trawodd awyren (ac ynddi beilot) gribyn to capel Blaenannerch (lle y bu i Evan Roberts gynnau fflamau'r Diwygiad ar 29 Medi 1904) a disgyn 'yn belen wenfflam' yng nghae Cittyr-bach, yr ochr draw i'r ffordd. Tystia 'lliw gwahanol y llechi ar chwarter uchaf y to' i'r drasiedi. Mae'r fath alanas yn newid 'daearyddiaeth emosiynol' lleoedd o'r fath.

Ar ôl y rhyfel, medd Dic, atafaelwyd can erw'r Drôm ym Mlaenannerch gan y *War Agricultural Education Committee* ar gyfer tyfu cnydau:

> *Ac ni welais i yn fy myw gnwd o wenith tebyg i'r un a gafwyd yno yn '49. Safai yn agos i bum troedfedd o uchder, a hwnnw ar ei draed fel ffon. Medrem guddio ynddo yn hawdd a ninnau ar ein sefyll – a bu'n dda i mi wrth ei loches fwy nag unwaith pan ffoiswn rhag rhyw orchwyl i fynd i chware snwcer i'r Drôm, a Nhad yn dod i'm herlid ar gefn ceffyl. Ond nid oedd ganddo obaith i'm gweld yn y prairie hwnnw.*

Dychwelodd rhyw dipyn o Eden i'r Drôm. Ond Eden wedi'r Cwymp ydyw:

> *'Pan glywsant lais yr Arglwydd Dduw yn rhodio yn yr ardd, gydag awel y dydd, yna yr ymguddiodd Adda a'i wraig, o olwg yr Arglwydd Dduw, ym mysg prennau'r ardd'.*

Serch hynny, gellir dweud i Dic Jones y bardd a'r amaethwr goleddu celfyddyd hwsmonaeth a thechnoleg amaeth fel grymoedd a heriai filitariaeth. Ond ar yr un pryd, roedd tir y Pennar a maes awyr Blaenannerch yn tystio i'r ffaith fod trais a dinistr technolegol yn rhan annatod bellach o ystyr y pridd.

Ymgais i gyflwyno'r grymoedd antagonistig ond cydblethedig hyn yw'r awdl (anfuddugol) a anfonodd Dic Jones i gystadleuaeth y Gadair yn Eisteddfod Maldwyn (Y Drenewydd) 1965, dan y ffugenw 'Cilmorcwm'. 'Yr Ymchwil' oedd y teitl gosod, ac mae'r awdl yn gymar dadlennol i awdl arobryn 1966, 'Cynhaeaf', sy'n etifeddu diddordeb y gerdd gynharach mewn gwehelyth ac olyniaeth. Yn 'Yr Ymchwil', dewisodd Dic gymharu'r gwaith dirgel a wnaed yn y sefydliad arbrofi rocedi yn Aber-porth (roedd hyn cyn cyfnod yr UaVs, wrth reswm) â'r ymchwil wyddonol, fywiol yng Ngogerddan, i'r gogledd o Aberystwyth:- safle'r Fridfa Blanhigion enwog a sefydlwyd gan Syr R. George Stapledon ym 1919. *Raison d'être* yr orsaf oedd bridio trasau

> *'pedigree' o wair, meillion, ceirch a haidd (ag enwau fel 'Manod ') a allai wrthsefyll afiechydon, a chynnig i amaethwyr Cymru a'r byd hadau (a adwaenwyd fel hadau 'S') a fyddai'n egino'n gydnerth a phroffidiol: 'gobaith y breuddwyd eithaf /*

Am dras o borfa nas gwywa gaeaf,' yng ngeiriau Dic Jones. Mae profiad llencyndod y bardd yng nghysgod y Pennar a'r erodrôm, ac ar gaeau'r Hendre, yn rhan o eneteg yr awdl. Cyhoeddodd Geraint Bowen yn ei feirniadaeth (ac roedd Gwilym R. Tilsley ac Euros Bowen o'r un farn) mai 'Cilmorcwm 'oedd 'cynganeddwr gorau'r gystadleuaeth'. Bid a fo am hynny, W. D. Williams a gadeiriwyd. (Prif wendid awdl Dic, yn ôl y beireniad, oedd y ffaith nad oedd 'deallusrwydd' y bardd yn medru 'cyfannu'n bensaernïol 'dros ystod awdl gyfan.)

Awgrymaf y dylid dychwelyd at 'Yr Ymchwil' – a gyhoeddwyd yn *Caneuon Cynhaeaf* (1969) ac a gynhwyswyd yn netholiad Ceri Wyn Jones, *Cerddi Dic Yr Hendre* (2010) – fel un o gonglfeini'r corpws hwnnw a grybwyllais eisoes: testunau llenyddol sy'n ymateb i'r presenoldeb milwrol mewn cyd-destun seico-*leol* (a bathu gair) – hynny yw, yn nhermau'r ystyron newydd a wreiddiwyd ar 'Graig y Filain' a 'Phen Cribach' yn sgil dyfodiad y gwersyll rocedi. Fel y gellid disgwyl, mae'r awdl hefyd yn archwilio cyd-destunau ehangach y Rhyfel Oer, ond ceir yma ymrwymaid i'r gofod lleol, sy'n peri bod 'Yr Ymchwil' yn ad-dalu'r sylw a roddir iddi o bersbectif seicoddaearyddol.

Un agwedd ar yr awdl na werthfawrogwyd gan un o'r tri beirniad yw'r modd y dewisodd Dic ymwrthod ag unrhyw gyferbyniad *syml* rhwng Aber-porth (neu'r Ddinas Wyntog – llysenw lleol sy'n dangos sut y trodd y pentir a'r gwersyll yn fythopoeig yn nychymyg yr ardal) a'r Fridfa yng Ngogerddan. Yn sicr, y gymhariaeth rhyngddynt yw egwyddor strwythurol amlycaf yr awdl - rhwng 'neon seintwar' 'stiwdio rhyfel' y Pennar ('Dinas gwybodau anwel') a'i '[h]arfau terfysg', lle mae'r 'gwifrau'n gwafriog' o ystadegau a lle mae'r radar 'yn noe o arian troeog', a'r hyn sy'n nodwedu'r Fridfa: 'Cymhendod caeau mwyndeg', 'matras geometrig/lr o dwyn at droed y wig', a 'Grawn y grynnau gwerinol'. Yng Ngogerddan, ymdeimlir â 'hyder newydd am ddedwydd Eden', a chawn 'Newydd frîd i ddifa'r hen gynddaredd'. (Barn Euros Bowen, gyda llaw, oedd bod Dic yn 'canu'n rymusach i effeithiau'r ymchwil amaethyddol yn ei fro nag i effeithiau perthnasol a phynciol ymchwil rhyfel'.) Ond sylweddola'r bardd sut y gwreiddiwyd 'ymchwil' Aber-porth nid yn unig yn naear werdd de'r sir, ond yn hwsmonaeth Gogerddan yn ogystal. Disgrifir arbrofion botanegol y Fridfa yn nhermau 'rhoi rhagoriaeth dau frid / Arobryn yn yr hybrid' (hybrid ieithyddol yw'r llinell o gynghanedd hefyd, wrth gwrs). *Hybrid* amwys yn ogystal yw safleoedd Aber-porth a'r Fridfa ill dau yn y dychymyg barddonol ôl-1939 (ac ôl-Gorea, ôl-Fiet-nam, ac yn y blaen). 'Bydd yr "Hedydd" yn cludo / Arfau'r drin ar fyr o dro', medd Dic (gan gynnwys nodyn i esbonio mai 'Skylark' oedd enw un o'r rocedi). Yma, cymhethir technoleg a byd natur (ynghyd â dau brototeip llenyddol: ehedydd enwog Shelley, a'r ehedydd y mae ei 'loywgathl' yn cyferbynnu â phresenoldeb angheuol y *depot* arfau yng 'nghladd Trecŵn' yng ngherdd Waldo Williams, 'Ar Weun Cas 'Mael'). Sylwa Dic ar y ffordd y mae llinynnau mwg y rocedi yn uno a'r cymylau wrth i 'syfrdan fro'r ergyd' gymryd 'ennyd i ail ddihuno'. Ymhellach, mae'r darlun o'r gweithwyr lleol yn dylifo o'r Pennar ar ddiwedd diwrnod o waith yn gwreiddio'r sefydliad milwrol yn ddwfn ym mhridd yr ardal, ac yn yr ymchwil sy'n mynd rhagddi yng Ngogerddan hefyd:

> Had o frîd y fro ydynt,
>
> Bywiog wŷr a wybu gynt
>
> Droi adre'n fwy hamddenol,
>
> Yn falch o'u dydd o fwlch dôl,
>
> A gweld haul yn ffaglu tân
>
> Ar ben tir o bwynt arian.

Mae'r ymblethu parhaus rhwng y ddau fyd, y ddwy egwyddor, yn un o brif dechnegau'r awdl. Yn 'Eden' Gogerddan, gwelir y rhesi o fframiau planhigion fel 'Fflandrys y diloes groesau'. Mae'n ymadrodd syfrdanol o ystyried yr hyn y mae drwy ei gyfeiriadaeth, yn ei ganiatáu'n thematig. (Hynod eofn a sythweledol hefyd, eto yn y modd y mae'n cymhathu dau fyd a dau fydolwg, yw llinellau agoriadol cerdd Dic, 'Spitfire' – 'Yr olaf o'r wehelyth / Ti ddoist yn ôl' – lle'r atafaelir cwpled agoriadol cywydd 1939 Waldo Williams: 'Daw'r wennol yn ôl i'w nyth. / O'i haelwyd â'r wehelyth.') Yn ei ireidd-der, mae 'Parc Craig hir a'r banc irwedd' yn Aber-porth cyn lased â daear Gogerddan. Wrth fynd rhagddo i ddatgan 'Weithiau Mawrth ei hun a'u medd', serch hynny, tanlinella Dic nad oes modd inni bellach weld *unrhyw* ddôl werdd – Y Fridfa heb ei heithrio – heb hefyd ymdeimlo â chysgod militariaeth. Awgrymog yw'r modd y mae 'Mawrth' yn cyfuno'r mis (ac felly'r fugeilgerdd) a duw rhyfel (ac felly'r arwrgerdd a'r farwnad).

Ceir yn 'Yr Ymchwil' bwyslais ar y ffaith fod tir y gwladwyr yn Aber-porth bellach yn faes 'pendefigion' technegol rhyfel, tra meddiannwyd Plas Gogerddan (a fu gynt yn eiddo i'r Prysiaid) gan 'lewion swil', gwerinol y Fridfa. Yn y termau hyn, rhy hawdd yw'r cyferbyniad, wrth gwrs, ac fel hanes cymdeithasol, mae'n naïf. Ond y peth pwysig i'w nodi unwaith yn rhagor yw sut y clymir y ddau safle ynghyd gan ddisgwrs Dosbarth y gerdd. Yn yr un modd, bygwth ymdoddi, y naill i'r llall, y mae'r geiriau 'egni' (a gysylltir yn yr awdl â thechnegol y rocedi) ac 'egin' (a gysylltir â gwaith y Fridfa).

Ymysg y prif ddadleuon (y tu hwnt i'r safiad heddychol amlwg) yn erbyn yr adar angau a ddatblygir yn Aber-porth, ac a ddefnyddir yn eu ffurfiau arfog uwch tiroedd 'terfysg' y byd, y mae'r canlynol:

1. Honnir bod o leiaf draean o laddedigion cyrchoedd yr adar angau yn sifiliaid. Mae amcangyfrif arall yn mynnu fod 50 o sifiliaid dieuog yn cael eu lladd bob tro y dinistrir 'targed' a ystyrir yn 'swyddogol'. (Arswydus, gyda llaw, yw'r ffordd y'n cyflyrir i amddiffyn *yr iaith ei hun* rhag rhaib militariaeth drwy ddal termau o fewn coflaid sgeptigol, waraidd dyfynodau – neu, o ongl arall, sut y mae'r dyfynodau yn *celu'r* realiti y tu ôl i'r gair).

2. Mae'r dechnoleg yn gymharol rad; ystyrir hyn gan rai yn gymhelliad i fynd i ryfel.

3. Mae gan y dechnoleg wedd sifilaidd annymunol – gwyliadwriaeth (*surveillance*).

Wrth ymateb i'r testun 'Terfysg' eleni, dewisais lunio monologau dramatig (yn ystyr dechnegol y term hwnnw). Cerddi ydynt a leisir gan un o drigolion yn arfordir yn Aber-porth, sy'n profi trasiedi bersonol yn erbyn cefnlen datblygiad yr adar angau. Roeddwn am i'r cerddi drydar ag adar. Gwreiddir y cwbl yn naear y pentir a'r cyffiniau. Math o archeoleg emosiynol – cartograffeg seicolegol – o'r tir haenog hwnnw a gynigir. Ydynt, mae'r cerddi yn rhan o llinach o ymatebion i bresenoldeb milwrol ar dir Cymru; ar yr un pryd, maent yn myfyrio'n sgeptigol ar agweddau ar y traddodiad hwnnw, sy'n tueddu i uniaethu hunaniaeth a thir mewn ffyrdd sy'n ymddangos i mi yn amheus. Er bod y weithred honno o *enwi* yr wyf wedi'i chrybwyll eisoes yn rhan annatod o'r gwaith 'mapio' a wneir gan y gerdd, fy mwriad oedd mynd y tu hwnt i rethreg farwnadol y traddodiad (er mai marwnad, ar un wedd, yw'r dilyniant hwn ar ei hyd). Mynegir yma safbwynt gwleidyddol-foesol parthed technegol rhyfel, yn sicr, ond ar lun daearyddiaeth seicolegol y caiff hyn ei ddramateiddio. Safed y drafodaeth uchod o Dic Jones fel cyd-destun pellach i'r gerdd.

Fel rhan o brosiect creadigol arall o'r enw *Beddau'r Beirdd*, ymwelais yr haf hwn – am y tro cyntaf – â bedd Dic Jones ym mynwent capel Blaenannerch, gyferbyn â chae Cittyr-bach, lle disgynnodd y peilot anffodus i'r llawr mewn pelen angheuol o dân wedi i'w beiriant fethu clirio crib yr adeilad. Gwelir tir y Drôm yn ymestyn y tu ôl i'r capel. Cerddais at iet y fynwent. Yno, yn sefyll yn ei hynodrwydd iasol a digymrodedd ar garreg fedd gerllaw bedd Dic: boda. Ac yn nhudalennau'r *Guardian* rai wythnosau'n ddiweddarach, o dan y teitl 'Hammond: Arms Exports are UK Priority – Defence Secretary Salutes "Fabulous" Weapon Fair', y canlynol:

> *A new generation of drones designed to look like birds of prey is being marketed to armies across the world.*

Adar angau yma ym Meirionnydd

Angharad Tomos

ROEDD fel bod yng Ngardd Eden ym more'r byd. Yng nglesni'r awyr, gwyliais yr ehedydd yn codi'n uwch ac yn uwch i'r nen. Dim ond pump y bore ydoedd, ond roedd gwres yr haul i'w deimlo, a rhyfeddod Williams Parry at y wawr oedd yn adleisio yn fy mhen. Yr unig swn i'w glywed oedd trydar yr adar. O'n cwmpas, rhedai'r cwningod hwnt ac yma. Petai'r lle ond yn cael aros fel hyn, yn dangnefeddus dawel.

Ond daw'r gwair i ben, am fod tarmac wedi ei osod, ac ar y llain hwn mae maes awyr Llanbedr. Hen faes ydyw, wedi canfod swyddogaeth newydd. Yr haf hwn, mae awyrennau di-beilot, y 'drones' yn dod i Feirion. Robotiaid yw'r rhain, sy'n gwneud gwaith awyrennau bomio ers talwm. Mewn adeilad yn yr Unol Daleithiau, gall milwr – drwy gyfrwng 'drones' – weld targed yn Afghanistan, bwyso botwm, a lladd pobl gyffredin. Mae'r cysyniad yn un anhygoel. Lladd clinigol, pell i ffwrdd ydyw, lle gall y milwr fynd adref at ei deulu gyda'r nos, wedi lladd, ond heb osod ei hun mewn perygl. Fedra i ddim dychmygu'r ofn y mae'r 'drones' hyn yn ei godi ar bobl, does ryfedd iddynt gael eu galw yn 'adar angau'. Does gennych chi ddim gobaith dianc rhagddynt.

Cofiais am fy ymweliad diweddar â Meirionnydd. Ar fuarth Yr Ysgwrn yr oeddem, yn gwrando ar Neges Ewyllys Da yr Urdd. Roeddent yn eiriau cryf, a nifer o gwestiynnau oedd gan ieuenctid Meirionnydd inni,

'Sut deimlad yw pwyso botwm y bom?

'Beth yw'r ofn yng nghalon rhieni milwr?

'Beth yw blas galar ar ffrind?'

Yn nhangnefedd Yr Ysgwrn, diau na freuddwydiodd mam Ellis Humphrey Evans erioed y byddai yn colli ei mab mewn ffos yn Ffrainc o ganlyniad i un o ryfeloedd mwyaf gwaedlyd y byd. Tydi pethau felly ddim i fod i ddigwydd i drigolion cefn gwlad Meirionnydd. Gan mlynedd wedi'r Rhyfel Mawr, rydan ni'n dal wrthi, drwy gyfrwng cyfrifiaduron, yn dyfeisio ffyrdd newydd o ladd. Mae'r dull o ladd yn newydd, ond mae'r canlyniadau yr union yr un fath.

Rydan ni'n agor y tuniau paent, ac yn eu gosod ar y tarmac. Mae'r cwningod yn ein hanwybyddu, ac yn dal i fownsio o amgylch y lle. Dwi'n estyn y brwsh llawr, ac yn gweld y lleill yn ei osod yn y paent. Dydw i erioed wedi peintio efo brwsh llawr o'r blaen, a dwi'n go amheus. Mae un gwningen yn fy ngwylio, a dwi'n teimlo'n wirion. Mae angen llythrennau mawr, mae'r lanfa yn enfawr – 2,300 medr o hyd. Mae'r adar yn canu yn uwch nag erioed a fedra i ddim gweld yr ehedydd bellach. Rhyfedd mai y 'Global Hawk' yw enw un math o'r 'drones'. Gall hofran 60,000 medr uwch ben y ddaear – mae'n haeddu yr enw 'Hebog Bydeang'. Gall gadw llygad ar bobl a thir pum gwaith maint Cymru mewn diwrnod. Tila iawn yw gallu'r hedydd o'i gymharu â hyn. Dwi inna'n meddwl am fy Hedydd innau adre.

Dwi'n peintio'r llythyren 'D' yn anferth ar y llawr. "Yn fwy!" medda 'nghyfaill wrth fy ymyl – "ddwywaith y maint!" Dwi'n rhoi'r brwsh llawr yn ôl yn y pot, ac mae'r paent yn gwneud llanast. Ond cyn pen dim, daw'n haws. Nôl a 'mlaen, nôl a 'mlaen. Mae'r sefyllfa abswrd yn fy nharo mwya sydyn. Dyma fi – yn brwsio paent ar lawr – yn un o'r llefydd mwya prydferth yn y byd. Pam mae'r Llywodraeth o hyd yn dewis mannau diarffordd i osod eu harfau?

Mae'r lleill wedi dechrau ar y llythyren 'A' ac wedi deng munud, mae'r pump ohonom wedi peintio saith llythyren. Roeddem yn bryderus na fyddem yn llwyddo i osod yr un. Wrth gyrraedd y maes awyr, ychydig cyn pump y bore, daeth car heddlu i'n cwfwr. Ond mynd heibio ddaru'r plismon yn ei gar, ac ymlaen â ni. Gobeithio na ddaw yn ei ôl. Mae'n rhaid cael amser i orffen y slogan – mae'n neges gwbl gamarweiniol fel ag y mae – 'DIM ADAR'

Be mae'r ehedydd yn ei feddwl o hyn? Fedr o ddeall ystyr y geiriau? Ydi o'n meddwl ein bod a'n bryd ar ei ddifa? Dowch 'laen, gorffennwch y neges!

Dwi'n dal ati efo'r brwsh, ac yn meddwl pwy pia'r awyr. Am filoedd o flynyddoedd, dim ond adar oedd yn tramwyo'r gofod hwn. Yna daeth awyrennau, wedyn rocedi, ac mae'r awyr wedi troi yn lle prysur iawn.

Mae'n golygu cost hefyd. Pris un Hebog Byd Eang yw £130 miliwn. Nid bob gwlad fedr fforddio prisiau fel hyn. Mae 14 o wledydd NATO wedi gallu prynu rhai. Gyda llaw, yng Nghymru – yng Nghasnewydd – y mae uwch gynhadledd NATO i'w chynnal ym mis Medi.

Diolch byth, mae'r slogan wedi ei chwblhau, a dydi Heddlu Gogledd Cymru ddim wedi dod ar ein cyfyl. Mae digon o baent (ac amser) i wneud y slogan yn Saesneg. Yr ydym yn dal y baneri. Caiff y llun ei dynnu.

Awr yn ddiweddarach, wrth y brif fynedfa, rydym yn gwneud cyfweliad, a daw pobl heibio a chawn amser i drafod. Mae rhai o blaid, rhai yn erbyn.

Un sylw sydd yn aros yn fy nghof. Wrth inni drafod cymaint o fygythiad yw arfau fel hyn i bobl Irac, Afghanistan a Phacistan, mae un person yn dweud 'Dydyn nhw ddim run fath â ni'. Dyna hiliaeth ar ei fwyaf amrwd. Dim ond i chi gael pobl i feddwl felly, ac mae modd cyfiawnhau unrhyw fath o ddull o gael eu gwared. Yr her fwyaf y dyddiau hyn yw nid newid llywodraethau, ond newid agweddau pobl.

Ein protest ar faes awyr Llanbedr. Mae'r llun uchod yn dangos maint y llythrennau, a maint ein pryder

Cyfranwyr

Walter Bruggemann

Ganwyd yn fab i weinidog Protestanaidd yn yr Unol Daleithiau, ac yn ystod y chwarter canrif ddiwethaf ystyrir ef yn un o ysgolheigion pennaf yr Hen Destament. Cynhyrchodd dros 60 o gyfrolau, yn cynnwys esboniadau ar lyfrau yr Hen Destament a chyfrolau o weddïau. Bu am flynyddoedd yn gefnogol iawn o Israel fel gwlad, ond bellach daeth i'r casgliad fod yna gyfrifoldeb ar bob Cristion i amddiffyn hawliau dynol y Palestiniaid. Cawn fudd arbennig yn y cyfrolau hyn o'i eiddo: *Praying the Psalms* (1982), *Theology of the Old Testament* (2005), a *Prayers for the Privileged People* (2008).

Damian Walford Davies

Ganed Damian Walford Davies yn Aberystwyth ym 1971. Ef yw Pennaeth Ysgol Saesneg, Cyfathrebu ac Athroniaeth Prifysgol Caerdydd. Ymhlith ei gyhoeddiadau diweddar y mae'r cyfrolau o farddoniaeth *Witch* (2012), *Alabaster Girls* (2015) a *Judas* (2015); *Beddau'r Beirdd/Poets' Graves* (gyda Mererid Hopwood a Paul White (2014); a *Cartographies of Culture: New Geographies of Welsh Writing in English* (2012).

Ithel Davies (1894-1989)

Mab i rieni diwylliedig yn ardal Mallwyd a ddaeth yn wr ifanc i goleddu 'traddodiad Llanbrynmair' Safodd fel gwrthwynebydd cydwybodol yn ystod y Rhyfel Byd Cyntaf a ddioddefodd yn enbyd am ei safiad. Yr oedd yn enaid aflonydd yn wleidyddol ond bu trwy ei ddewrder a'i argyhoeddiadau sosialaidd – genedlaethol yn gymwynaswr di-ail i'w genedl .Cafodd ei gyfrif ym myd y Gyfraith fel bargyfreithiwr galluog. Bu ar flaen y gad dros ymgyrch Senedd i Gymru .Safodd yn aflwyddiannus dros y Blaid Lafur am sedd Prifysgol Cymru yn Etholiad Cyffredinol 1935. Ymunodd a Phlaid Cymru gan adael gydag eraill i ffurfio y Blaid Werinaethol yn 1949. Safodd fel ymgeisydd iddynt yn etholaeth Ogwr yn Etholiad Cyffredinol 1950 ond nid oedd gobaith iddo yn un o gadarnleoedd y Blaid Lafur yng Nghymru.Treuliodd flynyddoedd ei henaint yn Aberystwyth yn hybu a chefnogi mudiadau a wasanaethai Cymru a chyd-ddyn .Y mae ei hunangofiant yn ddifyr a gyhoeddwyd yn yr wyth degau o'r ugeinfed ganrif.

Gwynfor Richard Evans (1912-2005)

Un o heddychwyr pennaf Cymru yn ail hanner yr ugeinfed ganrif. Chwaraeodd ran amlwg yn ystod yr Ail Ryfel Byd fel Ysgrifennydd mudiad Heddychwyr Cymru,ac ar ol hynny gyda Chymdeithas y Cymod . Ef yw hanesydd y Gymdeithas a chyfrifir ei gyfrol *Heddychiaeth Gristnogol yng Nghymru* (1991) yn deyrnged haeddiannol i gymaint o bobl y bu ef yn cydweithio â hwy.Bu yn annerch capeli a chymdeithasau yn rheolaidd dros Gymdeithas y Cymod a thraddododd Ddarlith Goffa Alex Wood o dan y teitl *Cenedlaetholdeb Di-Drais.* Bu ei briod a'i blant yn ei gefnogi fel proffwyd dewr i genedlaetholdeb a heddychiaeth. Ef oedd Aelod Seneddol cyntaf Plaid Cymru yn San Steffan pan gipiodd etholaeth Caerfyrddin mewn is-etholiad yng Ngorffennaf 1966.Bu yn Aelod Seneddol o 1966 i 1970 ac o Hydref 1974 i 1979.Gwasanaethodd ar Gyngor Sir Caerfyrddin am flynyddoedd ac yn gwrtais a bonheddig bob amser pan ymosodid arno weithiau yn ddi-drugaredd. Yr oedd yn awdur toreithiog yn y ddwy iaith ac erys y rhain yn dystiolaeth i'w ffydd gref fel cenedlaetholwr a heddychwr Cymreig,Cristnogol.

R Alun Evans

Brodor o Lanbryn-mair. Llywydd Undeb yr Annibynwyr 2014-2016. Gweinidog yng Nghaerffili a Gwaelod-y-garth. Llywydd Llys yr Eisteddfod Genedlaethol 2003-2005 a Chymrawd yr Eisteddfod. Pennaeth y BBC yng Ngogledd Cymru 1979-1996. Yn 1999 enillodd Ddoethuriaeth gan Brifysgol Bangor am draethawd ar 'ddechrau a datblygu darlledu yng Ngogledd Cymru.' Awdur cyfrolau ar y Rhuban Glas a Gwobr Goffa Llwyd o'r Bryn a Golygydd dwsin o gyfrolau ar gyfresi o sgyrsiau radio. Ei hobi yw pysgota pluen. Yn briod â Rhiannon ac mae ganddynt ddau o blant, Rhys Powys a Betsan Powys, a phedwar o wyrion ac wyresau.

Gwyn Griffiths

Daw Gwyn Griffiths o ardal Y Berth ger Tregaron. Cafodd ei addysgu yn yr ysgol uwchradd leol, yng Ngholeg Hyfforddi Dinas Caerdydd a Choleg y Brifysgol, Caerdydd. Treuliodd y rhan helaethaf o'i yrfa ym myd y cyfryngau darlledu a phapurau newydd ac y mae'n awdur dwy gyfrol, un Gymraeg ac un Saesneg, am Henry Richard, yr Apostol Heddwch, a aned yn Nhregaron ac a oedd yn un o Gymry mwyaf blaenllaw y bedwaredd ganrif ar bymtheg. Ysgrifennodd nifer o lyfrau eraill, yn eu plith amryw gyfrolau am Lydaw, y Sioni Winwns, a hanes cyfansoddi 'Hen Wlad Fy Nhadau'. Mae hefyd yn weithgar o fewn y mudiad heddwch a hawliau cyfartal. Mae'n briod gyda phedwar o blant a chyfanswm o naw o wyrion / wyresau. Mae'n byw ym Mhontypridd.

Robin Gwyndaf

Ganed 1 Mawrth 1941, yn un o blant fferm Yr Hafod, Llangwm, Uwchaled, ardal ddiwylliedig a gafodd ddylanwad mawr arno. Addysgwyd yng Ngherrigydrudion, Llanrwst, a Choleg y Brifysgol Bangor. Yna, ym mis Hydref 1964, ymunodd â staff Amgueddfa Werin Cymru, Sain Ffagan. Wedi ymddeol fel Curadur Llên Gwerin yn 2006, fe'i gwnaed yn Gymrawd Ymchwil er Anrhydedd. Bu hefyd, 1982-98, yn Ddarlithydd Anrhydeddus mewn Llên Gwerin yng Ngholeg y Brifysgol Bangor. Am dros hanner can mlynedd bu'n ddiwyd yn rhoi ar gof a chadw agweddau ar ddiwylliant gwerin cyfoethog Cymru. Y mae'n awdur toreithiog ym maes diwylliant gwerin, a bu'n darlithio yn gyson er 1962 yng Nghymru ac mewn prifysgolion a sefydliadau ethnolegol dramor.

Ym 1993 gwnaed Dr Robin Gwyndaf yn Gymrawd Llên Gwerin Cydwladol (Helsinki), ac yn ystod 1995-2005 bu ar Fwrdd Cydwladol Canolfan Diwylliant Gwerin Ewrop, o dan nawdd UNESCO (Budapest). Y mae'n Gymrawd hefyd o Gymdeithas yr Hynafiaethwyr (FSA, Llundain). Bu'n Llywydd cyntaf ac yn gyd-sefydlydd Cymdeithas Llafar Gwlad; yn Gyn-gadeirydd Cymdeithas Alawon Gwerin Cymru; ac ar hyn o bryd ef yw Llywydd Anrhydeddus Cymdeithas Ffynhonnau Cymru.

Cyhoeddodd lawer o farddoniaeth ac ysgrifau llenyddol, ac o blith ei gyhoeddiadau ym maes crefydd, hawliau dynol a heddwch, gellir nodi'r cyfrolau *Ai Ceidwad fy Mrawd Ydwyf I? Carcharorion Cydwybod ac Ymgyrch Cristnogion yn Erbyn Poenydio* (1991), a *Rhyfel a Heddwch a Sancteiddrwydd Bywyd* (2008.) Bu o 1985 hyd 2014 ar Bwyllgor Cenedlaethol Cristnogion yn Erbyn Poenydio; yn flaenllaw o'r dechrau gyda'r ymgyrch i wrthwynebu'r bwriad i greu Academi Filwrol yn Sain Tathan a'r ymgyrch i sefydlu Academi Heddwch Cymru, ac ef yw Is-Lywydd presennol Cymdeithas y Cymod yng Nghymru.

Guto Prys ap Gwynfor

Brodor o Ddyffryn Ceidrych, Llangadog, yw Guto. Addysgwyd ef yn ysgol gynradd Llangadog ac Ysgol Gyfun Pantycelyn, Llanymddyfri. Wedi'r ysgol treuliodd gyfnod yn gwasanaethu gyda'r VSO ar ynysoedd y Malvinas (Falklands) yn Ne America, cyn mynd i astudio'r gyfraith yn Aberystwyth. Wedi graddio treuliodd nifer o flynyddoedd mewn amrywiaeth o swyddi, yn cynnwys pysgota cregyn gleision ar y Fenai a labro ar argae Llyn Brianne, cyn dychwelyd i Langadog i weithio ar y tir. Wedi cael profiad Cristnogol, penderfynodd ateb yr alwad i fynd i'r weinidogaeth. Dychwelodd i fyd addysg a graddio mewn diwinyddiaeth yn y Coleg Coffa yn Abertawe. Priododd â Siân, hithau o Ddyffryn Ceidrych, a ganed iddynt ddau o blant, Heledd a Mabon. Dechreuodd ei weinidogaeth yn eglwysi annibynnol Pencader ac Alltwalis. Wedi ei benodi'n Athro Hanes yr Eglwys yn y Coleg Coffa (Aberystwyth erbyn hynny), symudodd i ofalu am eglwysi Tal-y-bont a'r Borth. Tra'n parhau yn y Coleg symudodd y teulu eto i Lambed, Parc-y-rhos, Ffaldybrenin ac Esgairdawe. Ym 1989 newidiodd gyfeiriad drwy fynd i weithio i eglwysi cynulleidfaol Guyana, De America, dan nawdd CWM. Wedi dychwelyd ym 1991 daeth yn weinidog i Hebron, Clydach, gan gymryd gofal Tŷ Croes yn nes ymlaen. Bu'n olygydd *Y Tyst* am chwe blynedd yn y cyfnod hwn. Dychwelodd i Ddyffryn Teifi ym 1998 i ofalu am eglwysi annibynnol Llandysul, Cynwyl Elfed a Rhos Llangeler, ac ychwanegwyd Horeb a Bwlch-y-groes, Llandysul, a Gwernllwyn, Pen-rhiw-llan, i'r ofalaeth yn 2013. Bu'n Llywydd Undeb yr Annibynwyr Cymraeg yn ystod 2009-10, ac ef yw Llywydd presennol Cymdeithas y Cymod yng Nghymru. Yn 2012 cyhoeddwyd ei gyfrol *Gweddïau Heddwch a Chyfiawnder*, sef casgliad o 302 o weddïau wedi'u golygu ganddo.

Jane Harries

Yn wreiddiol o Cumbria (Gogledd-Orllewin Lloegr), mae Jane wedi bod yn byw yng Nghymru er 1976. Astudiodd ieithoedd modern tramor (Ffrangeg ac Almaeneg) ym mhrifysgol Manceinion, ac yna aeth ymlaen i ddysgu mewn ysgolion yn Lerpwl a De Cymru. Ar ôl symud i Gymru dysgodd Gymraeg – a mynd ymlaen i astudio am Radd Allanol yn Gymraeg a Hanes Cymru ym Mhrifysgol Aberystwyth. Enillodd Radd Uwch mewn Rheolaeth Addysg o Brifysgol Morgannwg yn 2001.

Daeth newid gyrfa yn 2000 pan symudodd Jane i weithio fel Ymgynghorydd Addysg dros Gymru gyda'r NSPCC. Yna, yn 2006, aeth i weithio yn Llywodraeth Cymru, lle bu'n gyfrifol am gyfranogiad plant a phobl ifanc tan ei hymddeoliad yn 2012.

Crynwraig yw Jane, a chredoau'r Crynwyr yn sail i'w heddychiaeth. Mae hi wedi bod yn aelod o Amnest Rhyngwladol ers y 70au, ac yn ystod yr 80au ymunodd hi â 'Mamau dros Heddwch', grŵp a anelodd at adeiladu pontydd rhwng pobl o wledydd a allai fod yn elyniaethus tuag at ei gilydd. Ers trefnu ymweliad grŵp o fenywod o Balesteina ac Israel ar y cyd i Brydain yn 2004 mae hi wedi ymddiddori yn yr ardal honno, ac yn 2012 treuliodd hi 3 mis yno fel 'hebryngwraig eciwmenaidd', yn sicrhau presenoldeb amddiffynnol i'r boblogaeth leol ac yn adrodd yn ôl ar droseddau yn erbyn hawliau dynol. Yn 2007 ymwelodd ag Iran gydag aelodau o gangen America o Gymdeithas y Cymod.

Yn ei hymddeoliad, mae Jane yn canolbwyntio, yn bennaf, ar waith heddwch a chymodi, gan gynnwys gwaith dros Gymdeithas y Cymod, Prosiect Dulliau Amgen na Thrais *(Alternatives to Violence Project: AVP),* a'r ymgyrch i sefydlu Academi Heddwch i Gymru. Yn ei hamser rhydd mae hi'n hoff iawn o ddarllen, coginio a nofio. Mae hi'n briod â David ers 40 o flynyddoedd, ac mae ganddynt dri o blant: Dafydd, Meirion a Catrin.

Mererid Hopwood

Wedi ei magu yng Nghaerdydd a'i gwreiddiau yn Sir Benfro, mae Mererid yn byw nawr yng Nghaerfyrddin gyda'i theulu. Ar ôl astudio yn Aberystwyth a Llundain, bu'n darlithio yn yr Adran Almaeneg yn Abertawe cyn cael ei phenodi i staff Prifysgol Cymru Y Drindod Dewi Sant. Yn ei hamser hamdden mae wrth ei bodd yn ymwneud â llenyddiaeth. Enillodd Gadair, Coron a Medal Ryddiaith yr Eisteddfod Genedlaethol a bu'n Fardd Plant Cymru. Mae'n aelod o Gell Cymdeithas y Cymod, Caerfyrddin.

David James (Gwenallt)Jones (1899-1968)

Gwrthwynebydd cydwybodol a ddaeth yn fardd grymus a darlithydd gwerth gwrando arno yn Adran Gymraeg Coleg Prifysgol , Aberystwyth oedd yr anwyl Gwenallt, a anwyd ar 18 Mai, 1899 ym Mhontardawe, yr hynaf o dri o blant Thomas Jones (Ehedydd) a Mary Jones, y ddau yn wreiddiol o Sir Gaerfyrddin. Aeth Gwenallt yn gyfaill mynwesol yn ei lecyndod i Nun Nicholas a Jack Joseph , dau o flaenwyr y Blaid Lafur Annibynnol yn y dref . Gwrthwynebodd Nun Nicholas y Rhyfel Byd Cyntaf ac felly Gwenallt ag yntau yn Ysgol Sir Ystalfera.Bu'n rhaid iddo dreulio dwy flynedd am hyn (Mai 1917 i Fai 1919) yn Wormood Scrubs a Dartmoor.Dwy flynedd o fyw'n fain, o unigedd mud gelynol, o wynebu gwallgofrwydd a thrais cyn ei fod yn ugain mlwydd oed, ac o'r profiadau hynny, y cafwyd llenyddiaeth rymus a welir yn ei ddwy nofel, *Plasau'r Brenin (1934)* a *Ffwrneisiau (1982).* Priododd a Nel Evans a ganwyd iddynt un ferch Mair. Bu farw Gwenallt ar Rhagfyr 23, 1968 a'i gladdu ar Ragfyr 27 ym mynwent Aberystwyth, rhyw ddecllath oddi wrth ei hen athro a'r heddychwr pybyr, Dr T.Gwynn Jones (1871-1949). Ceir astudiaeth wych o'i gerddi gan ei weinidog yn y Tabernacl, J.E.Meredith, *Gwenallt: Bardd Crefyddol ynghyd ag ysgrif enwog Gwenallt,'Credaf'*, Llandysul, 1974.

Pryderi Llwyd Jones

Un o bentref Y Ffôr, ger Pwllheli, yw Pryderi Llwyd Jones. Treuliodd ei Weinidogaeth gydag Eglwys Bresbyteraidd Cymru ym Maesteg, Wrecsam ac Aberystwyth, lle y bu'n hynod o weithgar a mentrus. Roedd yn un o sylfaenwyr y Morlan yn Aberystwyth. Bu'n llais cyfarwydd ar y cyfryngau, yn arbennig 'Munud i Feddwl' a 'Dweud ei Ddweud' (Radio Cymru), ac yn gyflwynydd yn yr wyth degau ar raglenni crefyddol S4C. Ymddeolodd yn 2008 i Gricieth, gan dderbyn yn fuan gyfrifoldeb fel golygydd *Y Goleuad*, newyddiadur wythnosol yr enwad. Roedd yn un o sylfaenwyr gwefan newydd Gymraeg Cristnogaeth 21. Org yn 2008, ac iddo ef y mae'r datblygiad hwn yn gam 'cwbl angenrheidiol i ddyfodol Cristnogaeth Gymraeg'. Galwyd arno i draddodi Darlith Davies yn 2012 yn y Gymanfa Gyffredinol, a chyhoeddwyd ei ymdriniaeth o dan y teitl *Ffiniau ac Arfordir Ffydd*. Bu'n Llywydd Cymdeithas y Cymod ac mae'n aelod o Gell Dwyryd a Glaslyn o'r Gymdeithas. Ef yw awdur y gyfrol *Iesu'r Iddew a Chymru 2000* (Y Lolfa, 2000).

Hefin Mathias

Ganwyd Hefin Mathias ym mlwyddyn olaf yr Ail Ryfel Byd, yn fab i'r Parchg J. Ll. Mathias, gweinidog gyda'r Eglwys Bresbyteraidd, a'i briod Mrs N. Mathias, genedigol o Lanio ym mhlwyf Llanddewibrefi a chwaer i'r heddychwr, Alun R. Edwards. Yn rhinwedd gweinidogaeth ei rieni bu'r mab fyw yn ei blentyndod a'i lencyndod yn Nyffryn Clwyd, Llanberis ac Ynys-y-bŵl. Addysgwyd ef yn Ysgol Dolbadarn, Llanberis; Ysgol Ramadeg y Bechgyn, Pontypridd, a Choleg y Brifysgol Gogledd Cymru, Bangor. Derbyniodd ei swydd gyntaf fel athro yn Redhill, Surrey, ond daeth yn ôl i Ystradgynlais cyn symud i Rydfelen. Apwyntiwyd ef yn Bennaeth Hanes a Phennaeth yr Ysgol Uchaf yn Ysgol Gyfun Llanharri o 1976 i 1987, cyn symud yn Ddirprwy Brifathro Ysgol Gyfun Cwm Rhymni. Cafodd ei ddyrchafu'n Brifathro yr ysgol honno ym 1995. Bu yn y swydd am dair blynedd ar ddeg. Ers ei ymddeoliad yn 2008 bu galw cyson arno fel addysgwr ac ymgynghorydd ysgolion. Lluniodd bedair cyfrol o werslyfrau yn Gymraeg ar gyfer ysgolion Cymru ar Amaethyddiaeth, y byd Rhufeinig, a phoblogaeth Cymru o 1880 i 1920. Cwblhaodd gyfrol ar hanes Undeb Cenedlaethol Cymru o 1990 i 2010, a chyhoeddwyd y gwaith yn 2011. Y mae ei briod, Catrin, yn Ddirprwy Brifathrawes Ysgol Gyfun Cwm Rhymni, ac y mae ganddynt dair o ferched.

Iorwerth Cyfeiliog Peate (1901-1982)

Ysgolhaig, llenor, bardd a heddychwr, a anwyd yn Llanbryn-mair. Bu dylanwad Yr Hen Gapel (canolfan Annibynwyr Cymraeg y Cylch) gyda'i bwyslais ar Ryddid a Rheswm yn drwm arno, hefyd traddodiad heddychiaeth SR ac eraill. Bu yn lladmerydd y traddodiad hwnnw ar hyd ei oes. Collodd ei swydd yn yr Amgueddfa Genedlaethol ar ddechrau'r Ail Ryfel Byd oherwydd ei ddaliadau ar heddychiaeth, a bu'n ffrind da i blant y ddrycin, fel Niclas y Glais. Soniodd gyda diolchgarwch yn ei hunangofiant, *Rhwng Dau Fyd* (1976), fel y cafodd ei swydd yn ôl drwy gefnogaeth gwleidyddion Cymreig fel Aneurin Bevan, James Griffiths, Ronw Moelwyn Hughes a D. O. Evans. Er ei fod yn aelod o Blaid Cymru, darllenai gydag awch y *Tribune*, papur llafur y chwith, a bu'n gohebu yn achlysurol gyda James Griffiths. Trafododd y ddau ddilemma heddychwyr yn wyneb bygythiad Hitler a Mussolini. Er ei ysbryd anhydrin, ni chafodd ei anghofio gan y Sefydliad, a derbyniodd raddau er anrhydedd a medal Anrhydeddus Gymdeithas y Cymmrodorion. Bu farw un mlynedd ar ddeg ar ôl ei ymddeoliad fel Curadur Sain Ffagan, a hynny ar 19 Hydref 1982, a chladdwyd ei lwch ac eiddo ei briod ym mynwent capel Pen-rhiw yn yr Amgueddfa Werin, sydd yn gofgolofn i'w ddycnwch, ei fenter a'i allu fel deallusyn. Collodd ei unig fab, Dafydd, ym 1980, ac yntau ond yn 44 mlwydd oed.

John Owen

Ganed ym mhlwyf Tregaian ar Ynys Môn. Derbyniwyd ef yn gyflawn aelod yn eglwys ei fagwraeth, Eglwys Bresbyteraidd Tŷ Mawr, Capel Coch. Addysgwyd yn Ysgol Gynradd Tŷ Mawr ac yn Ysgol Gyfun Llangefni. Ym 1958 derbyniwyd ef yn ymgeisydd am y Weinidogaeth gan Henaduriaeth Môn. Graddiodd ym mhrifysgolion Aberystwyth a Bangor yn y Gymraeg ac mewn Diwinyddiaeth. Ymaelododd yng Nghymdeithas y Cymod yn fuan wedi bod yn Lausanne ym 1960 mewn cynhadledd fyd-eang ar gyfer Cristnogion ifanc. Ymaelododd gyda Mudiad Cristnogol y Myfyrwyr a chafodd y fraint o fynd ym 1962 i gynhadledd ddiwinyddol ar gyfer myfyrwyr a gynhaliwyd yn Graz. Ymaelododd yn y man gyda CND ac Amnest Rhyngwladol. Ordeiniwyd ef ym 1964 a bu'n gweinidogaethu yng ngofalaeth Bresbyteraidd Llanberis o'r flwyddyn honno hyd 1977 pan gafodd alwad i ofalaeth Rhuthun, gan weinidogaethu yno hyd ei ymddeoliad ar ddiwedd 2004. Bu'n Ysgrifennydd a Llywydd Cymdeithasfa'r Gogledd, ac yn 2006 etholwyd ef yn Llywydd y Gymanfa Gyffredinol. Mae'n gefnogwr i ecwmeniaeth, i'r iaith ac i ymreolaeth. Yn un o bedwar aelod o Gymdeithas y Cymod, cymerodd ran mewn protest ym Molesworth yn erbyn lleoli taflegrau Cruise ym Mhrydain. Ymysg ei ddiddordebau y mae'r theatr a chwaraeon, hanes lleol ac olrhain achau, beicio a chrwydro.

D. Ben Rees

Gŵr adnabyddus ym mywyd cenedl y Cymry a dinas Lerpwl ac wedi rhoddi blynyddoedd gorau ei fywyd i'r Mudiad Heddwch. Roedd yn aelod cynnar o'r Ymgyrch yn erbyn Arfau Niwclear (CND), ac ef a sefydlodd y gangen yn y Coleg ger y Lli. Roedd hefyd yn aelod o Bwyllgor Cant o dan arweiniad Bertrand Russell. Perswadiodd yr Iarll i ddod i Aberystwyth i annerch Cyfarfod yn Neuadd y Brenin, ac ef a berswadiodd Dr Donald Soper i ddod i gapel Tabernacl, Treforys, i annerch ar faterion dwys y dydd i Bererindod Urdd Bobl Ieuainc ei enwad. Llanwyd capel eang y Tabernacl. Ym 1968 symudodd yn Weinidog ifanc o Gwm Cynon i Lerpwl gyda chreithiau trasiedi Aber-fan (1966) arno, a gwahoddwyd ef o fewn dwy flynedd i ganol strwythur Cymdeithas y Cymod yn Lloegr. Daeth yn amlwg o fewn ychydig ar y pwyllgor gwaith, ac roedd hefyd yn aelod o bwyllgor cyhoeddiadau FOR am 35 mlynedd ac yn Gadeirydd am 21 mlynedd. Golygai hyn deithio o leiaf unwaith y mis o Lerpwl i bwyllgorau'r Gymdeithas yn Llundain. Onibai amdano ef ni fyddai Cymdeithas y Cymod byth bythoedd wedi cyhoeddi cyfrol ar hanes y mudiad yn 75 mlwydd oed. Ef a'i llywiodd trwy'r wasg, a darllenodd ei phroflenni ac a gysylltodd â'r awdures, Jill Wallis, yn Heswall. Bu'n golygu llu o lyfrynnau, pamffledi, papurau o arweiniad, a chyfrolau o weddïau hynod o boblogaidd, a bu'n golygu hefyd gyfrolau Cymraeg, fel *Herio'r Byd*, *Dal i Herio'r Byd* a *Dal Ati i Herio'r Byd*, ac *Oriel o Heddychwyr Mawr y Byd* a werthfawrogwyd gan yr heddychwyr Cymraeg yn yr wyth degau. Cadwodd y dystiolaeth heddychol yn fyw gydag eraill o'i genhedlaeth ym mhlith llysoedd Eglwys Bresbyteraidd Cymru, a bu'n Ysgrifennydd pwerus Bwrdd Eglwys a Chymdeithas am 19 blynedd. Un o atyniadau y Gymanfa Gyffredinol o 1984 i 2003 oedd clywed Ben yn cyflwyno yr adroddiad, y cenadwrïau a'r argymhellion oedd yn pigo cydwybod arweinwyr gwleidyddool y dydd. Clywir ei lais o hyd yn gyson ar y cyfryngau dros gyfiawnder a heddwch ac y mae'n gryn awdurdod ar hanes heddychwyr fel Gandhi a Henry Richard, gan iddo ysgrifennu yn ddiddorol arnynt. Ysgrifennodd yn ddiweddar ddau gofiant o safon uchel ar James Griffiths, Ysgrifennydd Gwladol cyntaf Cymru a feddyliai gryn dipyn ohono fel llanc ifanc a arddelai heddychiaeth (fel y gwnâi Jim yn ei ddyddiau cynnar) a Sosialaeth Gristnogol. Deil felly o hyd. Ceidw lygad barcud yn fugeiliol a Chymreig ar Gymdeithas Cymry Lerpwl lle mae ef a'i briod Meinwen wedi cartrefu yn Allerton ers 47 blynedd. Y mae ei feibion a'u teuluoedd yn ofalus ohonynt. Pregetha o leiaf 48 o Suliau y flwyddyn a golyga o hyd dri chylchgrawn, gan gynnwys y misolyn a'r papur bro, *Yr Angor*, a hynny yn ddi-fwlch er 1979.

Nia Rhosier

Ganed yn Llwydiarth, Sir Drefaldwyn, a'i magu ym Mryneglwys, Sir Ddinbych. Addysgwyd yn Ysgol Brynhyfryd, Rhuthun, a'r Academi Gerdd Frenhinol, Llundain, lle graddiodd fel athrawes llafar a drama ym 1955. Wedi blwyddyn a hanner yn dysgu yng Ngholeg Technegol Wrecsam, penodwyd hi i adran ddrama BBC Cymru yn Llandaf fel aelod o Gwmni 'Repertory' newydd. Ymhen blwyddyn cafodd ei phenodi yn ddarllenydd newyddion a chyflwynwraig i weithio'n ddwyieithog ar y radio, ac wedyn ar y teledu.Treuliodd gyfnod, ar ôl priodi, yn Abertawe, gan weithio'n rhan-amser i BBC Cymru yno cyn symud gyda'i gŵr i Tasmania, lle bu'n ddirprwy bennaeth adran llafar a drama arloesol a chyfrannydd cyson i raglenni ysgolion yr 'Australian Broadcasting Company'. Er enghraifft, bu'n traddodi Neges Heddwch Plant Cymru ar Ddiwrnod Ewyllys Da (Mai 18) yn flynyddol ar y radio, nes iddi ddychwelyd i Gymru ym 1963, ac ail-gydio mewn gwaith fel athrawes a darlledydd.

Ym 1978, cafodd droëdigaeth a newidiodd ei bywyd a'i throi yn heddychwraig, ac wrth chwilio am gartref ysbrydol, dechreuodd fynychu cyfarfodydd y Crynwyr yng Nghaerdydd lle cafodd wybod am fodolaeth Cymdeithas y Cymod ac ymaelodi â hi. Bu'n Drefnydd De-Ddwyrain Cymru am gyfnod cyn cael ei phenodi'n Ysgrifennydd Cyffredinol gwirfoddol, swydd a ddaliodd am ymron i bymtheng mlynedd cyn ymddeol ym 1999. Roedd wedi symud i Bontrobert i fod yn Geidwad Canolfan Undod ac Adnewyddiad Cristnogol yn Hen Gapel John Hughes ym 1993 a agorwyd wedi apêl genedlaethol ac adfer sylweddol ym 1995. Mae'n parhau yn y swydd honno ac yn dal ar Bwyllgor Gwaith Cymdeithas y Cymod. Yn 2010 fe'i gwnaed yn Llywydd Anrhydeddus y Gymdeithas.

Angharad Tomos

Magwyd Angharad yn Nyffryn Nantlle, ac yno mae'n byw efo'i gŵr, Ben Gregory a'i mab, Hedydd. Fe'i haddysgwyd yn Ysgol Dyffryn Nantlle a cholegau Bangor ac Aberystwyth. Awdures ydyw sydd wedi sgwennu chwe chyfrol i oedolion a Chyfres Rwdlan i blant. Mae ganddi golofn wythnosol ers ugain mlynedd yn *Yr Herald Cymraeg.*

Ymaelododd â Chymdeithas yr Iaith yn yr ysgol, gan weithio am flwyddyn fel ysgrifennydd a dod yn gadeirydd ar y mudiad rhwng 1982-84. Fe'i carcharwyd sawl gwaith. Ymddiddorodd mewn sawl ymgyrch – gwrth-apartheid, streic y glowyr, heddwch, a theithiodd i Nicaragua, Iwerddon, yr Alban, Gwlad y Basg a Chatalynia fel rhan o ddirprwyaeth gan Gymdeithas yr Iaith. Yn y Nawdegau, bu'n ymddiddori yn Nwyrain Timor a daeth yn weithgar gyda'r ymgyrch yn erbyn yr Hawks, yna daeth yr ymgyrch yn erbyn adar angau. Mae wedi bod yn gefngol i Gymdeithas y Cymod erioed. Roedd ei thaid, David Thomas, yn wrthwynebydd cydwybodol yn ystod y Rhyfel Byd Cyntaf, ac yn aelod o'r *Non-Conscription Fellowship*. Ysgrifenodd Angharad gofiant i'w thaid dan y teitl, Hiraeth am Yfory: *David Thomas a Mudiad Llafur Gogledd Cymru (2002).*

Mae wedi ysgrifennu ei hunangofiant *Cnonyn Aflonydd.* Enillodd Fedal Ryddiaith yr Eisteddfod Genedlaethol ddwywaith.

John Edward Williams (1931-2005)

Gweinidog yr Efengyl, emynydd, heddychwr a anwyd yn Nyserth, Sir y Ffflint .Bu yn rhengoedd Eglwys Bresbyteraidd Cymru, yn bugeilio yn Ne Aberteifi o 1955 i 1963, ac yna yn Llandeilo, Sir Gaerfyrddin o 1963 i 1976. Trodd ei olygon i 'r Eglwys yng Nghymru, a bu yn gurad yn Birchgrove, ger Llansamlet, ac oddiyno yn rheithor Aberffraw ar Ynys Môn. Ymddeolodd yn gynnar oherwydd ei iechyd i Aberhonddu lle y bu yn affaeliad mawr i'r byd Cristonogol. Yr oedd ei briod yn ferch i'r Parchedig David Jones (Blaenplwyf), heddychwr digymrodedd. Cyflwynodd Nia Rhosier ei llyfryn *Gweinidogaeth y Cymod* yn 1984 iddo, gan ei alw yn 'gysurwr, y cyfarwydd a'r cymodwr'. Y mae pum emyn o'i eiddo yn *Caneuon Ffydd* (548, 619 , 632, 633, a 679). Bu farw yn y dref lle y bu yn derbyn hyfforddiant diwinyddol, sef Aberystwyth, yn mis Ionawr 2005.

Waldo Williams (1904- 1971)

Ganwyd y sant o Benfro ar 30 Medi 1904 yn Hwlffordd, yn fab i ysgolfeistr goleuedig Ysgol Gynradd Prendergast ger Hwlffordd. Dilynodd llwybr ei dad ar ol cwplhau ei astudiaethau yng Ngholeg Prifysgol Cymru,Aberystwyth. Yn ganol oed daeth yn diwtor Addysg Oedolion o dan nodded ei hen goleg .Enwogodd ei hun fel heddychwr, y mwyaf adnabyddus ar ol George M.Ll. Davies a Gwynfor Evans ymhlith y Cymry. Enillodd edmygedd eang oherwydd ei safiad digymrodedd yn erbyn Rhyfel Corea (1950-53), a symbylodd hyn ef i wrthwynebu Deddf Gorfodaeth Filwrol, a charcharwyd ef am gyfnod byr. Meddyliai'n uchel o Mahatma Gandhi a bu gydag Indiaid Llundain yng nghwrdd Coffa pensaer yr India yn 1947. Canodd gerdd i Gandhi o dan y teitl 'Eneidfawr' yn ei unig gyfrol o farddoniaeth *Dail Pren* (1956) sy'n botread o Waldo ei hun :

Eneidfawr, nid cawr ond cyfaill, a'i nerth yn ei wên yn dygyfor
O'r gwaelod lle nid oes gelyn, yn tynnu trwy ruddin ei wraidd
Siriol wrth weision gorthrymder fel un a'i rhyddhâi o'u hualau.
A throednoeth trwy'u cyfraith y cerddodd i ymofyn halen o'r môr.

Gwelwn ei heddychiaeth trwy ei farddoniaeth eneiniedig a'i brofiad yn byrlymu mewn cerddi fel 'Brawdoliaeth' a 'Tangnefeddwyr'. Dylid darllen cyfrol ddadlennol Alan Llwyd, *Stori Waldo: Bardd Heddwch* (Barddas, 2010). Bu farw yn dangnefeddus ar Ddydd Iau y Dyrchafael, 20 Mai,1971, a chladdwyd ef yn mynwent Capel y Bedyddwyr Blaenconin, ger Clunderwen.Yr oedd Waldo yn perthyn i enwad y Crynwyr yn ei aeddfedrwydd ond treuliodd ei blentyndod a'i lecyndod ymhlith gwerin gwlad y Bedyddwyr Cymraeg yn ardal y Preselau.

F. Araith yr Archdderwydd, Pwyllgor Gwaith, Llyfryddiaeth a Mynegai

Araith yr Archdderwydd

Araith yr Archdderwydd Christine James o'r Maen Llog, Eisteddfod Genedlaethol Sir Gâr, fore Llun, 4 Awst 2014

Gyd-Orseddogion a chyfeillion,

Go brin bod angen imi atgoffa neb ein bod ni eleni yn cofio canmlwyddiant dechrau'r Rhyfel Mawr. Fel mae'n digwydd, gan mlynedd union i heddiw, ar 4 Awst 1914, y cyhoeddodd Prydain ryfel yn erbyn yr Almaen, gan ddechrau ar lwybr a fyddai'n tynnu miloedd o Gymry i wasanaethu – a marw – yn lluoedd arfog Prydain Fawr.

Gan gydnabod yn ddwys gyfraniad ac aberth y gŵyr a'r gwragedd hynny, gyda pheth eironi rwy'n troi yn awr at ganmlwyddiant arall – un llawer llai amlwg ond un arwyddocaol iawn o safbwynt ein Heisteddfod eleni. Yn 1914 bu farw'r arlunydd Hubert Herkomer. Almaenwr o Bafaria oedd Herkomer o ran ei dras, ond yr oedd ganddo gysylltiadau agos iawn â Chymru. Cymraes o Ruthun oedd ei ail wraig; ac fe dreuliodd Herkomer gyfnodau estynedig yn paentio yn Eryri yng nghwmni ei gyfaill mawr, Charles William Mansel Lewis o Gastell Strade, sydd o fewn tafliad carreg i'r maes hwn. A dyna lle y mae'n diddordeb ni yn Herkomer yn dechrau, oherwydd yn sgil y cyfeillgarwch hwnnw aeth ef ati, tua diwedd y bedwaredd ganrif ar bymtheg, i ail-gynllunio llawer o regalia'r Orsedd.

Pan sefydlodd Iolo Morganwg Orsedd y Beirdd yn niwedd y ddeunawfed ganrif, doedd ei Orseddogion ddim yn gwisgo gwisgoedd fel y gwelwch chi yma heddiw, ond yn hytrach rubanau lliw ar eu breichiau. Maes o law, dechreuodd yr arfer o gael gwisgoedd arbennig, ond cawsant eu hailgynllunio gan Herkomer yn ôl patrwm Celtaidd – a dyna sail ein gwisgoedd presennol.

Rhoddodd Herkomer sylw i wisg yr Archdderwydd hefyd, gan ddweud, 'For an Archdruid to be wrongly dressed, that is too dreadful to contemplate.' Yn 1896, cynlluniodd wisg newydd sbon ar gyfer yr Archdderwydd, ac un o'r newidiadau yr wyf i'n bersonol yn ddiolchgar iawn amdano, oedd iddo gyfnewid het uchel yr Archdderwydd, a oedd yn debyg i feitr esgob, am goron lawer mwy cynnil – nid yn annhebyg i'r un rwy'n ei gwisgo heddiw.

Herkomer hefyd a gynlluniodd y ddwyfonneg hardd hon – Dwyfronneg Gwirionedd – ar sail hen gynllun Celtaidd, gan rannu'r gost am y cwbl â'i gyfaill Mansel Lewis o Gastell Strade – nawdd y mae'r Orsedd yn ddiolchgar amdani hyd heddiw.

Ond at hyn rwyf am ddod. Hubert Herkomer a gynlluniodd hefyd yr eitem fwyaf, a'r fwyaf arwyddocaol, o blith holl regalia'r Orsedd, sef y Cleddyf Mawr. Un o ddefodau hynaf yr Orsedd yw trin cleddyf. Yn yr Orsedd gyntaf oll ar Fryn y Briallu yn Llundain yn 1792, gosododd Iolo, yr heddychwr tanbaid, gleddyf noeth ar y maen llog, ac wedyn cael pawb i'w gynorthwyo i'w osod yn y wain, yn arwydd, mewn cyfnod gwaedlyd iawn, mai corff i hyrwyddo heddwch oedd ei Orsedd ef .

Yn 1899 cynlluniodd Hubert Herkomer Gleddyf Mawr newydd, ysblennydd ar gyfer yr Orsedd. Hwnnw sy'n cael ei ddefnyddio o hyd; a thrwy gyd-ddigwyddiad hyfryd, mae'r Cleddyf Mawr wedi ei atgyweirio a'i lanhau eleni, nes ei fod gystal â newydd. Trwy gyd-ddigwyddiad arall, yn sir Gâr, yn Seremoni'r Cadeirio yn Eisteddfod Caerfyrddin yn 1867, y clywyd galw 'A oes Heddwch?' am y tro cyntaf. Ac mae'n dra addas, felly, heddiw'r bore, ar yr union ddiwrnod sy'n nodi canmlwyddiant cyhoeddi'r Rhyfel Mawr, ac wrth inni gofio'r milynau a laddwyd yn y gyflafan erchyll honno, ein bod wedi galw ar goedd am heddwch gan ddefnyddio cleddyf a gynlluniwyd gan Almaenwr, a hwnnw'n gyfaill mawr i ni'r Cymry.

A ninnau'n byw mewn byd lle mae heddwch yn beth dieithr i filiynau o bobl, ein dyletswydd ni fel Cymry yw galw o'r newydd am Heddwch. Heddiw, ymfalchïwn yn y ffaith bod ein prifwyl genedlaethol yn digwydd dan awdurdod cleddyf nad yw byth i gael ei ddinoethi, cleddyf sy'n symbol grymus o heddwch ac ewyllys da rhwng pobl â'i gilydd. Boed ein gwaedd am Heddwch heddiw, ac yn seremonïau gweddill yr wythnos, nid yn unig yn alwad ac yn addewid i ni yn ein Heisteddfod yma yn Sir Gâr, ond hefyd yn waedd sy'n ymestyn yn ehangach o lawer, gan atseinio trwy Gymru, a thrwy Ewrop, ac yn wir, trwy'r byd yn grwn.

Cymdeithas y Cymod yng Nghymru
Aelodau'r Pwyllgor Gwaith Presennol

Llywydd Anrhydeddus: Nia Rhosier

Llywydd: Guto Prys ap Gwynfor

Is-lywydd: Robin Gwyndaf

Ysgrifennydd Cyffredinol:

Cydlynydd: Jane Harries

Trysorydd: Gwyn Williams

Ysgrifennydd Aelodaeth: Eleri Davies

Swyddog Cyhoeddusrwydd: Gwyn Griffiths

Aelodau:

- Anna Jane Evans
- Emyr Gwyn Evans
- Marika Fusser
- Mererid Hopwood
- Pryderi Llwyd Jones

Llyfryddiaeth

D. Ben Rees

A

ap Gwilym, Gwynn (gol.), 'Protest a Dychan' yn *Y Flodeugerdd Delynegion*, Abertawe, 1979, 175-178.

ap Gwynfor, Guto Prys, 'Aled ap Gwynedd, 1943-2003', *Y Tyst,* 15 Ionawr, 2004.

ap Gwynfor, Guto Prys, *Amodau Shalom,* Darlith Goffa Lewis Valentine, Cymdeithas Heddwch Undeb Bedyddwyr Cymru, Llandudoch,1998, 12 t.

ap Gwynfor, Guto Prys, 'Egwyddorion yr Annibynwyr', yn *Yr Annibynwyr Cymraeg, ddoe, heddiw ac yfory,* golygwyd gan Iorwerth Jones, Abertawe, 1989, 35-53.

ap Gwynfor, Guto Prys, *Y Groesffordd,* Llythyr at Eglwysi Cymru, Caerdydd, Cymdeithas y Cymod yng Nghymru, 1984, 46 t.

ap Gwynfor, Guto Prys (golygwyd a chasglwyd), *Gweddïau Heddwch a Chyfiawnder,* Chwilog, 2012, 248 t.

ap Gwynfor, Guto Prys, 'Heddychiaeth – un o'r hanfodion', *Cymod,* Cylchlythyr Cymdeithas y Cymod yng Nghymru, Haf 2014, 20-21.

ap Gwynfor, Mabon, *Anwybodaeth Clyd*, Darlith Goffa Lewis Valentine, Cymdeithas Heddwch Undeb Bedyddwyr Cymru, Caerfyrddin, 2012, 20 t.

B

Bianchi,Tony (gol.), Cerddi Gerwyn Williams sef Washington, Baghdad a Llythyr i Lois, yn *Blodeugerdd Barddas o Farddoniaeth Gyfoes,* Treforys, 2005, 268-271.

Bassett,T.M., *Bedyddwyr Cymru,* Abertawe 1977, 395t, ond gweler tudalennau 368-375 am y Rhyfel Byd Cyntaf.

Bowen, John B., 'Yr Athro Mansel Morris Davies, 1913-1995', *Gwyddonydd,* Cyf. 32, 1996, 21-23.

Bowen, Euros,'Waldo a Chrynwriaeth', Rhifyn Waldo Williams, *Traethodydd,* Hydref, 1971, 247-53.

C

Caird, George B., *Rhyfel a'r Cristion*, Cymdeithas y Cymod, 1976, 7t.

Chapman, T. Robin, *Rhywfaint o Anfarwoldeb: Bywgraffiad Islwyn Ffowc Elis*, Llandysul, 2003, 245t, yn arbennig yr ail bennod, 'Nid oes ieuenctid fel ieuenctid rhydd' 1922-9, 47-67.

Costigan, Nora Gabriel, Y Chwaer, Bosco 'Waldo Williams (1904-71)' yn *Herio'r Byd*, Golygydd: D. Ben Rees, Lerpwl a Llanddewi Brefi, 1980, 80-85.

Costigan, Nora Gabriel, Y Chwaer, Bosco 'Dorothy Day (1897-1980)' yn *Oriel o*

Heddychwyr Mawr y Byd, Golygydd: D. Ben Rees, Lerpwl a Llanddewi Brefi, 1983, 84-93.

Costigan, Nora Gabriel, Y Chwaer Bosco, ' Atgofion am Waldo', *Faner Newydd*, 32 (2005), 49-51; a *Faner Newydd*, 33 (2005), 44-6.

Cwper, Siân, 'Heddychiaeth a Threthi', *Barn*, 513 (Hydref 2005), 27.

'Cymdeithas y Cymod', *Gwyddoniadur Cymru yr Academi Gymraeg*, golygyddion John Davies, Menna Baines, Nigel Jenkins, Peredur Lynch, Caerdydd 2008, 224

D

Davies,Benjamin, ' Ffarwel Fy Mab'(I Ithel ar ei fynediad i'r Coleg wedi bod am dair blynedd yng ngharchar fel Gwrthwynebydd Cydwybodol), *Y Deyrnas*,Cyf 1V-rhif 2, Tachwedd 1919, 15

Davies,Ben G., Hanes y Crynwyr yng Nghymru, darlledwyd ar *Radio Cymru* 21 Awst 1938 (gweler y sgript yn Bocs 8 Archif Corfforaeth Darlledu Brydeinig yn y Llyfyrgell Genedlaethol).

Dafis, Cynog, 'Asesu Arwr: Gwynfor Evans, 1912-2005', *Golwg*, Cyf. 17, Rhif 33 (28 Ebrill 2005), 7.

Davies, Dan, 'William Evans ('Wil Ifan'; 1882-1968)' yn *Dal Ati i Herio'r Byd, Cyfrol III*, Golygydd: D. Ben Rees, Lerpwl a Llanddewi Brefi, 1988, 51-58.

Davies, Dewi Eirug (gol.), *Ffolineb Pregethu,* Abercynon, 1967, 112 t

Davies, Dewi Eirug, (gol), *Cyfrol Deyrnged Pennar Davies,* Abertawe, 1981, 151 t

Davies, Dewi Eurig, 'T. Eurig Davies', yn *Deri o'n Daear Ni*, Golygydd: D. J. Goronwy Evans, Llandysul, 1983, 63-71.

Davies, Dewi Eurig, 'Y Bregeth ar y Mynydd a'r Rhyfel Byd Cyntaf', *Diwinyddiaeth*, Rhif 38 (1987), 67-72.

Davies, Dewi Eurig, *Byddin y Brenin*, Abertawe, 1988, 206t.

Davies, Dewi Eurig, 'Dr Iorwerth Peate: Un o bobl y tu allan', *Y Traethodydd*, 138 (1983), 50-1.

Davies, Dewi Eurig, *Protest a Thystiolaeth*, Llandysul, 1993, 210t.

Davies, D. Elwyn, 'David Jacob Davies (1916-74)', yn *Dal Ati i Herio'r Byd, Cyfrol III*, Golygydd: D. Ben Rees, Lerpwl a Llanddewi Brefi, 115-118.

D.Elwyn Davies, Joseph Morgan Lloyd Thomas (1868-1950, *Y Bywgraffiadur Cymraeg*, Llundain, 1997,205-6

Davies, E. Tegla,"SR" a Rhyfel y Crimea, *Y Deyrnas*, Cyf 1 rhifyn 2, Tachwedd 1916, 9-11

Davies, F.J Saunders, *Duw yr Heddwch,* Cymdeithas Heddwch Undeb Bedyddwyr Cymru, Aberteifi, 1994, 22t. (Darlith Goffa Lewis Valentine).

Davies, Gwilym, *Y Natsïaid a'r Cenhedloedd Bychain yn Ewrop*, Wrecsam, 1940.

Davies, Jennie Eirian, 'Heddwch', *Y Goleuad*, 8 Mehefin 1960, 6.

Davies, John, *Hanes Cymru,* Llundain, 1990, 710 t

Davies, John, *Plaid Cymru oddiar 1960, Darlith yr Archif Wleidyddol Gymreig 1996,* Aberystwyth,1997, 18t

Davies, John, 'Ness Edwards (1897-1968)' yn *Bywgraffiadur Cymreig 1951-1970,* 46.

Davies, J.E., *O Graig i Graig,* Pontarddulais, 1991

Davies, T. Eurig (Gol.), *Y Prifathro Thomas Rees, ei fywyd a'i waith,* Llandysul, 1939.

Davies T. J., 'David James Evans (1884-1965)' yn *Dal Ati i Herio'r Byd, Cyfrol III,* Golygydd: D. Ben Rees, Lerpwl a Llanddewi Brefi, 119-127.

Davies, Noel A., *Rhyfel Ynysoedd y Malfinas: Trem yn Ol dros Chwarter Canrif,* Darlith Goffa Lewis Valentine, Cymdeithas Heddwch Undeb y Bedyddwyr, Carn Ingli, 2007, 20t

Davies, Pennar, Griffiths,J.Gwyn, Dylanwad Cylch Cadwgan adeg y Rhyfel, *Barn,* 101, Y Gwrandawr, 1V-V.

Davies, Pennar, *Y Pethau Nad Ydynt,* Abertawe, 1973, 20t. (Anerchiad o Gadair Undeb yr Annibynwyr Cymraeg yn Rhosllannerchrugog yn 1973).

Davies, Pennar, *Gwynfor Evans,* Abertawe, 1976, 117t.

Davies, Pennar, *Brenin Alltud,* Llandybie, 1974, 177t. Y mae ganddo drafodaeth dreiddgar ar Heddychwyr Cymraeg, er enghraifft, T.GwynnJones, J.R. Jones a Waldo Williams.

Davies, Pennar, 'Simone Weil' yn *Oriel o Heddychwyr Mawr y Byd,* 116-120.

Davies, Rhys John, *Pobl a Phethau,* Dinbych, 1943.

Davies, Tudor, *Cofio Tecwyn: 'Pregethwr dan Eneiniad',* Caernarfon, 2002, 384 t, ond fe geir golwg ar Tecwyn a'i emynau heddwch ar dudalennau 200-207.

Davies, David Protheroe, *Cymod yn y Testament Newydd,* Cymdeithas y Cymod yng Nghymru, 1984, 9t.

Davies, George M.Ll., Cydwybod y milwr, *Y Deyrnas,*Cyf 11-Rhif 1, Hydref 1917,4-5

Davies, George M.Ll., Dicter, *Y Deyrnas,*Cyf 11-Rhif 2, Tachwedd 1917, 4-5

Davies, George M.Ll., Trosedd a Chosb, *Y Deyrnas,* Cyf 111 rhif 11, Awst 1919, 87-8

Davies, George M. Ll., *Ffordd y Cymod,* Dinbych 1940, 26t.

Davies, George M. Ll., *Pererindod Heddwch,* Dinbych (Llyfrau Pawb), Rhif 6, 1943, 80t.

Davies, George M. Ll., *Profiadau Pellach,* Dinbych (Llyfrau Pawb), Rhif 7, 1943, 40t.

Davies, George M. Ll., 'Yr Heddychwyr yng Nghymru', *Heddiw,* Cyf. 5, Rhif 3, (Gorffennaf 1939), 123-126.

Davies, George M. Ll., 'Cymdogaeth', *Y Faner Newydd,* 23 (Hydref, 2002), 17-18.

Davies, Gwilym, *Y Byd Ddoe a Heddiw,* Aberystwyth, 1938, 238 t

Davies, Ieuan, 'Joseph James (1878-1963)' yn *Dal i Herio'r Byd,* 32-40.

Davies, J. E., 'Tom Nefyn Williams (1895-1958)' yn *Dal i Herio'r Byd,* Golygydd: D. Ben

Rees, Lerpwl a Llanddewi Brefi, 1983, 67-. 72

Davies, Ithel, 'Buddugoliaeth Cydwybod', *Y Deyrnas*, Cyf 111-Rhif 8, Mai 1919,60-1;Mehefin,1919, 69-70;Gorffennaf 1919, 78-9.

Davies, Ithel, *Rhyfel a'r Werin,* Pamffled Cymdeithas Heddychwyr Cymru, Dinbych, 1941.

Davies, Ithel, 'Iorwerth Cyfeiliog Peate', *Barn*, 258 (1984), 250-2.

Davies, Meirion Lloyd, *Hywel D. Lewis - y Cawr Cadarn*, Llundain, 2003, 14t.

Davies, Meirion Lloyd, 'Hywel D. Lewis', *Traethodydd*, Cyf. 158 (2003), 5-16.

Davies, W.D., Yr Eglwys a'r Cymod, darlledwyd 19 Mai 1946 ar *Radio Cymru* (gweler y sgript yn Bocs 24 Archif Gorfforaeth Darlledu Brydeinig yn y Llyfyrgell Genedlaethol)

Didreisedd Cristnogol: addasiad Cymreig gan Nia Rhosier, Rwth Tomos ac Alun Tudur, Pont Robert, Cymdeithas y Cymod yng Nghymru, 1994.

E

Eames, William, 'Cymru dan Amodau Rhyfel', darlledwyd ar *Radio Cymru* 17 Hydref, 1940 (gweler y sgript yn Bocs 14 Archif Corfforaeth Darlledu Brydeinig yn y Llyfyrgell Genedlaethol Cymru)

Eames, William, 'Y Bomio ar Gymru', darlledwyd ar *Radio Cymru* 23 Gorffennaf 1940, (gweler y sgript yn Bocs 15 Archif Gorfforaeth Darlledu Brydeinig yn Llyfyrgell Genedlaethol Cymru).

Eames, William, 'Cymru a'r Rhyfel', darlledwyd ar *Radio Cymru* 7 Ionawr 1942 (gweler y sgript yn yr Archif BBC yn Ll.G.C.)

Eirug, Aled, 'Agweddau ar y Gwrthwynebiad i'r Rhyfel Byd Cyntaf yng Nghymru', *Llafur*, Cyf. 4, Rhif 4, 1987, 58-68.

Edwards, Alun R.,*Yr Hedyn Mwstard: Atgofion,* Llandysul, 1980,

Edwards, Hywel Teifi, Norah Isaac: Merch o'r Caerau', yn *Llyfni ac Afan, Garw ac Ogwr,* Golygydd Hywel Teifi Edwards, Llandysul, 1998, 9-17

Edwards, Hywel Teifi, *Eglwys Bresbyteraidd Cymru, Bryn Seion, Llangennech 1877-2007,* Llangennech, 2008,122t, ond gweler yn arbennig tudalennau 38-41, a gweinidogaeth y Parchedig J.E. Davies (1912-2004), t 48.

Edwards, W. J., 'David Francis Roberts 1882-1945' yn *Dal Ati i Herio'r Byd*, 73-82.

Ethall, Huw, Tegla, Abertawe, 1980,237 t (Angen Mynegai ar y gyfrol lle ceir ymdriniaeth ar yr heddychwr).

Ethall, Huw, 'John Robert Jones (1911-70)' yn *Dal Ati i Herio'r Byd*, Cyfrol III, 98-104.

Ethall, Huw, 'Lev (Leo) Nikolavich Tolstoi', yn *Oriel o Heddychwyr Mawr y Byd*, Golygydd: D. Ben Rees, Lerpwl a Llanddewi Brefi, 1983, 26-32.

Evans, E. Keri, *Fy Mhererindod Ysbrydol,* Lerpwl, 1938

Evans, Owain Llyr, *Trech Plufyn na Gordd,* Darlith Goffa Lewis Valentine, Cymdeithas

Heddwch Undeb Bedyddwyr Cymru, Godre'r Preseli, 2014, 22

Evans, R.Alun (gol.), *Iorwerth Cyfeiliog Peate,* Abertawe, 2003, 166 t.

Evans, Robert,'Her y Dydd i Heddychwyr' yn *Adroddiad Cyfarfodydd Undeb Aberystwyth a'r Cylch,* Mai 23-26, 1955, 59-60.

Evans, Rhys, *Cofiant Gwynfor: Rhag Pob Brad,* Talybont, 2005, 544t.

Evans, R. Wallis, 'Herbert Morgan (1875-1946)' yn *Dal Ati i Herio'r Byd,* 42-44.

Evans, Anna Jane, 'Cymorth Cristnogol', *Cristion,* Rhifyn 130, Mai/Mehefin, 2005, 18-19.

Evans, Gwynfor, 'Cymru, Lloegr a Rhyfel', *Heddiw,* Cyf. 3, Rhif 7 (Chwefror 1938), 244-247.

Evans, Gwynfor (gol.), *Tystiolaeth y Plant,* Dinbych, 1942, 31t.

Evans, Gwynfor, 'Richard Roberts', (gol.) D. Ben Rees, *Oriel o Heddychwyr Mawr y Byd,* Lerpwl a Llanddewi Brefi, 1983, 70-5.

Evans, Gwynfor, *Cenedlaetholdeb di-drais* (cyfieithiwyd i'r Gymraeg gan D. Alun Lloyd), New Malden, 1976, 26t.

Evans, Gwynfor, *Seiri Cenedl y Cymru,* Llandysul, 1986, 316t; ail argraffiad, 1987.

Evans, Gwynfor, 'Cristnogaeth Cymru a Heddwch' yn *Y Gair a'r Genedl*: cyfrol deyrnged i R. Tudur Jones, golygydd: E. Stanley John, Abertawe, 1986, 201-15.

Evans, Gwynfor, 'Henry Richard' yn *Seiri Cenedl y Cymru,* 216-19; yn yr un gyfrol ceir erthygl ar 'Gwilym Hiraethog', 205-10, a 'George M. Ll. Davies', 269-275.

Evans, Gwynfor, *George M. Ll. Davies: Pererin Heddwch,* Clydach, Cymdeithas y Cymod, 1981, 1-13.

Evans, Gwynfor, *Heddychiaeth Cristnogol yng Nghymru,* Llangollen, Cymdeithas y Cymod, 1991, 56t.

Evans, Ifan Wyn, 'Samuel Roberts (SR) (1800-1885)' yn *Oriel o Heddychwyr Mawr y Byd,* Golygydd: D. Ben Rees, Lerpwl a Llanddewi Brefi, 1983, 9-17.

Evans, Jill, *Codwn ein Llef,* Caerffili, 2003, 15t. Darlith Goffa Lewis Valentine, cyhoeddwyd gan Cymdeithas Heddwch Undeb Bedyddwyr Cymru.

Evans, Jill, 'Yng Ngharchar mwya'r byd', *Golwg,* Cyf 18, rhif 13, 24 Tachweded 2005, 7

Evans, Jill, 'Dwi'n hoffi Kofi', *Barn,* 530, Mawrth 2007, 12

Evans,Jill, 'Miliwn o bobl heb gartref yn Gaza', *Golwg,* Cyf 22, rhif 21, 4 Chwefror 2010, 14-15.

Evans, Jill, Glyn James (1925-2010), *Barn,* 577, Chwefror 2011, 41.

Evans, Owen E., (Llanfair pwllgwyngyll), *Trefn Gwasanaeth ar gyfer Sul y Cofio,* Caernarfon, cyhoeddwyd gan Gymdeithas y Cymod, 1993, 9 t.

Emyr, John, 'Cymru a'r Rhyfel Mawr', *Barn,* 310 (Tachwedd, 1988), 5-8.

Emyr, John (gol.), *Dyddiadur Milwr a gweithiau eraill Lewis Valentine,* Llandysul, 1988, 322t

Elis, Islwyn Ffowc, *Cysgod y Cwmwl,* Dinbych, Cymdeithas y Cymod, 1962, 9t.

Elfyn, Menna, 'Daniel Berrigan' yn *Oriel o Heddychwyr Mawr y Byd*, 101-8.

Ellis, Hugh, *Hanes Methodistiaeth Meirionnydd, Cyfrol* 111, 1885-1928, Dolgellau, 1932, 95-6, 173, 366,368, 502, 508, 543.

F

Fitzgerald, Michael John, *Rhyfel Cyfiawn ?*, Bangor, 1993, 20t. Darlith Goffa Lewis Valentine Cyhoeddiad Cymdeithas Heddwch Undeb y Bedyddwyr.

Ffrancon, Ann a Jenkins, Geraint H., (goln.), *Merêd*, Llandysul, 1994, 407 t

G

Gillespie, Gwennant, 'Gwilym Davies (1879-1955)' yn *Oriel o Heddychwyr Mawr y Byd*, 61-69.

Griffiths, Griffith Milwyn, Herbert Morgan (1875-1946), *Y Bywgraffiadur Cymreig 1941-1950,* 44

Griffiths, J. Gwyn,Waldo Williams: bardd yr heddychiaeth heriol, Cyfrol Deyrnged Waldo Williams, *Y Genhinen,* XX1/3,108-13.

Griffiths, J. Gwyn, Caneuon Ffydd a'r Militia Christi, *Taliesin,* 113, Hydref 2001, 27-30

Griffiths, Gwyn, *Henry Richard: Heddychwr a Gwladgarwr,* Caerdydd, 2013.

Griffiths-Bosse, Kate, 'Croesawn Waldo o'r Carchar', *Barn*, 375 (Ebrill 1994), 15.

Griffiths, E. H., *Heddychwr Mawr Cymru*, Cyfrol I, Caernarfon, 1967, 167t, *idem.*, *Heddychwr Mawr Cymru*, Cyfrol II, Caernarfon, 1968, 226t.

Griffiths, E. H., 'George Maitland Lloyd Davies (1880-1949)' yn *Herio'r Byd*, 23-39.

Griffiths, J. H., 'Donald Soper', yn *Oriel o Heddychwyr Mawr y Byd*, 109-115

Griffiths, Peter Hughes (Llundain), *Meddyliau Crwydr, Y Deyrnas*, Rhifyn 11, Awst 1917, 11-12.

Griffiths, Peter Hughes (gol.), *Bro Bywyd: Gwynfor Evans,* Abertawe, 2008, 120t.

Griffiths, Stephen,' Waldo Williams, Y Crynwr', *Y Genhinen,* XX11, 15-17.

Gruffydd, Ioan W., 'John Puleston Jones (1862-1925)' yn *Herio'r Byd,* 93-103.

Gwyndaf, Robin, *Ai Ceidwad Fy Mrawd Ydwyf Fi?*, Caerdydd, 1991, 62t.

Gwyndaf, Robin, *Rhyfel a Heddwch a Sancteiddrwydd Bywyd*, Caerdydd, 2008, 95t. Ymestyniad o Ddarlith Goffa Lewis Valentine a draddodwyd i Gymdeithas Heddwch y Bedyddwyr 16, Mehefin, 2008 yn y Tabernacl,Caerdydd. Pwysig ydyw rhestr o Ddarlithoedd Coffa Lewis Valentine 1986-2008 ar dudalennau 79-81,a sylwer na chyhoeddwyd y Darlithiau a draddodwyd yn Undeb y Bedyddwyr Cymraeg yn 1987, 1993, a 2005.

Goss-Mayr, Jean a Hildegard, *Yr Efengyl a'r ymdrech dros heddwch;* talfyriad yn y Gymraeg gan Nia Rhosier a Rwth Tomos, Gwasg Santes Mellangell, 1996, 11 t.

H

'Heddychiaeth', *Gwyddoniadur Cymru yr Academi Gymraeg*, 437

Hopwood, Mererid, *Cymru'r Dyfodol*, Darlith Goffa Lewis Valentine, Cymdeithas Heddwch Undeb y Bedyddwyr, 2001, 21t.

Hopwood, Mererid, 'Diffinio nefoedd ac uffern', *Barn*, 376 (1994), 22-3

Hopwood, Mererid, 'Maniffesto Waldo', *Cristion*, Rhif 164, Ionawr/Chwefror 2011, 12-14

Hawys, Siân, *Trais yn y Cartref*, Darlith Goffa Lewis Valentine, Cymdeithas Heddwch Undeb y Bedyddwyr, 2004, 15t.

Hughes, Herbert, *'Mae'n Ddiwedd Byd Yma ...' Mynydd Epynt a'r Troad allan yn 1940*, Llandysul, 1997, 115 t

Hughes, R. Arthur, 'Howell Harris Hughes (1874-1950)' yn *Dal i Herio'r Byd*, 111-127.

Huws, W. Pari, 'Rhyfel: Gogangerdd', *Y Deyrnas*, Rhifyn 12 Medi 1917,9

Hunter, Jerry, 'Canrif o Gofebau:erthygl-adolygiad ar *ffarwelio a Chanrif*, Alan Llwyd', *Taliesin*, Cyfrol 2001,Haf 2001, 139-145

'Hwliganiaeth ac Addysg', *Y Deyrnas*, Cyfrol 1V rhif 1, Hydref 1919, 3. Adroddir gweithred Cyngor Coleg Prifysgol Cymru, Aberystwyth yn gohirio penodi y Dr T.H. Parry Williams yn Athro yn y Gelteg oherwydd gwrthwynebiad y militariaid fel Esgob Tyddewi i'r ysgolhaig am ei fod yn wrthwynebydd cydwybodol.

I

Iorwerth, Dylan, 'Onid hoff yw cofio'n taith', E. Stanton Roberts a T. Gwynn Jones, *Barddas* 23 (1978), 1-3.

Iorwerth, Dylan, 'Portread Arweinydd ' (Gwynfor Evans), *Golwg* (30 Awst 2001), 13-16

Iorwerth, Dylan, 'Y Cofio i orffen Rhyfel', *Yr Ymofynnydd*, Rhifyn Gaeaf, 2013, 6

J

James, Mary Auronwy, 'Gwilym Davies (1879-1955)' yn *Y Bywgraffiadur Cymreig 1951-1970.*

Jenkins, David, *Thomas Gwynn Jones*, Dinbych, 1994 (ail argraffiad), 410t.

Jenkins, Emlyn, G., 'Robert John Jones (1886-1973)' yn *Herio'r Byd*, 86-92.

Jenkins, Emlyn G., 'Llewelyn Caradog Huws' yn *Dal i Herio'r Byd*, 92-103.

Jenkins, Geraint H., 'Henry Richard', yn *Oriel o Heddychwyr Mawr y Byd*, 18-25.

Jenkins, Geraint H., *Thomas Wynne (1627-1692)*, Trefor, 1992, 34 t

Jenkins, R. T., 'Gwilym Bowyer (1906-65)' yn *Y Bywgraffiadur Cymreig 1951-1970*, Llundain, 1997, 12-13.

John, Denzil Ieuan, *Crist ein Cymod*, Darlith Goffa Lewis Valentine, Cymdeithas

Heddwch Undeb Bedyddwyr Cymru, Aberteifi, 2006

John, Emlyn, *Rhai o Heddychwyr Broydd y Preselau*, Caerdydd, Cymdeithas Heddwch Undeb Bedyddwyr Cymru, 1997, 12t. (Darlith Goffa Lewis Valentine).

John, E. T., A Oes Heddwch?, *Y Deyrnas* Cyfrol 11-Rhifyn 5 Chwefror 1917,7-9

Jones, Andrew (Llanbedrog), Adolygiad ar Llais dros Ddyfodol Byd. Seiliau Diwinyddol Heddychiaeth, *Cristion,* Rhifyn 103, Tachwedd/Rhagfyr 2000, 21

Jones, Beddoe, 'Gwenallt yn Dartmoor', *Barddas* (15 Ionawr 1978).

Jones, Bobi, *I'r Arch: Dau o Bob Rhyw,* Llandybie,1959,168t, yn arbennig ar Y Saint, tudalennau 11-20.

Jones, Carey, *Y Gŵr o Dregaron,* (Henry Richard), Abertawe, 1988, 80 t

Jones, Charles (Wrecsam), 'Amddiffyniad Dwyfol', *Y Deyrnas,* Cyfrol 11- Rhifyn 9, Mehefin 1917, 7-9

Jones, Carey, 'Henry Richard-Apostol Heddwch' yn *Adroddiad Cyfarfodydd Blynyddol Undeb yr Annibynwyr Cymraeg,* Mehefin 6-8, 1988, 75-79.

Jones, Derwyn, 'Richard Roberts (1874-1945)', *Y Bywgraffiadur Cymreig* 1941-1950, Llundain 1970, 50

Jones, D. Gwenallt, adolygiad ar y gyfrol *Sylfeini Heddwch* (Abertawe, 1945), *Y Dysgedydd,* Ebrill 1945, 67-9

Jones, D. Morlais, 'Thomas Eurig Davies (1892-1951)' yn *Herio'r Byd*, 40-48.

Jones, E. Pryce, 'Ben Owen (1896-1960)', yn *Dal i Herio'r Byd,* 76-83.

Jones, E. R. Lloyd, 'Gwasanaeth Heddwch', yn *Llyfr Gwasanaeth Ieuenctid Eglwys Bresbyteraidd Cymru,* trefnwyd gan Harri G. Parri a D.Ben Rees, Golygydd: William Morris, Caernarfon, 1967, 68-71.

Jones, E. R. Lloyd, 'T. H. Williams (1883-1976)' yn *Dal i Herio'r* Byd, Lerpwl a Llanddewi Brefi, 1983, 41-47.

Jones, E. R. Lloyd, *Llais dros ddyfodol byd*, Caernarfon, 1999, 112t.

Jones, E .K., 'Y Gwrthwynebwr Cydwybodol', *Y Deyrnas,* Cyfrol 111 Rhifyn 7, Ebrill,1917,6-8

Jones, E. K., 'Merthyron Cydwybod', *Y Deyrnas,* Rhifyn 11, Awst 1917, 6-8

Jones, E. K., 'Colofn y Gwrthwynebwr' Cydwybodol'., *Y Deyrnas,* Cyf 111 rhif 8, Mai 1918, 63

Jones, Emyr Wyn (gol.), *Cyfaredd Cof,* Lerpwl, 1970.

Jones, Emyr Wyn, ' Tom Nefyn y Cyfaill' yn *Ar Ffiniau Meddygaeth,* Dinbych, 1971, 133-142.

Jones, Emyr Wyn, 'Enid Wyn Jones (1909-67)' yn *Y Bywgraffiadur Cymreig 1951-1970*, 96.

Jones, F. M., 'Robert Parri Roberts (1882-1968)' yn *Herio'r Byd*, 70-79.

Jones, Gerallt, 'Simon B. Jones (1894-1966)' yn *Dal Ati i Herio'r Byd*, 59-64.

Jones, Gwenllian Tudur, 'Dyfnallt Morgan', *Bangoriaid*, 1995, 21.

Jones, Gwilym H., *Cymod yn yr Hen Destament,* Cymdeithas y Cymod yng Nghymru, 1984, 9t.

Jones, Gwilym R., 'J. H. Griffith', yn *Dal i Herio'r Byd,* 55-58.

Jones, Gwilym R., *Rhodd Enbyd - hunangofiant*, Bala, 1982, 124t.

Jones, Ieuan Gwynedd, *Henry Richard*, Llangollen, 1988, 22t.

Jones, Ieuan Wyn, *Darlith Goffa Lewis Valentine*, Y Ffôr, Cymdeithas Heddwch Undeb y Bedyddwyr, 1989, 8t.

Jones, Iorwerth, 'Daniel John Davies (1885-1970)' yn *Y Bywgraffiadur Cymreig 1951-1970*, 23.

Jones, Iorwerth, 'Mohandas K. Gandhi', yn *Oriel o Heddychwyr Mawr y Byd*, 33-47.

Jones, Iorwerth, 'Richard Leonard Hugh (1913-83)' yn *Dal Ati i Herio'r Byd*, 105-114.

Jones, J. Graham, 'Emrys Daniel Hughes (1894-1969)' yn *Y Bywgraffiadur Cymreig 1951-1970*, 76.

Jones, J. Morgan (Bangor), 'A ellir byw'r Bregeth ar y Mynydd?', *Y Deyrnas*, cyf 11-rhif 8, Mai,1918,4-5

Jones, J. R., *Gwaedd yng Nghymru,* Lerpwl a Pontypridd, 1970, 95 t.

Jones, J. R., *Ac Onide,* Llandybie, 1970

Jones, J. T., a Parri, Harri (Goln.), *I Gofio J P: Cyfrol Deyrnged,* Porthmadog, 1971

Jones, J. W. (gol.), *Tystiolaeth Cyn Filwyr*, Dinbych, 1944.

Jones, Kenneth E., 'Trebor Lloyd Evans (1909-79)', yn *Dal Ati i Herio'r Byd*, 91-97.

Jones, Percy Ogwen, 'Crefydd y Lleygwr', *Y Deyrnas*, Cyf 111 Rhif 12, Medi 1918, 95

Jones, Pryderi Llwyd, *Lewis Valentine yr Heddychwr*, Cymdeithas Heddwch Undeb Bedyddwyr Cymru, 1987, 16t.

Jones, Pryderi Llwyd, 'Cymdeithas y Cymod', *Cristion*, Mawrth-Ebrill 1984, 21.

Jones, R. J., (Caerdydd), 'Troi'r Dail', Abertawe, 1961

Jones, R. Tudur, John Morgan Jones (1873-1946), *Y Bywgraffiadur Cymreig 1941-1950,* 30

Jones, R. Tudur, Dewi Eirug Davies (1922-97), *Taliesin,* Cyf 99 (Hydref, 1997), 22-24

Jones, Richard Wyn, 'Yr Anghydffurfiwr', *Barn*, 518 (Mawrth 2006), 9-11.

Jones, Richard Wyn, 'Syniadaeth Wleidyddol Gwynfor Evans', *Efrydiau Athronyddol*, Cyf. 63 (2000), 44-63.

Jones, R.W., *John Puleston Jones,* Caernarfon, 1929

Jones, T. Gwynn, 'Croes ai cors ?', *Y Drysorfa 85* (1915), 196-200

Jones T. Llew, (gol.). *Y Gwron o Dalgareg.* Aberystwyth, 1967,83t.

'Brwydr Heddychwr' yn *Tystiolaeth Cyn-filwyr,* Rhif 6, Dinbych, Pamffledi Heddychwyr Cymru (dim dyddiad).

Jones, Simon B. a Evans, E. Lewis Evans (Goln.), *Ffordd Tangnefedd,* Cymdeithas Heddwch yr Annibynwyr, 1943

Jones, Simon B. a Evans, Lewis Evans (Goln), *Sylfeini Heddwch,* Abertawe, Cymdeithas Heddwch yr Annibynwyr, 1945.

L

Lake, Morgan Islwyn, *Ymateb i'r Ysbryd*, Abertawe, 1991, 15t.

Lake, M. Islwyn, 'Trechu Trais', *Cristion*, Rhif 78, Medi/Hydref 1996, 17-19.

Lake, M. Islwyn, 'Cofio Erastus Jones', *Tyst*, Cyf. 145, Rhif 28, (12 Gorffennaf 2012), 4.

Lake, M. Islwyn, 'Ffordd Trwy'r Drain', *Cristion*, Rhif 177, Mawrth/Ebrill 2013, 11-12.

Lewis, D.Wyre, 'Cynhadledd Llandrindod, Medi 3-5, 1917', *Y Deyrnas*, Rhifyn 12, Medi 1917, 5-6.

Lewis, Hywel D., *Crist a Gwleidyddiaeth*, Dinbych, 1941, 32t.

Lewis, Hywel D., *Crist a Heddwch*, Dinbych, 1947, 40t.

Lewis, Hywel D., *Dilyn Crist*, Bangor, 1951.

Lewis, Hywel D., 'Byd Crist a Byd y Cristion', *Barddas*, Rhif 101, Medi 1985, 1-2.

Lewis, Saunders a Valentine, Lewis, *Paham y llosgasom yr Ysgol Fomio,* Caerdydd,1936

Lewis, Saunders, *Canlyn Arthur,* Aberystwyth, 1938, 148 t, ond gweler yr anerchiad o dan y teitl Ysgol Fomio yn Llŷn, tudalennau 97 i 107.

Lewis, Saunders, *Cymru wedi'r Rhyfel,* Aberystwyth, dim dyddiad.

Lewis, Saunders (gol.), 'Kate Roberts', *Crefft y Stori Fer,* Llandysul, 1949, 11-12.

Lewis, Saunders, 'Plasau'r Brenin' yn *Meistri a'u Crefft*, golygwyd gan Gwynn ap Gwilym, Caerdydd, 1981, 49-52.

Lewis, Stanley., 'David Jones (1890-1980)' yn *Dal i Herio'r Byd*, 128-140.

Lewis, T. H., 'Y Mudiad Heddwch yng Nghymru', yn *Trafodion Anrhydeddus Cymdeithas y Cymmrodorion*, 1958.

Litherland, Alan (gol.), *Cyrddau Gweddi Shalom*, cyfieithiad Cymraeg gan Nia Rhosier ac Islwyn Lake, Llanddewi Brefi a Lerpwl, 1998, 33t.

LL

Lloyd, Rhiannon, *Llwybr Gobaith: Antur Cymodi o Gymru i'r Byd,* (gol.) John Emyr, Caernarfon, 2005

Llwyd, Alan, 'Yr Arwr' - testament olaf Hedd Wyn', *Barn*, 191/192 (1978/79), 488-92, 194 (1979), 573-5, 193 (1979), 609-14.

Llwyd, Alan ac Edwards, Elwyn (golygyddion), *Gwaedd y Lleiddiaid, Barddas*, 1995,237 t

Llwyd, Alan, ' Gwallgofrwydd Arglwyddes Hardd ', *Taliesin,* Cyfrol 109, Haf 2000, 22-37.

Llwyd, Alan, *Stori Waldo Williams: Bardd Heddwch*, Llandybïe, 2010, 224t.

Llywelyn, Jen, 'Gwynfor yr Heddychwr', *Barn*, 509 (Mehefin, 2005), 26-7.

Llywelyn-Williams, *Alun, Crwydro Brycheiniog,* Llandybie, 1964, 226 t, ond gweler y bennod oludog a thrist, Godreon Mynydd Epynt, 149-174.

M

Mair, Angharad, *Parc Aberporth - Parc Uffern*, Cymdeithas Heddwch Undeb Bedyddwyr Cymru, 2010, 23t.

Mainwaring, M. R., 'John Morgan Jones (1861-1935) yn *Herio'r Byd*, 61-69.

Mathias, Rosemary Non, *Bywyd a gwaith cynnar Gwenallt.* Traethawd MA Prifysgol Cymru (Aberystwyth), 1983.

Maruki, Toshi, *Stori Hiroshima* (addasiad Cymraeg gan Islwyn Griffiths), Truro, 1984, 47

Meredith, J. E., (gol.), *Credaf: Llyfr o Dystiolaeth Cristionogol,* Aberystwyth, 1944 (ail argraffiad), 127 t yn arbennig ysgrifau Norah Isaac, D. Gwenallt Jones, J. R. Jones a Margaret Parry.

Meredith, J. E., 'George Maitland Lloyd Davies (1880-1949)', *Y Bywgraffiadur Cymreig* 1941-1950, 8-9

Meredith, J. E., *Gwenallt: Bardd Crefyddol,* Llandysul,1974, 79 t

Michael, Rhiannon, 'Pwy yw Jill Evans? ', *Golwg,* Cyf 22, rhif 43, 8 Gorffennaf 2010, 12-13.

Morgan, D. Densil, *Pennar Davies*, Caerdydd, 2003, 209t. Ceir nifer o gyfeiriadau at ei brotestiadau heddychol-genedlaetholgar ond nid ymdriniaeth arno fel heddychwr o argyhoeddiad a edmygwyd gan dô o heddychwyr a fu yng Ngholeg Coffa yr Annibynwyr Cymraeg yn Abertawe, yn ystod ei dymor fel Prifathro.

Morgan, D. Eirwyn Morgan, 'Y Genedl Heddiw', *Fflam,* Rhif 8, Awst 1949, 36-7

Morgan, T. J., 'Plasau'r Brenin', *Llenor,* X111, 17, 1-8

Morgan, Tomos (gol.), 'Gair o Brofiad - Gwers i'w Ddysgu' yn *Rhywbeth i'w Ddweud: Detholiad o Waith Dyfnallt Morgan*, Llandysul, 2003, 44-46.

Morgan, Walter Thomas, 'Rhys John Davies (1877-1954)' yn *Y Bywgraffiadur Cymreig 1951-1970*, 35-6.

N

Nicholas, James (gol.), *Waldo: Cyfrol Deyrnged i Waldo Williams*, Llandysul, 1977, 275t.

Nicholas, James, *Pan oeddwn grwt diniwed yn y wlad.* Gwasanaeth Diwylliant Llyfrgell Dyfed, 1979, 18t. (Astudiaeth ar yr heddychwr T. E. Nicholas 'Niclas y Glais')

Nicholas, Jâms, Rhai agweddau ar Heddychiaeth Waldo, *Darlith Goffa Lewis Valentine*, Clunderwen, 2000, 23t. Cyhoeddwyd gan Cymdeithas Heddwch Undeb Bedyddwyr Cymru.

Nicholas, Thomas Evan, 'Rhyfel Sanctaidd!', *Y Deyrnas*, Rhifyn 8,Mai 1917, 9

Nicholas, T. E., 'Llywodraeth Crist ar y Byd drwy ei Eglwys', *Y Deyrnas*, Rhifyn 12, Medi 1917,11-12.

Nicholas, T. E.,*Canu'r Carchar,* (Ysgrifennwyd yng Ngharchar Abertawe a Brixton), Llandysul, 1943, 53 t

Nicholas, T. E., *Dryllio'r Delwau,* rhagair gan Idwal Jones, Towyn, dd, 72t

Nicholas, Thomas Evan, 'Tipyn o hanes fy mywyd', *Bro*, 4 (1978), 25-8.

O

Owen, Trefor M., *Iorwerth Cyfeiliog Peate: Gwerthfawrogiad*, Caerdydd.

Owens, B. C., 'Waldo Williams a'r Preseli', *Seren Gomer*, 70 (1978), 109-14.

Owens, B. C., 'David Wyre Lewis (1872-1966)' yn *Y Bywgraffiadur Cymreig 1951-1970*, 122-123. Ceir llyfryddiaeth werthfawr ar derfyn y cofnod, gyda gwybodaeth am ei gyfraniad i'r cylchgrawn *Y Deyrnas*, 1917, Meh 6-7, Gorff. 6, Medi 5-6, a Hyd 12; a hefyd y cyfeiriadau ato yn S. Rowley (gol. Lewis Valentine), *Hanes Eglwys Pennel, Rhosllannerchrugog* (1959), 124-33 a 159.

Oestreicher, Paul, 'Martin Niemöller' (cyfieithwyd gan Gwynn ap Gwilym) yn *Oriel o Heddychwyr Mawr y Byd*, 79-83.

P

Parry, R. Ifor, 'Henry Richard 1812-1888', Aberdâr, 1968.

Parry-Williams, T.H., 'Duw ar Fawrth (Cerdd)', *Y Deyrnas*,Cyf 11-Rhif 1, Hydref 1917, 9

Peate, Iorwerth C., (gol.), *Hen Gapel Llanbrynmair,* Llandysul, 1939, 125 t.

Peate, Iorwerth C. a Jones, R. J., *Cenhadon Hedd II*, Dinbych, 1944,30t.

Peate, Iorwerth C., *Y Traddodiad Heddwch yng Nghymru*, Dinbych, 1941., 16 t

Peate, Iorwerth C., 'Samuel Roberts a Heddwch' yn *Ym Mhob Pen*, Aberystwyth, 1948.

Peate, Iorwerth C., 'Y meddwl Ymneilltuol', *Efrydiau Athronyddol,* Cyf 14, 1951, 1-11.

Peate, Iorwerth C., *Personau,* Dinbych, 1982, 87 t.

Peate, Iorwerth C., 'Ffarwelio ag Epynt', *Llafar Gwlad,* Rhif 85, Awst 2004, 7-8.

Phillips, Glyn O., *Y Dewis*, Caerdydd, Cymdeithas y Cymod, 1973.

Phillips, Glyn O., 'Cyfrifoldeb y Gwyddonydd yn ei Gymdeithas', *Trafodion y Gymdeithas Wyddonol Genedlaethol*, 10, 1988, 1-15.

Phillips, Glyn O., 'Chernobyl', *Cristion*, Medi-Hydref 1986, 4-5.

Phillips, Glyn O., 'Hiroshima ar ôl 40 mlynedd', *Gwyddonydd*, Cyf. 23, Rhif 2, Gaeaf 1985/86, 47-50.

Phillips, Glyn O., 'Ein dyfodol niwclear', *Gwyddonydd*, Cyf. 15, Rhif 4, Rhagfyr 1997, 161-168.

Phillips,W.F., 'Methiant yr Eglwysi', *Y Deyrnas*, Cyf 111-Rhif 10,Gorffennaf, 1919, 76-7

Pope, Robert, 'Lladmerydd' *Y Deyrnas* Herbert Morgan, 1875-1946' yn *Codi Muriau Dinas Duw*, Bangor, 2005, 126-143.

Powell, W. Eifion, 'Edward Tegla Davies (1880-1967)' yn *Dal Ati i Herio'r Byd*, 45-50.

Powell, W. Eifion, 'Thomas Rees (1869-1926)' yn *Dal i Herio'r Byd*, 25-31.

Price, Emyr, *Cymru a'r Byd Modern ers 1918*, Caerdydd, 1979, 217t.

Pritchard, Islwyn, 'Thomas Evan Nicholas (1879-1971)' yn *Herio'r Byd*, 16-22.

R

Rees, D. Ben, 'Gŵr Gwadd: T. E. Nicholas', *Aneurin*, 1/3,45-7

Rees, D. Ben, 'Cymdeithasol a Gwleidyddol' yn *Gwaith yr Eglwys ar gyfer y Dosbarth 17-20 oed*, Caernarfon, 1967, 61-99.

Rees, D . Ben, David Wyre Lewis (1872-1966) *yn Cymry Adnabyddus 1951-1972,* Lerpwl a Phontypridd, 1978, 132-33

Rees, D. Ben (gol.), *Apêl yr Hâg am heddwch a chyfiawnder yn yr ugeinfed ganrif ar hugain* (cyfieithiwyd gan John Owen), Caerdydd, 2000, 24t.

Rees, D. Ben, 'Parchedig W. J. Gruffydd (Elerydd)' yn *Cwmni Deg Dawnus*, 73-77.

Rees, D. Ben, 'Henry Richard (1812-88)' yn *Herio'r Byd*, 55-60.

Rees, D. Ben, *Israel: yr angen am heddwch*, Caerdydd, 1988, 12t.

Rees, D. Ben, 'Henry Richard, propagandydd dros Gymru', *Trafodion Cymdeithas y Cymmrodorion*, Cyf. 7 (2001), 96-111.

Rees, D. Ben, 'Rhyfelgwn a Heddychwyr y Capeli', *Barn,* Rhif 623/4 Rhagfyr 2014 / Ionawr 2015, 39-40.

Rees, D. Ben, 'Dr Emyr Wyn Jones (1907-1999)', *Traethodydd*, Cyf. 154 (1999), 138-141.

Rees, D. Ben, *Y Polymathiad o Gymro: Parchedig William Rees, Lerpwl ('Gwilym Hiraethog, 1802-1883'),* Lerpwl, 2002, 20t.

Rees, D. Ben, 'John Thomas, Lerpwl (1821-92)' yn *Dal Ati i Herio'r Byd*, 34-41.

Rees, D. Ben, 'George Lansbury' yn *Oriel o Heddychwyr Mawr y Byd*, 70-75.

Rees, D. Ben, *Mahatma Gandhi: pensaer yr India*, Lerpwl, 1909, 146t.

Rees, D. Ben, 'Clorianu'r Parchedig Ddr John Williams, Brynsiencyn', *Cylchgrawn Hanes y Methodistiaid Calfinaidd*, Rhif 35, 2011, 108-127.

Rees, D. Ben, 'Yr Eglwys a'r Bom H', *Y Goleuad*, Awst 3, 1960, 2.

Rees, D. Ben, 'Cyfraniad George Maitland Lloyd Davies i Grefydd', *Diwinyddiaeth*, Rhif 54 (2003), 3-34.

Rees, D. Ben, 'Henry Richard AS' yn *Cwmni Deg Dawnus* gan D. Ben Rees, Lerpwl, 2003, 6-14.

Rees, D. Ben, 'Henry Richard fel amddiffynydd gwerthoedd anghydffurfiaeth, *Traethodydd*, 167 (Gorffennaf 2012), 168-182.

Rees, D. Ben, 'George Maitland Lloyd Davies AS' yn *Cwmni Deg Dawnus*, 15-22.

Rees, D. Ben, '*Y Cymodwr, Cristion*', Rhifyn 109 (2001), 11-12.

Rees, D. Ben, 'Parchedig W. D. P. Davies' yn *Cwmni Deg Dawnus*, 55-63.

Rees, D. Ben, 'Samuel Roberts ('SR'), Llanbrynmair (1800-1895)', *Dal i Herio'r Byd*, 15-24.

Rees, D. Ben, 'Dr Emyr Wyn Jones' yn *Cwmni Deg Dawnus*, 55-63.

Rees, D. Ben, *Cofiant Jim Griffiths: Arwr Glew y Werin*, Talybont, 2014, 351t.

Rees, J. Derfel, 'William John Rees (1881-1958)' yn *Dal Ati i Herio'r Byd*, Golygydd: D. Ben Rees, Lerpwl a Llanddewi Brefi, 1988, 13-19.

Rees, Lynn Owen, *Cofio Gwenallt*, Llandysul, 1978, 115t.

Rees, Meinwen, 'William Rees ('Gwilym Hiraethog; 1802-83')' yn *Dal Ati i Herio'r Byd*, 21-27.

Rees, Thomas (Bangor), Cynghrair Cenedlaethol Heddwch, *Y Deyrnas*, Cyf 111-Rhif 10, Gorffennaf, 1919, 76-7

Rees, Thomas (Bangor), 'Lladdedigion y Rhyfel', *Y Deyrnas*, Cyfrol 111 rhif 12, Medi 1919, 91.

Rhosier, Nia, *Llythyr Agored at Gymry'r Wythdegau.* Caerdydd, 1984,7t Cyhoeddwyd gan Gymdeithas y Cymod.

Rhosier, Nia, 'Aberthu Er Mwyn Cyfiawnder' yn *Canmlwyddiant Yr Efrydydd* (goln. Muiris Mag Ualghairg a Sion Brynach) Caernarfon, dd, 27-31.

Rhosier, Nia, 'Yr ysbrydolrwydd a gollwyd', *Cristion,* Ion/Chwefror 1992, 22

Rhosier, Nia, *Daearu Cariad Crist,* Darlith Goffa Lewis Valentine, Cymdeithas Heddwch Undeb Bedyddwyr Cymru, Bae Colwyn, 1999

Rhosier, Nia 'Cysgod y cwmwl', *Faner Newydd,* 46 (Rhagfyr 2008, 12

Rhosier, Nia, 'Y Cymodwr' (George M. Ll. Davies), *Cristion*, Rhif 111 (Mawrth/Ebrill 2002), 11-12.

Rhosier, Nia, 'George M. Ll. Davies, heddychwr (1880-1949)', *Faner Newydd*, 23 (Hydref 2002), 15-16.

Rhosier, Nia, 'W. Roger Hughes –Rhosier (1898-1958)', *Casglwr,* rhif 92 (Gwanwyn 2008), 19

Rhys, Ann Gruffydd, 'Colli Epynt', *Barn,* Gorffennaf /Aewst 1993.

Rhys, Arfon, 'Militareiddio Cymru', *Faner Newydd*, 62 (Gaeaf 2012), 28-32.

Rhys, Arfon, 'Dechrau'r Rhyfel Mawr', *Faner Newydd*, 65 (Hydref 2013), 48-50.

Rhys, Manon (gol.), *Bywyd Cymro: Gwynfor Evans*, Caernarfon, 1982, 344t.

Rhys, Robert (gol.), *Waldo Williams*, Cyfres y Meistri, 2, Abertawe, 1981, 314t.

Richards, C. A., 'Y Bom Hydrogen', *Y Goleuad,* 11 Ionawr 1950, 4-5.

Richards, Emlyn, 'Y Cymodwr', *Cristion,* Rhifyn 110 (Ion/Chwefror 2002), 12-13.

Richards, Emlyn, *O'r Lôn i Fôn: Bywyd a Gwaith Emlyn Richards*, Caernarfon, 2006, 178t.

Richards, Thomas, 'Evan Kynffig Jones (1863- 1950)', *Y Bywgraffiadur Cymreig 1941-1950,* 28

Richards, W. Leslie, 'T. H. Parry-Williams (1887-1975)' yn *Dal Ati i Herio'r Byd*, 65-72.

Richards, W. Leslie, 'Syr T. H. Parry Williams a Heddychiaeth', *Barddas*, rhif 126, (Hyd. 1987), 1-3.

Roberts, D. J., 'Gwilym Bowyer (1906-1965)' yn *Herio'r Byd,* 9-15.

Roberts,John (Caerdydd), Peter Hughes Griffiths, darlledwyd ar *Radio Cymru* ar 3 Ionawr 1937 (gweler y sgript yn Bocs 4 Archif Corfforaeth Darlledu Brydeinig yn y Llyfyrgell Genedlaethol).

Roberts, John, 'John Pritchard Davies (1893-1970) yn *Dal i Herio'r Byd*, 48-54.

Roberts,Richard, *Y Ffydd i'r Oes Newydd,* Llundain,1916, 12 t, cymreigiwyd gan T. Gwynn Jones.

Roberts, R. Silyn, 'James Keir Hardie', *Y Genhinen,* Rhif 1 Ionawr 1916, Cyf XXXIV, 9-11

Roberts, Lleucu (gol.), *Caneuon Heddwch,* Talybont,1991

Ruddock, Gilbert,' Menter ac Antur, Cariad a Hedd ' *Cyfrol o Deyrnged i Pennar Davies,* Golygydd Dewi Eirug Davies, Abertawe, 1981, 53-78

T

Tilsley, Gwilym R., 'David Gwynfryn Jones (1867-1954)', *Y Bywgraffiadur Cymreig* 1951-1970, 93

Tomos, Angharad, *Hiraeth am Yfory: David Thomas a Mudiad Llafur Gogledd Cymru*, Llandysul, 2002, 264t., yn arbennig 'Blynyddoedd y Rhyfel 1914-1918', 76-94.

Tomos, Angharad. Heb deitl, Darlith Goffa Lewis Valentine, Cyhoeddwyd gan Gymdeithas Heddwch Undeb y Bedyddwyr Cymraeg, Llanbedr-Pont-Steffan, 2002

Tomos, Angharad, 'Gwynfor', *Faner Newydd*, 32 (2005), 26.

Thomas, A. Dan, 'George M. Ll. Davies', *Y Goleuad,* 11 Ionawr, 1959, 4

Thomas, Ben Bowen,(gol.), *Lleufer y Werin ; Cyfrol deyrnged i David Thomas, MA*, Abercynon,1965,112 t

Thomas, D. R., 'Seiliau Diwinyddol Heddychiaeth', *Diwinyddiaeth*, Rhif 37 (1986), 3-19.

Thomas, D. R., 'Y Plentyn yn y Canol', New Malden, Cymdeithas y Cymod, 1964.

Thomas, D. R., Helbulon Heddychwr, Darlith goffa Lewis Valentine, Undeb y Bedyddwyr Cymraeg, Llandeilo,1989, 14t.

Thomas, David, 'I Brysuro'r Cymod', *Y Deyrnas*, Rhifyn 11, Awst,1917, 9-11.

Thomas, David, *Dwy safon Mawredd:* Anerchiad a Draddodwyd i Frawdoliaeth y

Cymod (F.O.R) yn Rhosllanerchrugog, Wrecsam, 1919.

Thomas, David, *Y Deyrnas a Phroblemau Cymdeithasol* (Traethodau'r Deyrnas,rhif 6), Wrecsam, 1924, 16 t.

Thomas, David, 'Atgofion Cyfaill ' yn Islwyn Ffowc Elis (gol.) *Edward Tegla Davies* : llenor a phroffwyd, Lerpwl, 1956

Thomas, Dewi W., 'Cofio Waldo ar y noson roedd Abertawe'n fflam', *Faner Newydd*, 10 (1998), 10-11, *idem*., 'Cofio Waldo', *Faner Newydd*, 11 (Gwanwyn 1999), 16-19.

Thomas, Dewi W., 'E. M. Bush (1875-1947)' yn *Dal i Herio'r Byd*, 104-110.

Thomas, Dewi W., 'George Appleton' yn *Oriel o Heddychwyr Mawr y Byd*, 94-100.

Thomas, Patrick, *Cynddilig ac Eraill:Heddychiaeth Cyn yr Heddychwyr?* Darlith Goffa *Lewis Valentine*, Caerfyrddin, Cymdeithas Heddwch Undeb y Bedyddwyr, 2001, 12t.

Thomas, J .E. (Penygroes), 'Emyn Rhyfel', *Y Deyrnas*, Rhifyn 9, Mehefin 1917, 11

Thomas, Rhodri Glyn, 'Gwynfor', *Cristion*, Rhifyn 131 (Gorff / Awst 2005), 16-17.

Thomas,Victor, Ein Heglwys yn Amser Rhyfel, darlledwyd ar *Radio Cymru* 20 Ebrill 1941 (gweler y sgript yn Bocs 16 Archif Corfforaeth Darlledu Brydeinig yn y Llyfyrgell Genedlaethol).

Torri'r Cylch Cythreulig: Dewi Eurig Davies, Angharad Tomos, Dewi W. Thomas, Pont Robert, 1966, 15t; cyhoeddiad Cymdeithas y Cymod yng Nghymru.

Tudur, Non, 'Diwrnod i gofio Waldo', *Golwg*, Cyf. 22, Rhif 33, (29 Ebrill 2010), 26.

V

Valentine, Lewis, 'Beddau'r Byw' dyddiadur carchar yr heddychwr a gyhoeddwyd rhwng Tachwedd 1937 a Chwefror 1939 yn *Y Ddraig Goch*, ac a ail argraffwyd yn John Emyr (gol.), *Lewis Valentine: Dyddiadur Milwr a Gweithiau Eraill* (Llandysul, 1988), 111-67.

W

Williams, Gerwyn, *Tir Neb: Rhyddiaeth Gymraeg a'r Rhyfel Byd Cyntaf*, Caerdydd, 1996, 307t. yn arbennig yr ail bennod, 'Heddychwyr a Gwrthwynebwyr', 51-105.

Williams, Gwyn A., *Heddwch a Grym: Henry Richard, Radical i'n Hamser* Ni, cyflwyniad gan Rhodri Glyn Thomas, Caerdydd,1988, 8 t

Williams,D. Ernest, (gol.), *Dros Eich Gwlad: Cerdddi Heddwch* gan T.E.Nicholas, Pontardawe, 1920, 128 t.

Williams, D. E., 'Evan Lewis Evans (1898-1978)' yn *Dal i Herio'r Byd*, 84-91.

Williams, D. E., 'Oswald Rhys Davies (1908-62)' yn *Dal Ati i Herio'r Byd*, 83-90.

Williams, Eirene, *Heddychwyr a Heddychiaeth Cymru yn yr Ail Ryfel Byd gyda sylw arbennig i Wrthwynebwyr Cwm Gwendraeth*, M.Phil. Prifysgol Cymru (Coleg Dewi Sant Llanbedr-Pont-Steffan), 1998.

Williams, H.Cernyw, Dail y Pren, *Y Deyrnas*, Rhifyn 8, Mai 1917, 8-9

Williams, H.Cernyw, 'Rhyfel i derfynu Rhyfel', *Y Deyrnas*, Cyf 11-Rhif 7, Ebrill 1918, 4

Williams, H. Cernyw; Jones, D. E. Gwynfryn; Jones, J. Puleston; a Thomas,Keinion, 'Apeliadau at yr Eglwysi', *Y Deyrnas*, Cyf 11-Rhif 1, Hydref, 1917,4-5

Williams, Hywel D., 'Atgofion am Niclas y Glais', *Cyffro*, Haf 1971, 16-17

Williams, J. E. Caerwyn Williams, (gol.), *Cerddi Waldo Williams*, Drenewydd, 1992, 112 t. Lluniodd y Golygydd ragymadrodd gwerthfawr, nodiadau defnyddiol yn y gyfrol hardd hon a gyhoeddwyd gan Wasg enwog Gregynog.

Williams, Siân Hawys, *Bywyd a Gwaith Thomas Evan Nicholas 1879-1971*, (Traethawd MA Prifysgol Cymru (Aberystwyth), 1986).

Williams, Glanmor, *Samuel Roberts Llanbrynmair*, Caerdydd, 1950 (Cyfres ddwyieithog Gŵyl Ddewi)

Williams, Tom Nefyn, *Yr Ymchwil*, Dinbych, 1949, 352 tt.

Williams, Roger J., 'Y Tangnefeddwyr', *Barn*, 127, 322

Williams,Waldo, Polisi'r Rhyfelwyr: ''Scorched Earth'', *Baner ac Amserau Cymru*, 17 Mai, 1939, 8

Williams,Waldo, 'Y Tangnefeddwyr', *Baner ac Amserau Cymru*, 5 Mawrth 1941, 4

Williams,Waldo, 'Paham y gwrthodais Dalu Treth yr Incwm', Baner ac Amserau Cymru, 20 Mehefin 1956. Cyhoeddwyd y datganiad gan Jams Nicholas yn ei Ddarlith i Undeb y Bedyddwyr yn y flwyddyn 2000, sef Darlith Goffa Lewis Valentine.

Williams, Waldo, 'Brenhiniaeth a Brawdoliaeth' sef nodiadau ei anerchiad i Undeb y Bedyddwyrc yn Abergwaun yn 1956. Cyhoeddwyd yr anerchiad yn *Seren Gomer* (gol. Lewis Valentine), Cyfrol 48, Haf 1956.

Williams, W. Llewelyn, Y Rhyfel, *Beirniad* (gol. John Morris-Jones), Cyfrol IV Rhif 3, Hydref 1914, 153-163. Dyma enghraifft o Aelod Seneddol dros y Blaid Rhyddfrydol yn gwrthod safbwynt heddychiaeth ac yn pedlera propaganda dros y Rhyfel Byd Cyntaf.

Wyn, Hefin, Niclas y Glais-'heddychwr'radical, *Cymod*, Cylchlyth Cymdeithas y Cymod yng Nghymru, Haf 2014, 18-19.

Y

Y Llyfr Bach Heddwch. A Oes Heddwch? Prosiect Heddwch Cymreig,Cynefin y Werin, Y Deml Heddwch, Caerdydd, 2005

Ffilmiau perthnasol yn yr iaith Gymraeg.

i) *Cymru a'r Rhyfel Byd Mawr*, HTV Cymru, 18 Awst 1964.

ii) *Pererin Hedd. Drama ddogfen gan Deledu Elidir am fywyd yr heddychwr George Maitland Lloyd Davies yng Ngogledd Iwerddon yn 1921*. S4C Digidol, 7 Tachwedd 2001.

iii) *Adar Drycin*, rhaglen ddogfen ar Waldo Williams, S4C, 2 Mawrth 2004, ail ddarlledwyd Mai 29, 2013.

iv) *Gwlad Beirdd: Waldo Williams. Tudur Dylan Jones a Mererid Hopwood yn trafod cerddi Waldo.S4C Medi 12, 2010*

v) Gwlad Beirdd: T.H. Parry Williams. Cyflwyniad Tudur Dylan Jones a Mererid Hopwood i waith T.H.Parry Williams. S4C 24 Hydref 2010

vi) Gwlad Beirdd: T.E. Nicholas. Tudur Dylan Jones a Mererid Hopwood sy'n olrhain hanes Niclas y Glais S4C Hydref 9, 20011

vii) Henry Richard: Yr Apostol Heddwch . I nodi Diwrnod Heddwch y Byd 2013 sef 21 Medi y mae Mererid Hopwood yn olrhain hanes y pasiffist o Dregaron. S4C 22 Medi 2013.

viii) Gorymdaith Heddwch y Gwragedd o Gaerdydd i Sir Benfro ar y rhaglen *Y Dydd* a ddarlledwyd ar HTV ar 27 Mai 1982.

Mynegai